DIANE LEVY

É claro que eu amo você...

AGORA VÁ PARA O SEU QUARTO!

Educando filhos com amor e limites

Editor e edição de texto: Editora Fundamento
Capa: Silvana Mattievich
Editoração eletrônica: Bella Ventura Design e Eventos Ltda.

Produzido originalmente por Random House

Dados Internacionais de Catalogação na Publicação (CIP)
(Câmara Brasileira do Livro, SP, Brasil)

Levy, Diane
É claro que eu amo você... agora vá para o seu quarto! / Diane Levy ; [versão brasileira da editora] – São Paulo – SP : Editora Fundamento Educacional, 2010.

Título original : Of Course I love you... Now go to your room!

1. Crianças – Criação 2. Educação de crianças 3. Educação doméstica 4. Família 5. Pais e filhos I. Título.

07-1557 CDD-649.1

Índices para catálogo sistemático:
1. Crianças: Criação: educação doméstica 649.1
2. Educação de crianças: educação doméstica 649.1
3. Pais e Filhos; Relações familiares: educação doméstica 649.1

Fundação Biblioteca Nacional

Depósito legal na Biblioteca Nacional, conforme Decreto n.º 1.825, de dezembro de 1907.

Impresso no Brasil

Telefone: (41) 3015 9700
E-mail: info@editorafundamento.com.br
Site: www.editorafundamento.com.br

Sumário

PARTE 4: O CAMINHO PARA A AUTODISCIPLINA

PARTE 5: ARMADILHAS E ÁREAS-PROBLEMA

Introdução

É com carinho que me lembro de meu rato. Ele e eu nos formamos em Psicologia, em 1967. Ensinei-o, pacientemente, a perceber a diferença entre linhas horizontais e verticais.

Não foi um processo fácil para nenhum de nós. Entrávamos em um cubículo fracamente iluminado, onde havia uma plataforma "de salto" e outra "de queda" – cheia de petiscos – embaixo do conjunto "correto" de linhas. Sob o conjunto "errado" de linhas, não havia coisa alguma, exceto uma rede de segurança que acolhia o rato equivocado. O infeliz sujeito era colocado sobre a primeira plataforma. Quando, afinal, perdia o equilíbrio, era empurrado ou simplesmente perdia a paciência, ele caminhava em direção a um conjunto de linhas. A escolha certa correspondia a uma "aterrissagem" segura e a algum alimento como recompensa. A escolha errada resultava em uma queda desagradável, mas segura, na rede armada logo abaixo.

Pouco a pouco, o rato foi aprendendo a diferença entre linhas horizontais e verticais. Mais do que rápido, convenci-me de que a Psicologia Comportamental era a resposta para todos os aspectos do comportamento animal – inclusive do ser humano. Não me haviam ensinado sempre que a Psicologia é o estudo do comportamento? Pois eu havia demonstrado a todo o mundo científico que qualquer comportamento poderia ser modificado por meio do reforço positivo do comportamento desejado e do reforço negativo do comportamento indesejado.

E, então, passei aproximadamente vinte anos seguindo esse princípio básico. Estava bem firme em minha posição. Gráficos com elogios (reforço positivo) e punições (reforço negativo) eram a maneira de aplicar o principio à esfera humana, e pais e professores eram incentivados a modificar o comportamento das crianças.

Tentei usar a teoria de reforços positivos e negativos como mãe, como professora, como esposa, como membro de comissão, como presidente de uma organização, como consultora e até como terapeuta da família.

O problema da teoria é que ela funcionava com frequência quase suficiente para nos fazer crer que tínhamos a resposta. E, quando não gerava resultados, pensávamos que fosse por falta de empenho de nossa parte ou então falta de persistência, sinceridade ou coerência – palavra ameaçadora para qualquer pai ou mãe. A resposta, portanto, era mais esforço.

Hoje, não consigo entender por que se passaram trinta anos até que eu me lembrasse novamente do meu rato. O rato, que precisou de tanto tempo de trabalho para aprender a diferença entre linhas horizontais e verticais, era também capaz de escolher o alimento certo na quantidade adequada, de evitar – de um modo geral – situações perigosas, como gatos, fogo e seres humanos, encontrando o caminho de volta para seu esconderijo; era capaz de preparar um ninho, encontrar uma companheira, ter filhotes e cuidar deles. Tudo isso sem a minha ajuda e sem recompensas ou castigos deliberada e cuidadosamente aplicados.

Ao mesmo tempo, comecei a examinar minha arrogante dedução de que deveria manipular o comportamento de qualquer outra pessoa – seja de que idade fosse – com o sistema de recompensa e punição.

Ao observar com novos olhos o mundo que me rodeava, percebi que a teoria de recompensa e punição não faz sentido no caso de animais complexos ou do comportamento humano. Inúmeros exemplos comprovavam isso.

Ficou claro para mim que o sistema de punição e recompensa como ferramenta básica de educação era falho. Mas, se o abandonasse, o que me restaria?

Foi então que fiz três grandes descobertas. A primeira estava relacionada à ideia de ouvir as crianças e apoiá-las na resolução de seus problemas. Isso aconteceu quando descobri uma forma de aproveitar as observações da antropóloga norte-americana Jean Liedloff sobre o "primitivo" povo yequana, adaptando o comportamento dos pais daquela tribo aos padrões da Nova Zelândia no século 21.

A segunda e maior descoberta aconteceu quando comecei a entender a diferença entre pais que adotavam com sucesso a estratégia do "tempo para pensar" e aqueles que não conseguiam bons resultados. Quando era usada como castigo (para substituir a palmada), a estratégia acabava deixando completamente desautorizados os pais de uma criança que gostasse de ficar sossegada e não fizesse questão de ser liberada. No entanto, nos casos em que os pais utilizavam o "tempo para pensar" como um espaço para a criança refletir e decidir mudar sua atitude, adaptando-se melhor ao esquema familiar, a criança não apenas alcançava a autodisciplina, como parecia mais satisfeita.

Essas conclusões foram reforçadas quando reli, com novo entendimento, o livro *20 Things I Want My Kids to Know* (não publicado em português), de Hal Urban. O capítulo final se desenvolve em torno da premissa de que "ser comportado é um componente indispensável à saúde emocional e espiritual". Finalmente, eu encontrava uma explicação para o fato de que, quando eu aconselhava pais a tentarem estratégias para se tornar mais firmes e severos, no intuito de garantir filhos mais obedientes, dias depois eles acabavam retornando, confusos e surpresos, dizendo:

– Eles parecem muito mais felizes.

A terceira descoberta aconteceu quando participei de um seminário do Virtues Project, coordenado por Dan e Linda Popov, e me convenci de que reconhecer as virtudes de nossos filhos é mais poderoso do que elogiar suas ações.

O resultado dessas descobertas é que passei a considerar como metas dos pais o cumprimento de duas tarefas principais:

- Apoiar a criança, deixando que experimente uma vasta gama de emoções (felicidade, raiva, frustração, prazer) de maneiras socialmente apropriadas.
- Limitar o comportamento inadequado da criança, de modo que ela se comporte de maneira socialmente apropriada e desenvolva autodisciplina.

Com o cumprimento dessas duas tarefas, nossas crianças desenvolverão as habilidades e virtudes necessárias para uma vida adulta saudável e independente. E o melhor de tudo: essas tarefas incluem estratégias que não exigem grande esforço de pais já exaustos, permitindo-lhes educar crianças agradáveis, cujo progresso se pode apreciar e cuja companhia se torne um prazer.

Você tem 20 anos

1
O PLANO DOS 20 ANOS

São necessários cerca de vinte anos para se criar um filho. Nesse espaço de tempo, você terá ensinado ao seu filho – ou o terá incentivado a adquirir – as habilidades necessárias à sobrevivência fora de casa. É de se esperar que você tenha criado um jovem adulto capaz de saber quando pedir ajuda, quando perguntar e quando agir por si.

Repare que eu não disse: "Você terá ensinado ao seu filho o que fazer e o que pensar." A verdade é que o mundo é complicado demais para nos permitir entregar aos nossos filhos respostas prontas a todas as dúvidas e opções que surgirão no caminho. Nosso papel, que representa também um privilégio e uma responsabilidade, é ensiná-los a avaliar as condições, pensar com independência, tomar decisões ponderadas e evitar situações de perigo.

Os bons e velhos tempos

É muito comum ouvirmos os pais de hoje em dia comentarem: "Eu jamais ousaria falar assim com meus pais e professores." E os avós reclamam: "As crianças de hoje são muito mais espertas, mas também mais malcriadas." Uma questão que frequentemente me faz pensar, como mãe e terapeuta de família, é: "Está ficando mais difícil lidar com as crianças?"

Costumamos dizer que o mundo atual é diferente daquele em que crescemos e, com certeza, ele difere muito daquele em que viveram nossos avós. Mas qual a medida dessa diferença? Vou contar uma história que ouvi no rádio, em um programa de entrevistas, há poucos anos.

Um chefe de polícia, em vias de se aposentar, contava histórias de suas primeiras semanas como policial, quarenta anos antes.

Contou que, certa noite, o chefe o chamou ao seu gabinete e relatou que alguns clubes de boliche das redondezas vinham sendo invadidos por ladrões interessados em roubar bebidas alcoólicas.

– Vamos pegá-los – o chefe disse. – Toda noite, depois do seu plantão, você vai ficar de tocaia em um clube de boliche. Um dia, eles aparecem.

Assim, naquela noite, ao deixar o plantão, o policial pegou sua bicicleta, uma garrafa térmica, uma bolsa de água quente e um cobertor e foi para o clube de boliche, onde ficou até amanhecer. Na primeira noite, nada aconteceu. Nem na segunda. Na terceira noite, ele ouviu um ruído de madeira sendo quebrada e foi verificar. Dois homens haviam arrombado a porta e invadiram o clube.

Ele deu voz de prisão aos dois e disse que teriam de acompanhá-lo até a delegacia. E lá se foram os três amigavelmente: o policial levando as ferramentas usadas para o arrombamento; um dos ladrões empurrando a bicicleta; e o outro levando uma sacola com a garrafa térmica, a bolsa de água quente e o cobertor. Ao chegarem à delegacia, os ladrões foram presos.

É um mundo diferente

Tente imaginar a cena nos dias de hoje. Pense no respeito que havia, há apenas quarenta anos, do policial por seu chefe e dos bandidos pela lei.

Agora, pense na sociedade atual, comparativamente anárquica, sem lei nem deus, em que criamos nossos filhos. Como pais e avós, não recebemos mais do Estado, do governo, da igreja ou da polícia o apoio para a formação de uma família e para a criação dos filhos.

Neste mundo difícil, criar filhos se tornou uma tarefa que exige habilidade, raciocínio e determinação. Já não basta viver um dia depois do outro – embora haja muitos dias cuja superação representa uma grande vitória. Precisamos desenvolver uma visão de longo prazo, de modo a melhorar nossa capacidade de lidar com as crianças no dia a dia.

Espero que este livro toque nas suas qualidades, despertando as que já possui e acrescentando outras.

As quatro principais tarefas dos pais

A criação de um filho compreende quatro tarefas principais. Os pais são responsáveis por desenvolver na criança:

1. independência emocional
2. autodisciplina
3. capacidades
4. moral

Independência emocional

Quando o bebê nasce, depende inteiramente de nós para ter todas as suas necessidades emocionais atendidas.

Em seu maravilhoso livro *The Continuum Concept* (não publicado em português), Jean Liedloff oferece uma ótima descrição da sensação de segurança do bebê ao ser carregado por uma pessoa amorosa. Jean Liedloff aponta o afago como a maneira de fazer com que o pequeno corpo do bebê descarregue energia ou a transfira para um corpo maior. E a descarga de desconforto é recebida pelo adulto sem maiores problemas. Uma vez descarregada a energia, o bebê se sente em paz novamente – à vontade no mundo.

Emocionalmente dependente ⟶ Emocionalmente independente

No aspecto emocional, o bebê depende inteiramente do adulto. Queremos, porém, que os nossos filhos cheguem emocionalmente independentes à idade adulta. Não emocionalmente apáticos: independentes. Queremos que sejam capazes de sentir e administrar, de maneiras socialmente adequadas, toda a gama de emoções: da alegria à tristeza, do entusiasmo à raiva.

Quando as emoções forem fortes demais e difíceis de suportar, queremos que nossos filhos saibam buscar a ajuda de um parente ou amigo capaz de se interessar pelo que eles estão passando.

Autodisciplina

Richard Gordon, autor da série de TV Doctor in the House, descreveu o bebê como "uma pessoa muito pequena, sem qualquer disciplina de uma ponta a outra". Como pais, nossa tarefa é pegar essas pessoinhas indisciplinadas e ajudá-las a se tornarem mais crescidas e autodisciplinadas.

Precisamos criar filhos capazes de estabelecer metas, trabalhar por elas e experimentar satisfação ao vê-las atingidas e ter os sonhos realizados.

Emocionalmente dependente	→	Emocionalmente independente
Indisciplinado	→	Autodisciplinado

Com independência emocional e autodisciplina, nossos filhos podem adquirir os próximos dois requisitos para a vida adulta: capacidades e moral.

Capacidades

Talvez seja injusto descrever um recém-nascido como alguém sem qualquer capacidade. Realmente. Nossos bebês fazem verdadeiros milagres. Mas a complexidade e o número de capacidades que terão de desenvolver para viver com independência na idade adulta são enormes. É responsabilidade nossa cuidar para que tenham conseguido isso antes de se lançarem no mundo.

Emocionalmente dependente	→	Emocionalmente independente
Indisciplinado	→	Autodisciplinado
Incapaz	→	Capacitado

Moral

Os bebês começam a vida como seres essencialmente amorais. Não sabem identificar o certo e o errado. Quando chegar o momento de viverem sozinhos, precisamos da certeza de que carregam com eles a moral, os valores e a ética da família, além da certeza de que estão desenvolvendo seu lado espiritual.

Emocionalmente dependente	→	Emocionalmente independente
Indisciplinado	→	Autodisciplinado
Incapaz	→	Capacitado
Amoral	→	Moral

Como alcançar independência emocional e autodisciplina

Este livro enfatiza a importância dessas duas tarefas dos pais. Acredito que, se nossos filhos desenvolverem independência emocional e autodisciplina, seguirão um imperativo natural de adquirir as habilidades necessárias ao seu bem-estar, inclusive levando em consideração nossas observações a esse respeito. Paralelamente, eles desenvolverão a espiritualidade e comportamentos morais e éticos.

Aprendendo por meio do erro sem risco

Meus dois primeiros filhos cresceram em uma época em que estavam na moda umas chaleiras brilhantes e coloridas, bem "chamativas". Dizer a eles para não tocar na chaleira porque era perigoso não tinha nenhum significado.

O que faz uma mãe numa hora dessas? Como deixar que os filhos errem com segurança, para aprender?

Enchi a chaleira com água bem quente – mas não a ponto de oferecer perigo – e mostrei a eles que poderiam colocar o dedo muito rapidamente, apenas para verificar a temperatura. E, toda vez que eu tocava a chaleira, repetia: "Quente."

Este modelo – deixar que a criança aprenda por meio de erros seguros – tem grandes probabilidades de sucesso em comparação com conselhos, regras e castigos, mas exige ponderação e planejamento. A maioria dos pais acha mais fácil gritar.

A escolha é nossa, porém não é fácil.

Os pais devem refletir a vida real

Nossos filhos são tão preciosos que temos dificuldade em deixar que eles errem. Quando caem, queremos levantá-los. Quando pedem "só mais uma historinha", que mal há? Mas nossa tarefa é refletir o mundo para o qual estamos preparando nossos filhos. Quando estiverem no mundo lá fora, eles vão precisar saber:

1. como se levantar e seguir em frente;
2. que estar junto não é garantia de amizade;
3. que às vezes é preciso terminar o trabalho antes da diversão;
4. que completar uma tarefa é muitas vezes a maior dificuldade.

Gosto muito do título do livro do psicólogo austríaco Bruno Bettelheim, *The Good-enough Parent (Pais Suficientemente Bons*, em tradução livre). Nesse trabalho, ele afirma que, se os pais agirem com razoável acerto na maior parte das vezes, os filhos ficarão bem. Essa afirmativa sempre me traz grande conforto quando perco o controle e grito com meus filhos.

Uma das mais belas artes da educação é refletir a vida real em doses que a criança seja capaz de suportar.

Aprendendo a fazer escolhas acertadas

Quando os filhos são pequenos, decidimos quase tudo por eles. Se queremos que mudem de lugar, simplesmente os tiramos daqui e o colocamos ali.

Antes da idade adulta, existe aquela fase adorável chamada adolescência, em que metade das decisões cabe a nós, e a outra metade, a eles – e costuma ser bem difícil chegar a um consenso acerca da divisão.

Um modo de ver a educação é considerá-la a tarefa de ensinar os filhos a fazer escolhas acertadas. O mundo que nossos filhos vão encontrar, quando adultos, será tão complexo que é impossível – como sempre foi – armá-los com todas as repostas para todas as situações. O máximo que podemos fazer é oferecer a eles muitas oportunidades de tomar decisões enquanto forem jovens até que conheçam a si próprios e consigam pensar em termos de causa e efeito.

É preciso que, durante sua curta experiência, os filhos tenham cometido erros seguros em quantidade suficiente, de modo que possam recorrer ao que aprenderam, evitando assim novos e desnecessários erros.

Quando alguma coisa sai mal para minha filha Deborah – não me lembro de ter sido tão cuidadosa com meus dois filhos mais velhos –, a observação que menos gosto de me ouvir fazer é "eu avisei", e o que mais gosto de me ouvir perguntar é "o que você aprendeu com isso?" Para mim, será um grande dia quando conseguir me restringir à segunda possibilidade.

A mãe que trabalha ou "o que meu filho vai dizer ao terapeuta?"

A falta que mais nos incomoda é a de tempo. Embora muitos afirmem não querer ter como epitáfio "queria ter passado menos tempo no trabalho", não é isso o que se vê por aí. Hoje em dia, são comuns casais que trabalham fora de casa, também é muito comum encontrarmos situações em que o pai ou a mãe criam os filhos sozinhos, enfrentando a tarefa hercúlea de acompanhar e prover.

Dizer que "é preciso muita gente para criar um filho" já não é novidade. Todos sabemos disso e nos perguntamos: como encontrar essa gente quando vivemos correndo da casa para o trabalho, para a escola, para as atividades extracurriculares, para a academia e tudo o mais? Simplesmente não sobra tempo para formar o círculo de amizades que manteria nossos filhos em segurança.

Com frequência, vejo homens de 30 ou 40 anos se emocionarem quando contam que o pai era um homem que parecia ter tempo de sobra, mas vivia ocupado demais "no escritório" para estar presente nos momentos mais importantes. O fator crítico talvez seja o fato de "parecer que ele tinha tempo". Não vejo a mesma resposta nos filhos que descrevem os pais como alguém que trabalha muito para garantir casa e alimento à família.

Na verdade, não temos como saber qual interpretação os filhos darão mais tarde às decisões tomadas pela mãe de construir uma carreira, conquistar um lugar na escada profissional ou corporativa, ganhar dinheiro bastante para oferecer a eles bens materiais e experiências além de suas necessidades.

Nos últimos dez anos, cada vez mais tenho observado que os pais comparecem às consultas acompanhados de uma terceira pessoa: a babá. Esse é um arranjo bastante útil, pois deve haver coerência no trato com as crianças.

Por isso, nunca é demais lembrar que, embora muitas babás sejam equilibradas e dedicadas aos adultos e às crianças para os quais trabalham, elas podem ser responsáveis por cuidados e ensinamentos, mas não pela criação do seu filho. Essa é responsabilidade e privilégio dos pais.

Tendo em mente uma das minhas frases preferidas – "O lugar da mãe é no erro" – se você quiser examinar como vem agindo e verificar se tem necessidade de mudanças, uma boa estratégia é imaginar o que o seu filho dirá, daqui a trinta anos, do modo como foi educado. Você tem sido o tipo de pai ou mãe que deseja ser? Se concluir que alcançou 50% do que pretende, pode-se dizer que está indo bem.

Somente sessenta minutos

E, se eu tivesse apenas sessenta minutos para estar com os meus filhos, o que faria? Minha melhor sugestão para os pais que dispõem de pouquíssimo tempo para dedicar aos filhos é: "Use o tempo para ser pai (ou mãe)." Outras pessoas podem ser babás, amigas ou colegas dos seus filhos. Pai ou mãe, só você. Use o tempo disponível para atender às necessidades dos filhos – não necessariamente os desejos dele.

Você tem como primeira responsabilidade proporcionar aos seus filhos o apoio emocional de que necessitam para alcançarem a aprendizagem e viverem as experiências que vão torná-los adultos emocionalmente independentes.

Sua segunda responsabilidade é estabelecer expectativas e limites adequados, de modo que os seus filhos possam trilhar com segurança o caminho que vai da indisciplina à autodisciplina.

Quer você disponha de uma ou de vinte e quatro horas por dia para ser pai ou mãe, aproveite o tempo para cumprir essas duas responsabilidades básicas.

A seguir, veremos como.

2

A ESTRUTURA FAMILIAR

A família não é uma democracia. Nem todas as opiniões têm o mesmo valor e nem todos os membros têm direito a voto.

Uma boa estrutura familiar envolve um ou dois (outros números também são aceitáveis, mas dois é a quantidade mais comum nos países ocidentais) adultos, em geral com poderes iguais. Há também uma nítida linha divisória, deixando bem claro que são eles que detêm o poder, o controle, o saber e a experiência que os fazem capazes de cuidar do bem-estar e da educação dos demais. Em uma boa estrutura familiar, os filhos também têm mais ou menos o mesmo poder, e suas necessidades, com o tempo, serão atendidas igualmente.

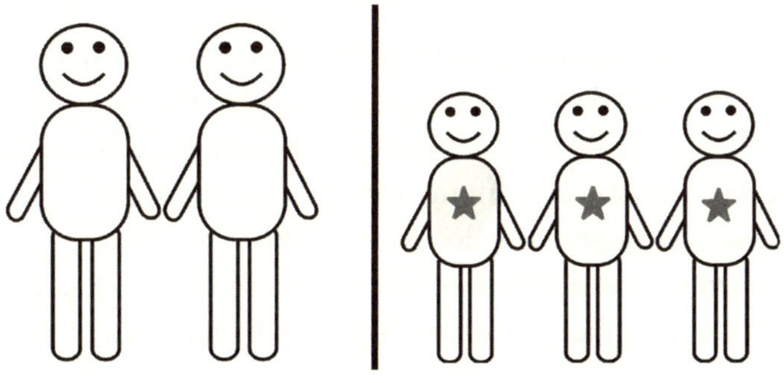

Pai ou mãe que criam os filhos sozinhos costumam ter muito mais trabalho para manter os limites entre pais e filhos. Questões de disciplina podem ser muito desgastantes para quem precisa estar vinte e quatro horas em atividade, sem um momento de descanso. Fico surpresa ao ver como a maioria dos pais ou mães que criam os filhos sozinhos consegue administrar uma tarefa contínua, tão difícil e exaustiva.

Uma estrutura familiar instável

Em certas famílias, às vezes parece que uma das crianças assume o comando. Frequentemente, um dos membros consegue dominar toda a família, seja por meio de cenas, desobediência, agressão aos irmãos, chantagem ou simplesmente má vontade no cumprimento de tarefas.

Os outros filhos detêm menos poder do que o mais turbulento. Os pais, não raro, pedem a eles que cedam, em nome da paz ou para que se avance no que precisa ser feito.

O limite entre a esfera adulta e a esfera jovem perde a nitidez, e tudo piora quando há pais ausentes, restando apenas "o poder de um", para manter a família funcionando.

Em tal tipo de estrutura familiar, todos são meio infelizes.

Sou pequena demais para comandar a família

Essa estrutura não serve para a família como um todo, mas... e quanto à criança que é o "pivô" de tudo? Sempre pensei que, no mínimo, a criança dominadora se sentisse feliz, mas frequentemente é ela a mais infeliz.

Quando os pais me consultam acerca do descontrole no comportamento dos filhos, começamos pelos aspectos básicos. Nada de bater nem ameaçar. A criança tem de fazer o que os pais mandam. Estabelecemos estratégias para que os pais assumam o comando e a criança obedeça.

Sempre fico um tanto surpresa quando os pais retornam dali a quinze dias e dizem que a criança está, sim, mais bem-comportada e cooperativa. E eles sempre acrescentam meio confusos:

– Ela parece muito mais feliz!

Nossos filhos precisam de amor e apoio. Precisam também de limites, em nome de seu bem-estar e de sua felicidade.

A criança insegura

A criança que, de maneira inadequada, domina a família, muitas vezes demonstra insegurança, confundindo os pais, que não conseguem encontrar motivos para isso.

As primeiras perguntas que faço parecem surpreendentes: "Como é ela, em termos de obediência? Qual o nível de boa vontade com que executa tarefas domésticas simples? Ela acorda de manhã e se arruma com facilidade? Reclama por ter tarefas escolares a fazer em casa?

Com as respostas obtidas, traçamos o perfil da pequena tirana que frequentemente não obedece, ainda que adulada ou lisonjeada.

Quando a criança ocupa tal espaço na família, não é de se admirar que olhe em volta e pense: "Se sou a pessoa mais poderosa aqui, quem vai cuidar de mim quando eu estiver em apuros?" Assim, a insegurança é um sentimento normal.

Os pais sempre se surpreendem ao me ouvir dizer:

– Primeiro, vamos trabalhar a obediência. Estou certa de que isso vai torná-la mais segura.

Os limites dão segurança às crianças.

Estabelecendo limites

A desobediência se manifesta de muitas formas. Quantos de nós temos filhos que saem correndo cegamente por estacionamentos de carros, ignorando o tráfego? Quantos temos filhos que se afastam demais de nós em parquinhos, sem a menor atenção aos perigos? Quantos temos filhos que, solicitados a sair do carro, fazem o contrário, trancando-se lá dentro?

A princípio, pode-se julgar que tudo não passa de brincadeira, mas, se pensarmos um pouco mais, veremos que se trata de desrespeito aos limites estabelecidos pelos pais; quando em locais públicos, onde o controle fica mais difícil, essas crianças sabem que podem explorar a situação ao máximo. Elas precisam de limites, para garantir seu bem-estar e felicidade.

Não é fácil perceber as fugas como forma de desobediência. Mas imagine a sua criança ouvindo a pergunta: "Se a mamãe disser para você ficar de mãos dadas com ela para atravessar o estacionamento, você vai fugir?" A resposta provavelmente seria não. Portanto, o problema não está necessariamente na fuga, mas na falta de respeito aos limites estabelecidos por você para garantir a segurança dela.

Não se surpreenda se o próximo passo for trabalhar a obediência. Depois que ela passar a obedecer mais em casa, aumentarão as chances de que venha a obedecer fora de casa, abandonando as atitudes que ela sabe serem inadequadas.

Ao tornar os limites mais claros e sólidos, colocando-se como a pessoa mais poderosa da casa na vida diária, você terá dominado o comportamento indesejado, passando a conviver com uma criança mais feliz.

Quando os pais discordam

Então o que acontece para que uma família que funciona bem, com os pais no comando e os filhos cuidados, orientados e protegidos, transforme-se em outra, na qual uma ou mais crianças dominam e os limites são fracos ou inexistentes? E, mais importante: quando não existem limites e um ou mais filhos "mandam na casa", como fazer para reverter a situação, deixando todos muito mais felizes? A chave é um fenômeno conhecido como triângulo de Karpman.

O triângulo de Karpman

Ainda no início da minha carreira de consultora, aprendi a reconhecer as posições do perseguidor, da vítima e do salvador. A troca rápida de uma para outra caracteriza o triângulo de Karpman, em uma alusão ao nome de Stephen Karpman, autor do primeiro artigo sobre o tema, publicado no Journal of Transactional Analysis.

O triângulo de Karpman descreve uma interação em que um indivíduo assume determinada posição (perseguidor, vítima ou salvador), deixando para o outro uma das posições restantes.

Quando a família toma o caminho desse tipo de interação, perde-se uma estrutura poderosa, desaparece o limite entre pais e filhos e vem a infelicidade. A recuperação do poder da estrutura familiar depende de esforço próprio.

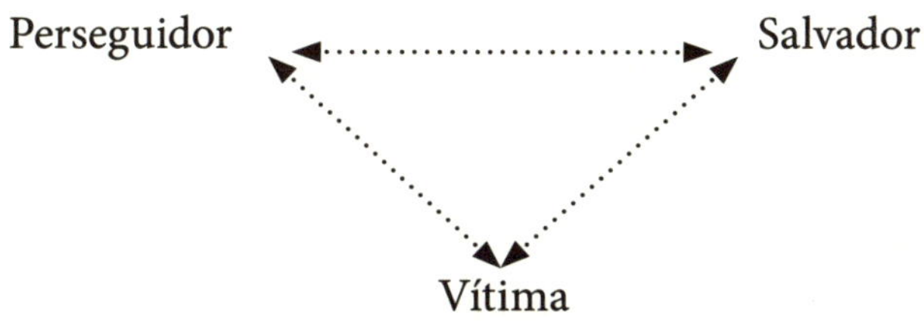

Imagine a cena

Foi um longo dia. Mamãe prepara o jantar, os filhos fizeram as tarefas escolares e estão diante da televisão. Papai chega e cumprimenta todos. Pouco depois, mamãe chama a família para jantar. Faltam cinco minutos para terminar o programa a que as crianças assistem.

Papai, tentando ajudar, desliga a TV.

– Crianças, já para a mesa. Mamãe está chamando.

(Eu interpretaria a atitude do papai como uma tentativa de colaboração, mas os filhos se comportam como se estivessem diante de um gra-a-a-ande perseguidor. Com isso, têm a oportunidade de agir como vítimas.)

As crianças (especialistas no papel de vítima) choramingam:

a. "Não é justo."

b. "Só faltam cinco minutos para acabar o programa."

c. "Vamos perder o fim."

d. "Não estou com fome."

e. Todas as respostas acima.

Mamãe, sentindo-se a salvadora das vítimas, persegue o papai.

– Olhe só o que você fez. Ficou todo mundo aborrecido, e ninguém vai jantar. Alguns minutinhos não fariam diferença. Assim que o programa terminasse, elas viriam para a mesa satisfeitos.

Papai, assumindo então inteiramente o papel de vítima, pergunta-se por que resolveu chegar em casa mais cedo. O escritório começa a lhe parecer muito mais atraente.

– Eu só quis ajudar – ele resmunga.

E, assumindo rapidamente o papel de perseguidor, continua:

– De qualquer modo, você permite que eles fiquem tempo demais diante da televisão.

Mamãe adota uma posição defensiva, de vítima:

– Estava tudo muito bem até você chegar.

Uma das crianças, tentando agir como salvadora, aproxima-se e diz:

– Eu amo você, papai.

Pai e mãe gritam em uníssono:

– Volte já para a mesa!

A criança (vítima) se senta e choraminga.

O clima à mesa fica pesado.

Eis aí uma típica cena familiar. Em um momento, tudo caminha às mil maravilhas; no momento seguinte, a atmosfera muda e todos se aborrecem.

Se analisarmos o que aconteceu, encontraremos alguns pontos em que a situação poderia ser evitada ou contornada.

A mudança de turno ou "eu só queria ajudar"

Nas famílias, há diferentes turnos com diferentes sistemas. Presumindo-se que a mãe trabalhe em casa e o pai trabalhe fora, a família terá três turnos distintos: o da manhã, com pai e mãe presentes; o do dia, cumprido apenas pela mãe; e o posterior ao horário de trabalho, novamente com pai e mãe atuando juntos.

Na cena descrita anteriormente, o pai teve a sincera intenção de ser útil. Ao ouvir a mãe chamar os filhos para jantar, ele desligou a televisão, mas tudo desandou terrivelmente em seguida.

Vejamos: a mãe havia sido responsável pelo turno do dia, e tanto ela quanto os filhos sabiam ser permitido assistir aos programas até o fim; sabiam se "o jantar está pronto" significava atender ao chamado imediatamente ou esperar o programa terminar.

Portanto, um meio de não cair no triângulo de Karpman é procurar obter o máximo de informação. Quando assumir o turno, procure saber com o(a) chefe o que aconteceu na sua ausência. Ao chegar em casa, na hora da troca de turno, em vez de simplesmente "atropelar" e "ajudar", pergunte: "Posso ajudar em alguma coisa?". Quem quer que tenha cumprido o turno anterior saberá o que é preciso fazer.

Evitando o triângulo

Você talvez se pergunte quem começou o triângulo. Foram os filhos. O pai pediu-lhes que fizessem alguma coisa, e eles logo começaram a reclamar, colocando-se na posição de vítimas. O pai assumiu o papel de perseguidor, seguido então pela mãe, e tudo desandou a partir daí.

Uma alternativa seria o pai evitar se juntar aos filhos no triângulo. Ele poderia ter dito:

– Ei, vamos ver o que a mamãe acha.

E a mãe poderia ter explicado:

– Eu deixei que eles vissem o programa. O que parecia um chamado para o jantar era na verdade uma contagem regressiva. Por favor, cuide para que eles desliguem a televisão – ela conhece a relutância com que seus filhos se afastam de um aparelho tão sedutor – assim que o programa terminar.

Então, o pai recuaria:

– Sua bondosa mamãe nos concedeu uma prorrogação.

A partir de então, assistiria ao programa com os filhos e, assim que terminasse, cuidaria para que lavassem as mãos e fossem para a mesa.

Repare que, nessa versão, o pai recusa o convite para fazer parte do triângulo, estabelece um limite firme e se apresenta em unidade com a mãe. O poder de dois adultos unidos é um ótimo exemplo para as crianças, além de restabelecer o equilíbrio familiar.

Existe ainda outra opção, que seria a mãe dizer:

– O jantar está pronto e servido. Eles devem vir para a mesa agora. Obrigada pela sua ajuda.

O pai, então, diria:

– Sua mãe preparou um jantar caprichado. Temos de ir agora.

Se um dos filhos insistisse na posição de vítima – "não é justo" é um lamento comum – tentando transformar os pais em perseguidores, estes poderiam mandá-lo para o quarto, voltando apenas quando estivesse mais calmo. Assim, evitariam a formação do triângulo.

Saindo do triângulo

De volta à cena 1. A mãe poderia ter notado que as reclamações pelo desligamento da televisão eram um meio de incluir o pai no triângulo, na posição de perseguidor. Ao assumir o papel de salvadora, ela fez toda a família entrar no triângulo.

Juntos, os pais poderiam sair do triângulo e recuperar o poder duplo. Para isso, a mãe precisaria estar lado a lado com pai, dizendo:

– Vocês ouviram o que o papai disse. Desliguem a televisão e venham jantar.

Na dúvida, recupere a solidez da estrutura

Deveriam as crianças ter feito o que a mãe mandou? Deveriam ter feito o que o pai mandou? Não seria razoável que assistissem aos últimos cinco minutos do programa? E quanto ao fato de o jantar estar pronto?

Todos esses pontos são válidos, mas existe um fator mais importante: que os filhos estejam protegidos por limites sólidos criados pelos pais unidos.

É preciso lembrar que não adianta gritar de longe: "Crianças, obedeçam já à mamãe (ao papai)!" Mexa-se. Pai e mãe devem estar lado a lado.

Se houver necessidade de escolher entre a opinião individual e o consenso, lembre que a união representa para os filhos muito mais segurança e proteção do que ter pai e mãe discutindo se eles devem ou não comer mais um biscoito de chocolate ou se precisam ou não calçar sapatos para ir brincar lá fora.

Nunca é demais enfatizar o quanto é importante para a criança ter pais unidos e viver em uma família que não caia no triângulo mais frequentemente do que o necessário.

Essa é também uma boa mensagem para avós e outros parentes. Pense bem antes de discutir com o pai ou a mãe na frente da criança. Não importa se você tem razão; se a criança não corre perigo, é melhor que os adultos estejam de acordo.

Quando os pais discordam seriamente

Espere até que a criança durma. Isso vai acontecer em, no máximo, doze horas, e adultos amadurecidos devem ser capazes de aguentar até lá. Então, brigue e discuta quanto quiser. Seja vítima, perseguidor, salvador ou os três ao mesmo tempo. Só não faça isso de modo que a criança ouça ou veja.

É inevitável que, quando duas pessoas de temperamentos diferentes se casam, surjam visões diversas. A situação se revela um excelente exemplo de como os pais podem alcançar uma posição única acerca da educação dos filhos. Entretanto, os filhos não precisam ser testemunhas do processo.

3
SABEDORIA *VERSUS* PODER

Imagine a cena

A mãe está no meio-fio, segurando o filho de 4 anos pela mão. A criança cheia de entusiasmo pede:

– Mamãe, mamãe, posso atravessar a rua sozinho?

A mãe, apertando ainda mais a mão do garoto, responde:

– Não, querido. Você ainda é muito pequeno.

– Mas, mamãe, eu vou correr! Nenhum carro vai me pegar!

– Sim, eu sei que as suas pernas são fortes, mas pense: o máximo que você consegue correr são 5 ou 6 quilômetros por hora, enquanto o carro chega a 50 com facilidade. É impossível correr mais que ele.

– Mas, mamãe, o guarda ajuda, e eu prometo olhar para a direita, para a esquerda e para a direita outra vez.

Agora vamos imaginar a continuação da cena. Digamos que a criança escape e atravesse correndo a rua. Como a primeira opção seria desagradável demais, vamos deixá-la de lado. Pela segunda opção, ela chegaria ao outro lado em segurança.

Eis aí uma criança altamente perigosa. Ela utilizou poder e inteligência para provar que estava certa. Mas o fato de ter conseguido atravessar a rua não significa que a mãe estivesse errada nem diminui o perigo da situação.

O menino teve sorte, mas isso não invalida os conselhos da mãe. Quer dizer simplesmente que ela deve redobrar os cuidados, pois tem um garoto que utiliza poder e inteligência para burlar o que dizem os pais, o que o levou a fazer algo extremamente perigoso.

Ela sabe que, na próxima vez em que estiver para atravessar uma rua, deverá segurar a mão do filho ainda mais forte, intensificando a atenção. Além disso, é preciso adotar um programa cuidadoso de ensinamentos sobre segurança no trânsito.

Primeiro, a mãe deve estar preparada para carregar o filho no colo, caso não confie em levá-lo pela mão. Depois que ele aceitar andar de mãos dadas, pode-se deixar que tome a iniciativa de segurar a mão passiva da mãe. E, assim que essa solução se torne confiável, ela pode passar a segurar o filho pela camisa, de leve, por trás. O passo seguinte é permitir que ele atravesse segurando na saia ou calça do adulto. Ultrapassada essa fase, vem a caminhada lado a lado, sem contato. Somente então o menino está pronto para aprender as regras de uma travessia segura, sob supervisão atenta. Provavelmente, só lá pelos 10 anos ele terá experiência e discernimento para atravessar com segurança uma rua movimentada.

Boa argumentação ou ótimo raciocínio?

Desde muito cedo, as crianças são estimuladas, tanto em casa quanto na escola, a conversar, expressar-se, debater e ver os vários lados de uma situação. Não admira que sejam tão boas ao defender as próprias razões.

Talvez nossa contra-argumentação não pareça tão convincente – nem a nós mesmos –, o que não quer dizer que estejamos errados.

Provavelmente, o melhor que temos a fazer é expor as nossas razões aos filhos. Seria um desserviço não agir assim.

Quando dava aulas de Biologia no ensino médio, eu era às vezes questionada pelos alunos: "Por que temos de aprender isso?" Então eu explicava pacientemente a integração da matéria ao currículo, a razão da necessidade daquele conhecimento e os fundamentos de tal teoria. Quando percebia o brilho nos olhos dos alunos, eu encerrava o assunto:

– E é assim porque eu estou dizendo. Essa é a segunda razão.

A concordância imediata dos alunos sempre me surpreendeu.

Veja como eu escrevo melhor do que você!

Provavelmente, isso acontece todo ano com os alunos da 1ª série do ensino fundamental. A professora mostra para a turma como se faz o **a** minúsculo.

– Começamos por aqui, subimos, fazemos um círculo para trás e terminamos com um risquinho.

Sempre vai haver uma criança a levantar a mão e dizer:

– Professora, gosto mais de fazer o risco primeiro e o círculo depois. Olhe, fica igualzinho!

O aluno está certo, claro – pelo menos naquele momento. Seu **a** parece tão bom quanto o da professora. Portanto, sua resposta demonstra iniciativa, poder e inteligência. Mas a professora sabe, por visão geral, experiência e conhecimento, que dali a dezoito meses ela mesma (ou outra professora) o ensinará a escrever com letra cursiva, e será importante que ele faça o movimento certo.

Em geral, questões como essa possuem um componente ligado à obediência: a criança busca também desafiar a autoridade da professora.

O que quero dizer com "insensatez"?

Aqui estão alguns exemplos de declarações "insensatas":

- Você não é meu amigo.
- Você não manda em mim.
- Você não vai à minha festa.
- Vou andar na chuva sem capa e não vou ficar doente.
- Não preciso fazer o trabalho de casa – a professora falou.
- Se começar a preparar o projeto com antecedência, vou perder o interesse antes de acabar.
- Todos os meus amigos veem filmes proibidos.

- Mesmo que eu durma tarde na sexta-feira e também no sábado e no domingo, acordo muito bem na segunda-feira.
- Posso ir à festa. Se eu beber demais, os meus amigos tomam conta de mim.
- Se não posso furar a orelha, que tal um piercing no umbigo, que ninguém vê?

Essa última me é muito familiar.

Meu comentário "insensato" favorito veio de um garoto muito inteligente e poderoso que se aborreceu com a mãe: "Você não vai à minha festa!" Não caia na armadilha. Não ponha as mãos nos quadris nem responda com a lógica impecável e o sarcasmo de pais e mães: "E quem você acha que vai fazer a comida?" Apenas resmungue vagamente "que pena!", afaste-se e esqueça.

Outra armadilha perigosa para os pais que esquecem a própria sabedoria e experiência é: "Você não é meu amigo!" Ou sua versão mais forte: "Eu odeio você!" Não é hora de fazer comentários do tipo "mamãe está tão triste que vai chorar" ou "que coisa horrível e maldosa você acaba de dizer!" Experimente comentar algo como "que pena!" e se afastar. Guarde a sua energia para outras tarefas – escovar os dentes dele, por exemplo.

A esperta avó de um menino de 4 anos me contou um exemplo excelente.

Neto: – Você não é minha amiga.

Avó: – O que é uma amiga?

Neto: – Não sei.

Então, o garoto riu e foi procurar alguma coisa mais divertida e importante para fazer.

Um moderno desafio insensato

Somente de uns dez anos para cá as crianças começaram a responder a ordens simples com um "você não manda em mim". "Você não manda em mim" pode ser simplesmente um meio muito poderoso de dizer "não quero fazer isso" ou um modo muito inteligente de desviar você da sua intenção e começar uma discussão sobre poder e controle.

Por outro lado, reconhecer que a criança disse não a uma ordem simples e dar uma resposta apropriada é um grande avanço. Continue lendo!

No limite

É difícil passar uma semana sem que eu receba um telefonema de um pai ou de uma mãe preocupados, perguntando se a criança (em geral, um menino) pode ser um suicida em potencial. Depois de alguma conversa, fico sabendo que a criança disse "quero morrer" ou "vou me matar".

Realmente, é assustador ouvir algo assim. Muito se fala sobre o alto índice de suicídios entre jovens em certos países e sobre a necessidade de iniciar bem cedo a prevenção. No entanto, quando pergunto aos pais o que aconteceu antes de tão absurda declaração, descubro que, na maior parte das vezes, tudo começou quando foi pedido à criança que fizesse algo relativamente simples, como dar ração ao cachorro, arrumar a cama ou recolher livros espalhados. Como a criança não quis atender ao pedido, seguiu-se uma discussão, a tarefa ficou por fazer e a declaração final, lançada contra os pais foi: "eu quero morrer!"

Eis um modo bem surpreendente de demonstrar poder e inteligência. Use de sabedoria, visão e experiência. Resista à tentação de dar uma resposta dramática ("que coisa horrível! Não sabe o quanto a vida é preciosa? Não sabe o quanto você é importante para a sua família? Como consegue dizer uma coisa tão terrível?") e engula uma resposta sarcástica ("tudo bem, morra – mas pode arrumar a cama primeiro?").

Considere a questão como sendo uma maneira que o seu filho tem de dizer "não quero arrumar a cama" e de se mostrar aborrecido com a discussão que isso causou.

4
Melhorando a autoestima

O que aconteceu primeiro?

Muitos clientes chegam trazendo na ponta da língua uma explicação para o comportamento dos filhos: baixa autoestima. Quem fez tal diagnóstico? Varia. Médicos, enfermeiros, professores, parentes ou eles mesmos. E, quando lhes pergunto a respeito da própria autoestima, a resposta é mais ou menos esta:

– Eu tenho baixa autoestima e não quero ver meus filhos sofrendo do mesmo mal.

É comum que pais e professores usem a "baixa autoestima" como explicação para o fato de uma criança adorável, vinda de um lar perfeitamente adequado, com um teto sem vazamentos, roupas de sobra para vestir, boa alimentação, acesso a excelentes escolas, pai e mãe dedicados, parecer infeliz e insatisfeita e ser incapaz de exercer todo o seu potencial.

Um pouco mais de investigação revela que se trata, em geral, de uma criança desmotivada para o trabalho, desorganizada e pouco cooperativa, irritável e mal-humorada, de difícil relacionamento com professores e avós, que reage com lágrimas ou má-criação quando lhe pedem que execute tarefas simples e nunca se lembra de onde deixou o casaco, por exemplo.

Quando a criança colabora com a família e com a escola de maneira adequada à sua idade, quando estabelece relacionamentos de cortesia e afeto, mostra-se contente na maior parte do tempo, aborrece-se somente por motivos válidos (mais uma vez conforme a idade), quando consegue tolerar um nível razoável das frustrações comuns apresentadas pela vida, podemos dizer que estamos diante de uma criança tranquila, confiante e de boa autoestima.

A espiral da baixa autoestima

Ninguém quer ver os filhos serem levados em uma espiral de baixa autoestima. Tudo começa quando a criança diz: "não consigo!"

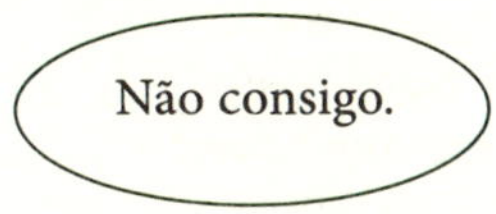

Depois que a criança repete "não consigo" a ponto de acreditar nisso e fazer os pais acreditarem, ela começa a criar áreas de incapacidade. A multiplicação dessas áreas faz surgirem nela a atitude e a crença de que não consegue fazer uma porção de coisas.

Quanto mais a criança se convence de que existem coisas que não pode fazer, pior se torna a opinião que tem de si mesma, e ela passa a se ver como alguém pouco capaz.

Os jovens com baixa autoestima tendem a descuidar do corpo ou da cabeça. Além de passarem pelas experimentações comuns na adolescência – que fazem surgir cabelos brancos em pais e mães –, muitos deles bebem demais, usam drogas, adotam comportamentos de risco e ouvem músicas depressivas em um volume prejudicial à audição; tentam, assim, aliviar o tédio e o sofrimento pela sensação de incapacidade. Eles procuram a companhia de outros cujo comportamento seja semelhante, e sua atividade sexual está mais ligada à rebeldia e à necessidade de fazer parte do grupo do que ao desejo de relacionamentos de maior intimidade. É a fase, como gosto de chamá-la, sexo, drogas e rock'n'roll.

À medida que aumenta o interesse do jovem por grupos e atividades "rebeldes", começa o seu afastamento de eventos familiares e de amigos "certinhos". Frequentemente, os jovens parecem deprimidos, e os pais se preocupam com a possibilidade de a atitude "pode deixar, estou bem" evoluir para "agora é tarde demais".

Se continuar nessa espiral assustadora, o jovem pode desistir de se tornar um adulto capaz, autodisciplinado, emocionalmente independente e ético. Os pais se sentem como se o estivessem perdendo, impotentes para impedir a queda. E o maior medo, quando os filhos não têm uma vida produtiva, é uma escalada de indiferença e tristeza que pode levar ao suicídio na adolescência.

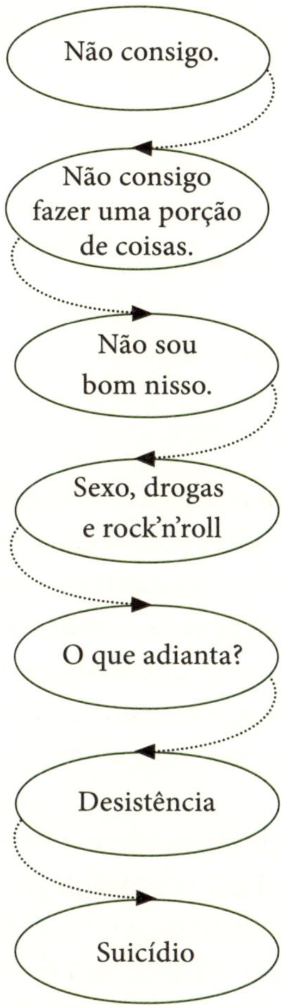

Não é de admirar a ansiedade com que os pais procuram interromper essa espiral descendente de autoestima. Quanto mais cedo for identificado o comportamento, mais fácil ajudar o jovem a sair da espiral e entrar em outra, ascendente, de otimismo e confiança.

A espiral ascendente de autoestima

Quando o jovem descobre algo que é capaz de fazer, abrem-se as portas para a espiral ascendente do desenvolvimento da autoestima.

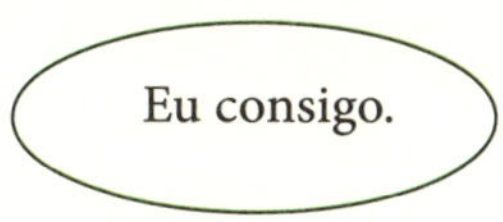

Com exemplos suficientes de "eu consigo", o jovem percebe que existem muitas coisas que é capaz de fazer.

Quando, por sua própria avaliação, o jovem se considera capaz de atividades produtivas e vê essa ideia confirmada pela apreciação dos pais, começa a perceber possibilidades: "consigo fazer qualquer coisa". Esse não é o resultado de uma posição do gênero "o mundo é meu", mas do gênero "posso fazer qualquer coisa, desde que dedique toda a minha mente a isso e trabalhe com afinco". Presume-se também que ele tenha aprendido que algumas coisas são impossíveis, tolerando, quando necessário, certas frustrações.

Com a capacidade, a determinação e a experiência de estabelecer metas, trabalhar muito e cumpri-las, nossos filhos têm razão para acreditar: "eu sou ótimo!" Não existe nenhum traço de presunção aí; não é o caso de se sentir superior aos outros. Na verdade, se observarmos os adultos que incluiríamos na categoria "eu sou ótimo", veremos que se caracterizam pela certeza tranquila de sua capacidade de planejar, trabalhar arduamente e realizar seus sonhos e metas.

Um mundo de oportunidades se abre para as crianças que desenvolvem independência emocional e autodisciplina, incorporam ética e valores desejáveis e possuem uma base de habilidades que se amplia constantemente. É só aproveitar.

De baixo para cima

Então como fazer para que nossos filhos deixem a espiral descendente e entrem na espiral ascendente?

Muitos pais tentam convencer os filhos que dizem "não posso" a acreditar que podem, sim. Eles elogiam, incentivam, explicam, oferecem recompensas, ameaçam com castigos e com a possibilidade de consequências terríveis. Isso, porém, não surte efeito. Por fim, restam os gritos, castigos e palmadas.

Resultado: pais exaustos e filhos ressentidos.

A lógica dos pais diz que o filho aprendeu e vai agir de modo diferente na próxima vez, mas a lógica da criança aponta para uma repetição. Assim, ela aprende a chorar, gritar, fugir e resistir. E os pais aprendem que é melhor fazerem as coisas eles mesmos, aceitando o confronto somente quando não tiverem alternativa.

A maioria dessas batalhas acontece na privacidade do lar. A não ser pelos vizinhos, a maior parte do mundo não toma conhecimento do esforço dos pais para induzir a criança a colaborar nas tarefas domésticas, limpar atrás das orelhas, arrumar o quarto ou levar para a escola o uniforme da aula de educação física. E, quando todo o esforço falha, os pais sempre podem cumprir algumas tarefas no lugar dos filhos.

A grande revelação vem na hora das tarefas escolares. É quando o mundo fica sabendo que não somos capazes de fazer uma criança aprender a grafia de cinco palavras com rapidez ou tranquilidade, sem lágrimas e sem o ritual "não consigo, é muito difícil, estou cansado, estou sem vontade, vou deixar pra mais tarde, quero ver o novo episódio dos Simpsons, detesto a professora, odeio VOCÊ!"

"Não vou fazer, não consigo."

O primeiro artifício está no alto da espiral da baixa autoestima, no que vem antes de "não consigo". Antes que a criança se convença e nos convença de que não consegue, houve vários "não vou", provavelmente disfarçados de:

- É muito difícil.
- Estou muito cansada.
- Não é minha vez.
- Não sei fazer.
- Foi ela que me obrigou.
- Odeio você para sempre.
- Não consigo parar de chorar.
- Vou sair daqui.

Mas, acredite, tudo isso significa "não vou fazer".

"Não consigo" é uma afirmativa quase sempre precedida de "não vou".

Portanto, ao permitir que nossos filhos escapem das tarefas com um "não vou fazer", estamos inadvertidamente lançando-os em uma espiral descendente de baixa autoestima.

Só existe um meio de um indivíduo – seja qual for a sua altura – sentir orgulho de si mesmo: lutar, superar desafios e descobrir o "eu consigo". As pessoas com boa autoestima trazem muitos "eu consigo" em suas vidas – muitas realizações de tarefas que achavam difíceis, de superação de obstáculos e situações complicadas.

"Tenho de fazer, eu consigo."

Até aqui, falamos como se a espiral da boa autoestima começasse com "eu consigo". Mas existe uma figura meio vaga que precede o "eu consigo" na vida dos nossos filhos. Muitas vezes, para conseguir que eles cumpram tarefas comuns do dia a dia, precisamos insistir e vencer a resistência deles. Frequentemente, eles acabam descobrindo "eu consigo" como resultado de "tenho de".

O mundo seria maravilhoso se pudéssemos deixar nossas crianças fazerem as próprias descobertas, aprendendo pela experiência. Assim, ficariam sabendo que o esforço nos leva a lugares jamais imaginados e que é por meio dele que nos tornamos capazes e autoconfiantes.

Na vida real, porém, seria impensável permitir que nossos filhos se arriscassem brincando no meio da rua para aprender sobre o trânsito, que desperdiçassem as oportunidades oferecidas pela escola e chegassem ao fim do curso sem saber ler ou que se isolassem para descobrir como a vida é solitária sem amigos.

Existem duas boas razões para que não deixemos nossos filhos aprenderem com a lei da selva.

A primeira são as reduzidas proporções da nossa prole. Isso significa que todos os filhos são muito preciosos e que, se pretendemos perpetuar a espécie, temos de cuidar muito bem deles.

Portanto, a primeira razão pela qual não podemos deixar que nossos filhos aprendam pela experiência são os riscos oferecidos pelo ambiente. Precisamos protegê-los de erros perigosos.

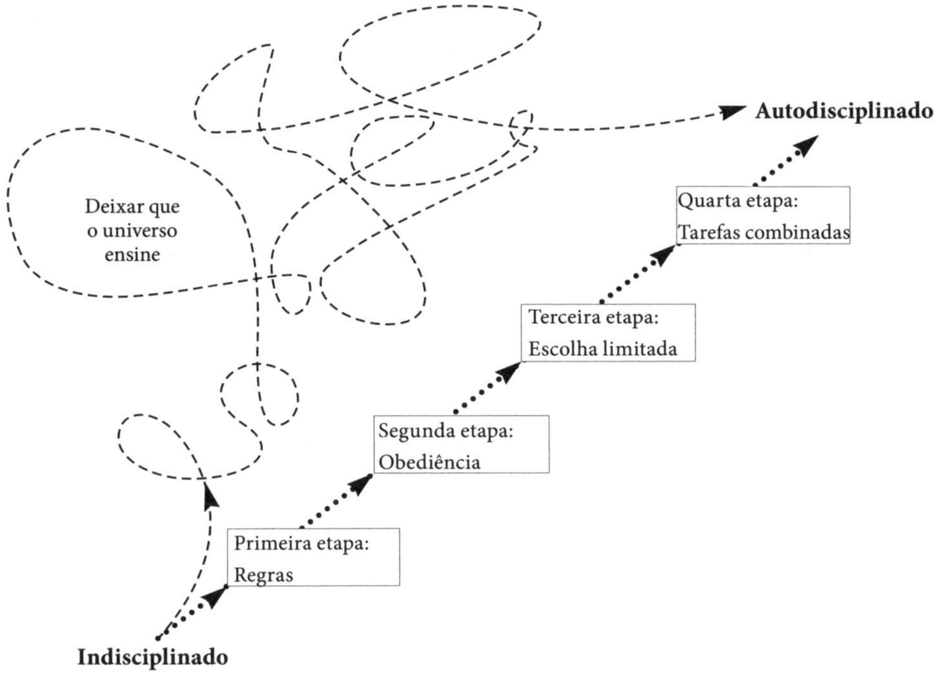

A segunda razão pela qual devemos ensinar as nossas crianças, em vez de simplesmente deixar que aprendam pela experiência, é a premência de tempo. A quantidade de coisas que elas precisam aprender para que cheguem à idade adulta capazes de viver com segurança e independência é tamanha que simplesmente não dá tempo de "reinventar a roda" em todas as atividades.

O único meio de adquirir as habilidades e absorver os ensinamentos necessários a uma vida adulta independente é aceitar alguns conceitos como fatos, apenas porque assim disseram os pais ou os professores. Não me refiro às alegrias da descoberta, mas a coisas simples que podem transformar um dia em céu ou em inferno:

- Por favor, me deixe amarrar o seu tênis.
- Por favor, leve a lancheira.
- Por favor, não ponha a sua irmãzinha na máquina de lavar louças.
- Por favor, prenda o cinto de segurança.
- Por favor, faça o dever de casa agora.
- Por favor, chegue em casa às 11.

Resumindo: as crianças precisam fazer algumas coisas que os pais, preocupados com a sua educação, costumam pedir:

1. porque o mundo lá fora é muito perigoso;

2. porque há muito que aprender.

Quando Deborah tinha 10 anos, deu-nos um exemplo memorável desse fato. Pedi a ela que esvaziasse a lavadora de louças, tarefa que ela já executara muitas vezes. Naquele dia, porém, ela protestou e tentou barganhar:

– É muito trabalho. Estou cansada demais. Se você esvaziar a prateleira de cima, eu esvazio a de baixo. Detesto mexer em talheres. Se você cuidar dos talheres, eu cuido do resto.

Eu resisti. Ela resistiu.

Afinal, o poder materno venceu, e a pobre lavadora foi esvaziada.

No dia seguinte, ouvi Deborah comentar em tom orgulhoso com uma colega:

– Quem esvazia a máquina de lavar louças sou eu. Minha mãe confia em mim. Eu pego até as porcelanas e os cristais.

Mordi a língua para não interferir na conversa. Não quis que ela soubesse o quanto aquela melhora em sua autoestima me custara em firmeza e frustração!

De "não vou fazer" a "tenho de fazer"

O único modo que conheço de educar seguramente uma criança, transformando-a em um jovem adulto emocionalmente independente, capaz de tolerar frustrações, autodisciplinado, dono de habilidades práticas e sociais, ético e agradável, é assumindo a responsabilidade de fazê-la cumprir tarefas que talvez não desejasse.

Para transferir nossos filhos da espiral de baixa autoestima do "não consigo" para a espiral de boa autoestima do "eu consigo", primeiro temos de levá-los do "não vou fazer" ao "tenho de fazer".

A tolerância à frustração de ter de cumprir tarefas que, a princípio, não nos agradam é uma das habilidades mais importantes para a autodisciplina. Por isso, neste livro, um assunto recorrente é: levar as crianças a fazer o que é pedido a elas.

O caminho para a autodisciplina será trilhado sobre solicitações simples, de execução nada complicada, como:

- Agora vamos trocar a fralda.
- Por favor, recolha as suas roupas agora.
- Deixe o gato em paz.
- A mesa precisa ser arrumada agora, por favor.
- Vamos verificar o seu dever de casa.
- Quais são as providências para a festa de sábado à noite?

Claro que não devemos esperar agradecimentos por isso antes que os filhos estejam lá pelos 25 anos ou tenham os próprios filhos. Levar as crianças a fazer o que lhes dizem é uma parte árdua, mas essencial da educação, e a obediência a solicitações razoáveis leva a uma melhora da autoestima.

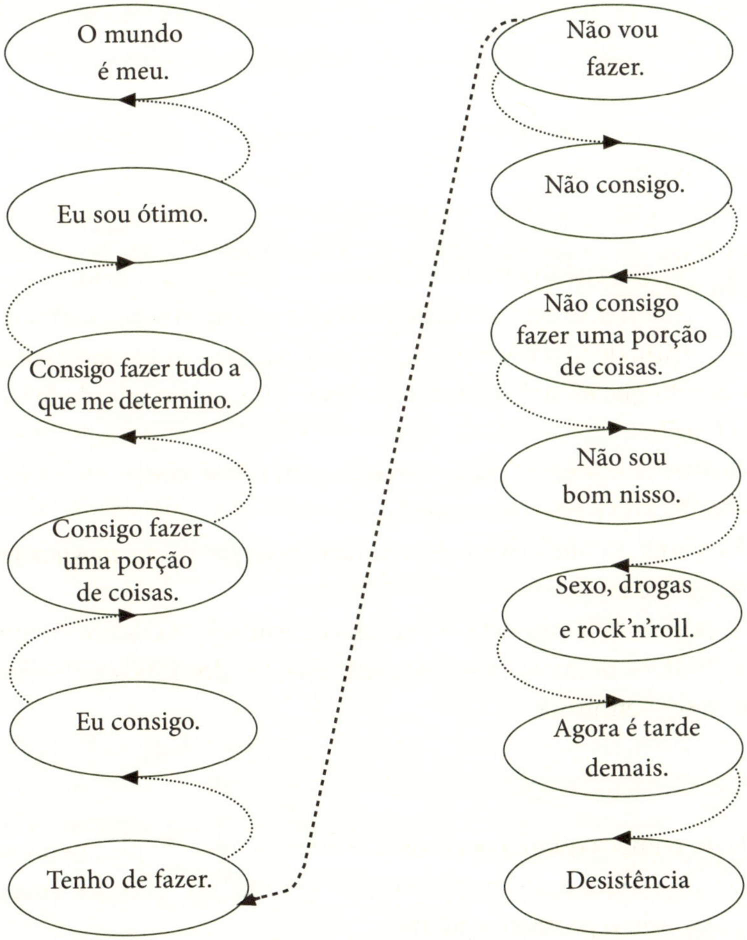

5

POR QUE A SITUAÇÃO DESANDA TÃO RAPIDAMENTE

Os pais, em sua maioria, fazem de tudo para acertar.

Alguns se sentem satisfeitos por terem filhos focados e determinados, que aproveitam a vida, sentem-se razoavelmente gratos por aquilo que os pais fazem por eles e apreciam o fato de fazer parte daquela família.

Outros se esforçam para conviver com filhos que parecem se voltar contra eles a cada passo do caminho.

Às vezes, os dois tipos de crianças coexistem na mesma família. Como acontece isso?

Geralmente, a resposta é: excesso de esforço. Às vezes, assumimos responsabilidade demais pelos atos e sentimentos dos filhos, deixando para eles pouca ou nenhuma.

Um círculo vicioso

Tudo começa quando a criança se aborrece ou simplesmente se nega a atender uma solicitação simples como “se vista” ou “arrume a mesa, por favor”, passando o problema adiante.

Como podemos saber que "o problema está em nossas mãos" se, quando tentamos melhorar a situação ou conseguir que a criança assuma um compromisso, ela se recusa a fazer isso? De alguma forma, a questão se torna maior e mais complexa, parecendo insolúvel, e acabamos nos sentindo envolvidos.

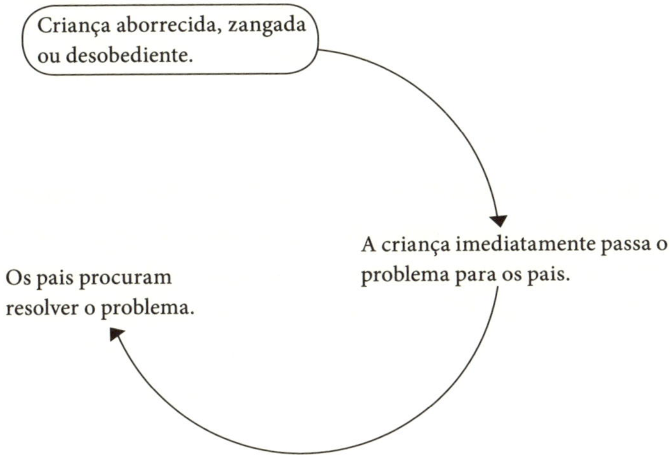

Explicação

Nossa primeira providência, em geral, é tentar explicar à criança por que tal coisa é necessária, o quanto as coisas vão correr melhor se ela cooperar ou que não custa nada deixar o colega usar o lápis por um minutinho. Caso a explicação não seja aceita, provavelmente tentamos uma segunda ou, talvez, uma terceira.

Gostaria de esclarecer que não estamos lidando com uma criança malcriada ou calculadamente manipuladora. Tudo acontece em um nível subconsciente. No entanto, ela aprendeu que, enquanto os pais estiverem envolvidos em explicações, ela ficará livre para não fazer coisa alguma.

Abstração

Quando a tentativa de convencimento pela explicação não funciona, buscamos outras táticas. Sugerimos meios de concluir a tarefa com mais facilidade ou rapidez ou que a criança tente imaginar como será boa a sensação de ver uma tarefa concluída.

Se a criança estiver aborrecida por algum motivo, podemos sugerir que pense em outra coisa. Também podemos procurar diminuir a importância da situação que a está aborrecendo ou tentar analisar o problema sob outro ponto de vista.

Se estiver zangada, podemos sugerir que canalize sua raiva socando o colchão ou o travesseiro. E, se gostarmos mesmo de viver perigosamente, podemos dizer: "vá dormir, porque o seu mal é sono!" É possível ainda sugerir que existem coisas mais importantes no mundo ou falar de situações piores que já tenham acontecido conosco.

Elogio e incentivo

Quando nada disso funciona, partimos para as palavras doces, tentando um modo mais "palatável" de fazer a criança entender nossa posição. Apelamos para sua bondade, sua força, seu carinho pela família, seu prazer de colaborar. Recorremos a mensagens começadas por *eu*, em que explicamos como nos sentimos e como ficaremos felizes quando tudo estiver resolvido. Explicamos ainda que a obediência fortalece o caráter e enumeramos sólidas razões pelas quais nosso ponto de vista será útil durante toda a vida de nossos filhos.

Repare no tanto que nos esforçamos, enquanto a criança não faz nenhum esforço. Claro que ela se esforça em resistir e argumentar, mas não em fazer o que lhe foi pedido. Ela entregou o problema para nós, que o assumimos. É por isso que nos esforçamos tanto para resolvê-lo.

Ameaça

Nada ainda? Então, endurecemos o jogo.

Dizemos à criança o que vai acontecer se ela não se comportar adequadamente. Escolhemos um castigo, esperando que tenhamos coragem de aplicá-lo e que a criança não se aborreça com ele a ponto de se considerar incapaz.

Castigo

Nada deu certo, mas sempre existe um último recurso. Gritamos, batemos, mandamos para o quarto, cancelamos as saídas e as festas, insistimos.

O filho em questão se ressente. Reclama dizendo que somos parciais, que gostamos mais dos outros filhos e que não o compreendemos. Entra em tal estado de histeria que se torna incapaz de agir.

– Eu odeio você! Você é a pior mãe do mundo! – ele grita.

Pronto. Temos mais um problema para resolver.

Aonde chegamos?

O clima desandou. Todos estão aborrecidos e magoados. Raiva e desânimo tomam conta do ambiente.

O resultado da repetição de uma situação assim é:

- Uma criança menos competente.
- Pais com sentimento de incompetência.
- Distanciamento.

Uma criança menos competente

Quanto mais a criança resiste a cumprir as tarefas que lhe são solicitadas, mais ela se aborrece por motivos fúteis. E, quanto mais se aborrece à menor contrariedade, menos competente se torna.

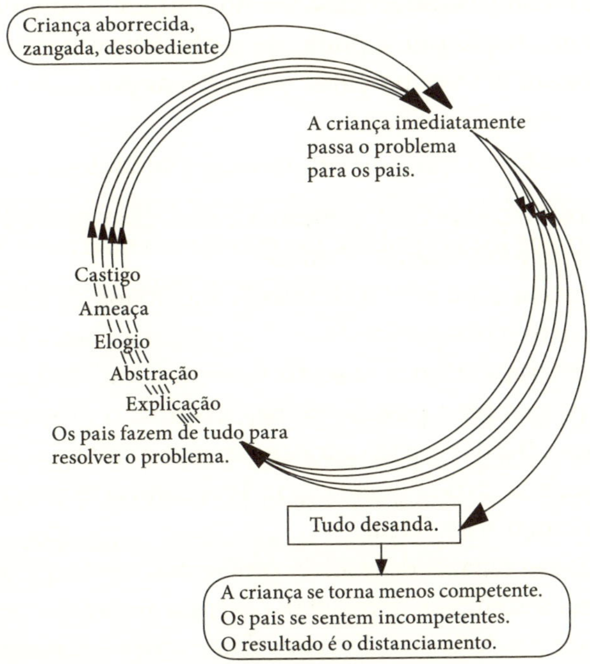

Pais com sentimento de incompetência

Quando nossos filhos se comportam mal, respondendo a todas as solicitações com choro e reclamação, e quando são agressivos entre si e em relação a nós, pais, começamos a nos perguntar se sabemos o que estamos fazendo. E o sentimento de incompetência é ainda pior quando as cenas acontecem em público.

Distanciamento

Quando meus filhos se comportam mal e isso me aborrece, a situação é desagradável, e eu procuro consertá-la; mas as coisas ainda não parecem tão ruins. O pior é quando eles me irritam a tal ponto – ou eu os irrito na mesma medida – que não suporto estar perto deles.

Quando passo da raiva à indiferença, quando desejo a eles muita sorte na vida, mas preferia que vivessem em outro planeta, quando estou tão farta que não gostaria de respirar o mesmo ar que eles respiram... esse é o momento em que sinto mais dor.

A raiva é desagradável; a indiferença é dolorosa. E, se mantivermos o círculo vicioso de explicação, abstração, elogio, ameaça e castigo, a consequência será o distanciamento.

Embora desagradável para todos os envolvidos, essa é uma situação pela qual todos passamos, uma vez ou outra. No entanto, se começa a acontecer com frequência, a ponto de encerrarmos o assunto com um "chega por hoje", é hora de procurar uma alternativa.

Mantendo o problema nas mãos da criança

Podemos começar com a mesma cena: uma criança aborrecida, zangada ou determinada a não obedecer.

Nossa tarefa é manter o problema nas mãos da criança. É bom esclarecer que isso não significa dizer: "o problema é seu". Tal abordagem provavelmente faria a criança se sentir ressentida ou abandonada.

Devemos manter a posição de não assumir o problema. Podemos apoiar a criança e lhe dar espaço para que resolva a situação. No entanto, se quisermos que ela se torne alguém capaz de encontrar as próprias soluções, não podemos tomar o seu lugar.

Crianças são capazes de resolver problemas, desde que apropriados à sua idade. Alguns exemplos: aproveitar a energia que a raiva gera de maneiras socialmente produtivas; lidar com frustrações e conseguir elaborar planos melhores; superar a má vontade e cumprir uma tarefa que precisa ser executada, sentindo-se, assim, mais útil. Quando são capazes de fazer isso, elas se tornam mais competentes, passando então a se valorizar mais. Dessa forma, aumentam sua autoestima. Com maior autoestima, por sua vez, experimentam mais e buscam o próprio progresso.

Resultado da repetição desse tipo de situação:

- A criança se torna mais competente.

- Os pais se sentem competentes.
- Aproximação.

Queremos que nossos filhos entrem em uma espiral virtuosa ascendente de competência que leve ao aumento da autoestima, e não em uma espiral viciosa descendente.

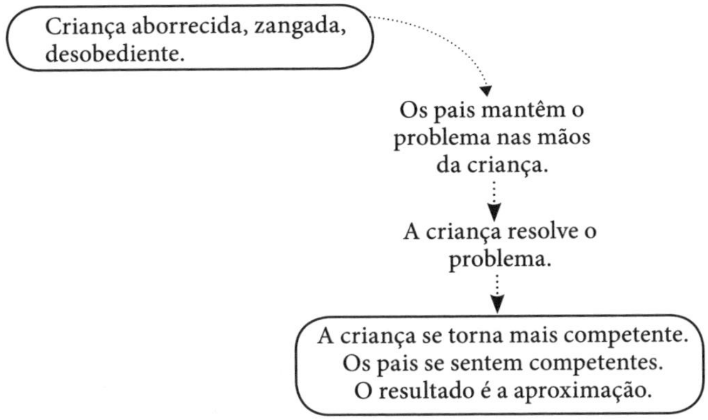

Uma criança competente, seja qual for o nível de competência, é um motivo de satisfação. Eu definiria competência não como um objetivo, mas como uma evolução. Se a convivência com os seus filhos é um prazer, essa é uma das melhores indicações de que a sua atuação como pai (ou mãe) caminha na direção certa.

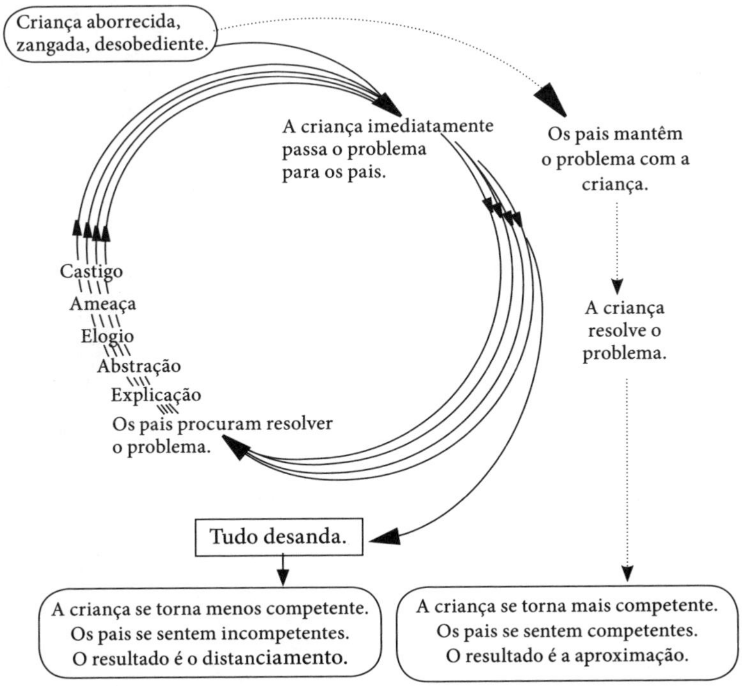

Compreendendo a personalidade

6
Teoria da personalidade

Este capítulo trata das minhas impressões acerca das ideias de Florence Littauer. Em seus livros *Personality Plus, Your Personality Tree* e *Raising the Curtain on Raising Children* (não publicados em português), a autora oferece descrições maravilhosas de interação entre pais e filhos de acordo com suas personalidades e temperamentos. A partir de agora, vamos analisar algumas teorias sobre esse assunto.

Aristóteles e Hipócrates

Aristóteles foi um grande pensador e filósofo grego que viveu há cerca de dois mil anos. Segundo ele, tudo no mundo poderia ser descrito como:

- quente ou frio;
- molhado ou seco.

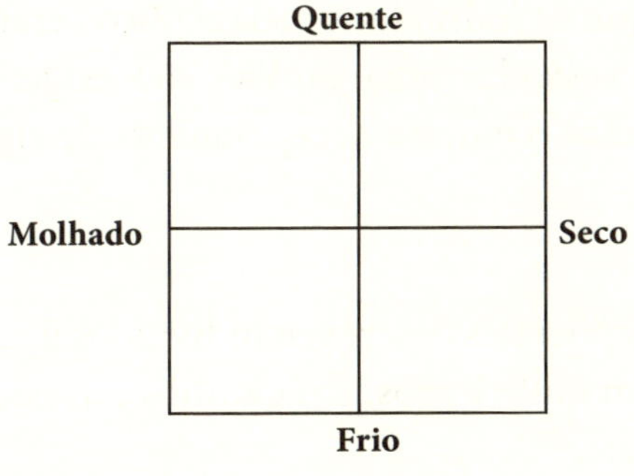

Por volta da mesma época, vivia na Grécia um grande médico chamado Hipócrates – o mesmo que criou o juramento feito pelos médicos que se formam hoje em dia. Fazendo dissecações, Hipócrates concluiu que todas as pessoas são bastante parecidas fisicamente. Assim, sentiu-se intrigado com o fato de existirem temperamentos tão distintos. Elaborou, então, a teoria de que as diferenças resultam da influência de diversos "humores" (fluidos) corporais e nomeou os temperamentos de acordo:

Sanguíneo

Hipócrates classificou como sanguíneo um grupo de indivíduos cujo temperamento considerou largamente influenciado e caracterizado por seu sangue. São frívolos, extrovertidos e persuasivos.

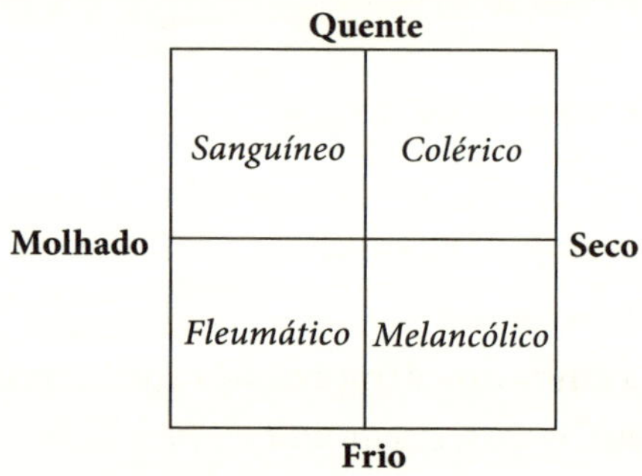

Colérico

Segundo Hipócrates, pessoas influenciadas pelas secreções do fígado são ligeiramente irritáveis, impacientam-se e encolerizam-se rapidamente e sabem exatamente o que querem. A língua registra o termo bilioso para descrever os indivíduos que correspondem a tal descrição.

Melancólico

Melancolia vem do grego e quer dizer bile negra. Hipócrates acreditava que os indivíduos melancólicos eram influenciados pelo conteúdo de suas vesículas biliares. Eles são exigentes, meticulosos e geralmente consideram o mundo decepcionante de alguma forma.

Fleumático

Hipócrates descreveu indivíduos fleumáticos em sua maneira de ser como um tanto lentos, enfadonhos e avessos a mudanças.

A versão moderna

Florence Littauer transpôs as definições de Hipócrates para o século 21.

Os sanguíneos querem que o mundo seja DIVERTIDO

Indivíduos de temperamento sanguíneo querem se divertir. Sua ideia de divertimento é fazer tudo na companhia de muitas pessoas.

Os sanguíneos possuem um forte encanto natural. Na verdade, costumo usar essa informação como "definição específica" sempre que tento imaginar de que tipo de criança os pais estão falando. "Ela é encantadora?" Se os pais se iluminam ou dão um amplo e irônico sorriso ("Ah, é!"), temos grandes probabilidades de estar lidando com uma criança sanguínea, movida pela necessidade de se divertir.

Os coléricos querem ter o CONTROLE

A criança colérica deseja ter o controle de todas as situações. A criança sanguínea vai acordar dizendo:

– O que vamos fazer hoje?

Isso significa: "Vamos nos divertir? Vamos fazer alguma coisa que envolva muitas pessoas?"

Já a criança colérica perguntará:

– O que vamos fazer hoje?

Isso quer dizer: "Vamos seguir o plano que tenho em mente?"

A essa altura, você talvez não tenha a mínima ideia do plano que ela tem em mente, mas já sente certa ansiedade quanto às possíveis consequências de uma resposta errada. E, se for esse o caso, provavelmente vai se deparar com um "eu não vou fazer isso!" em tom bastante enfático e, de certa forma, desafiador.

Sábios são os pais que saem de cena murmurando algo tranquilizador como "vamos ver", sem começar o dia entrando em conflito com uma criança colérica.

Os melancólicos querem que o mundo seja PERFEITO

Eles não somente desejam que o dia corra bem, querem saber a sequência exata dos eventos e se assegurar de que tudo sairá de acordo com os planos.

Eu costumava fazer parte de um rodízio para levar as crianças ao colégio, e havia uma linda e melancólica menina que entrava no meu carro toda manhã dizendo:

– Bom-dia, sra. Levy.

Isso já é uma abordagem melancólica. Todas as outras pulavam para dentro do automóvel com um "oi, Diane", mas ela precisava fazer as coisas direito. Então, todo dia, perguntava:

– Será que vamos nos atrasar?

– Não, Elizabeth – eu dizia pacientemente, embora entredentes. – Temos muito tempo.

– Ah, que bom! – ela respondia contente.

E continuava:

– Quem vem me buscar?

Se eu não entendesse de temperamentos, poderia tê-la mandado calar a boca lá pela vigésima ou centésima viagem. Felizmente, logo percebi sua necessidade de ordem e sequência. Assim que ficava sabendo para onde estava indo, a que horas chegaria lá e quem a buscaria, sentia-se livre para relaxar e aproveitar a companhia das outras crianças.

Quente

Molhado | **Seco**

Sanguíneo DIVERSÃO	*Colérico* CONTROLE
Fleumático PAZ	*Melancólico* PERFEIÇÃO

Frio

Em Auckland, havia uma feira anual à qual levávamos as crianças. Quase sempre, eu começava por colocar limites, como:

– Cada um de vocês pode ir a quatro brinquedos e escolher três coisas para comer.

Na volta para casa, eu fazia uma pergunta tipicamente sanguínea:

– E então, crianças, aproveitaram o dia?

Hoje, sei que as crianças de 10 anos não têm de corresponder às expectativas de sua mãe sanguínea nem à sua necessidade de aprovação. Na época, porém, a resposta de Tanya, minha filha sanguínea, pulando no assento e dizendo "Foi o máximo!", me parecia muito mais agradável do que a afirmação melancólica de Robert:

– Não consegui andar no trem fantasma.

Cerca de dez anos depois, ao ouvir Florence Littauer, entendi finalmente o que aquela resposta significava: provavelmente ele havia passado um dia maravilhoso, mas sua natureza melancólica o levava a notar especialmente o que não havia feito. Para pais exaustos, traduzir esse tipo de dialeto é um árduo trabalho!

Crianças melancólicas são razoavelmente entusiásticas, mas têm uma tendência natural a enfocar mais o que saiu errado e menos o que deu certo. Assim, se alguém perguntar a uma delas sobre o seu dia, pode esperar uma resposta que focalize os elementos menos perfeitos. Se o seu ritual de pegar as crianças na escola ou o ritual da hora de deitar incluir "agora, todo mundo vai dizer três coisas boas que aconteceram hoje", saiba que estará convidando a criança perfeccionista a responder com um "nada" e se arriscando a fazê-la se sentir excluída, com suas necessidades insatisfeitas.

É melhor fazer uma pergunta mais neutra (Como foi o seu dia?) e aceitar os comentários negativos, sem sermões sobre gratidão ou sugestões para que ela veja as coisas pelo lado bom. Assim, vai se sentir aceita como é.

Os fleumáticos só querem PAZ

Pais cujo primeiro filho tem um temperamento fleumático se espantam com a luta dos outros pais. O bebê fleumático reclama baixinho quando está com fome, espera que a mãe desabotoe a blusa, mama satisfatoriamente e não ensaia maiores protestos quando colocado no berço.

Desde que não haja excesso de estímulos, a criança pequena fleumática aceita bem quase tudo. Em geral, tê-la por perto é um sereno prazer. Uma vez ou outra, apenas para provar ao mundo que é um bebê de verdade, pode se recusar a abrir mão de alguma coisa que considera sua; mas na maior parte do tempo é agradável, calma, participativa e encantadora.

É a criança geralmente descrita pelos pais como "a nossa boazinha". Sua motivação é o desejo de uma vida pacífica. À medida que vai crescendo, esse desejo pode atrapalhar um pouco a obediência, mas ela nunca chega a se mostrar desafiadora. Na verdade, tendemos a perdoar sua desobediência, porque é sempre tão gentil... Quando cobrada, diz:

– Claro, mamãe. Desculpe, mamãe.

O que não quer necessariamente dizer que pretenda fazer o que lhe foi pedido. No entanto, ficamos com a impressão de que ela tinha a intenção e simplesmente esqueceu.

Quando nos aborrecemos com a criança pacífica, ela nos olha espantada e magoada e procura corrigir o erro.

Que personalidade interessante! Raramente, recebo pais com a queixa: "Temos uma criança encantadora, gentil e calma. Pode dar um jeito nela?" Caso haja problemas, provavelmente aparecerão na adolescência, quando o jovem levar a um extremo inaceitável sua forma agradável e encantadora de não fazer coisa alguma.

Influência sobre outros

A maioria das pessoas apresenta, com certeza, uma combinação de temperamentos, frequentemente com a predominância de um deles. Cada temperamento tem um estilo diferente de influenciar os outros a agir.

As crianças sanguíneas, levadas pela necessidade primeira de se divertir, procuram influenciar pelo encanto. No todo, sua conduta para conosco diz: "Vou seduzir você para que veja as coisas do meu jeito."

As crianças coléricas, movidas pela necessidade primeira de controlar, buscam influenciar por meio da pressão. Seu comportamento sugere: "Faça como eu quero, senão..."

Já as crianças melancólicas, levadas pela necessidade primeira de ter as coisas certas, ou seja, perfeitas, influencia os outros pelo humor do momento. Se não consegue fazer do mundo um lugar perfeito, ela tende a ficar de péssimo humor. Como os pais querem vê-la feliz, vão atrás dela e fazem de tudo para agradar.

Quente

	Sanguíneo DIVERSÃO Influi pelo encanto	*Colérico* CONTROLE Influi pela raiva	
Molhado			**Seco**
	Fleumático PAZ Influi pela morosidade	*Melancólico* PERFEIÇÃO Influi pelo estado de espírito	

Frio

A criança fleumática, movida pela necessidade primeira de paz, nos influencia de forma tão sutil que, frequentemente, custamos a nos dar conta da situação. Em geral, ela "deixa para depois" com tanta graça e sutileza que nem percebemos isso. Vamos ficando cada vez mais irritados, com raiva mesmo, sem razão específica. Quando atingimos o máximo da frustração, a primeira pessoa que passa por perto "paga o pato". E é pouco provável que o alvo seja a criança pacífica, pois ela é bastante sensível e sabe o momento certo de desaparecer.

Quais são as necessidades deles?

Se a observação da forma de influência dos seus filhos não for suficiente para definir o temperamento deles, é interessante ponderar sobre as necessidades deles. Esta avaliação também é útil quando se está diante de uma criança aborrecida, zangada ou não cooperativa. Certamente, vale a pena pensar: "Qual das necessidades do meu filho não está sendo atendida?"

Necessidades dos sanguíneos

A criança sanguínea, que sente necessidade de encontrar maneiras de tornar a vida divertida, precisa de plateia para suas brincadeiras, seus feitos e até mesmo seus erros.

Com frequência, tenho a atitude tipicamente sanguínea de confessar todos os enganos que cometi na criação dos filhos, para que outros possam sentir que não são os únicos a errar. Minhas duas filhas sanguíneas, Tanya e Deborah, compreendem isso perfeitamente. Quando Deborah tinha cerca de 8 anos, eu escrevia uma coluna quinzenal. Se ela me via ao computador, sua primeira pergunta, carregada de imensa esperança, era:

– Está escrevendo sobre mim?

Sanguíneo
DIVERSÃO

Influi pelo
ENCANTO

Necessidades: Atenção
Aprovação
Aceitação
Afeto

Indivíduos sanguíneos são motivados pela necessidade de *aceitação*. Sentem-se magoados se o grupo os deixa de fora. Ao conversar com uma criança sanguínea sobre planos que não a envolvam, não se surpreenda ao ver em sua expressão a pergunta: "E com relação a mim?" Certamente, são ternas e generosas e desejam que todas as demais pessoas sejam igualmente felizes. Sua preocupação primeira, porém, é com o próprio prazer e com a necessidade de fazer parte do grupo.

Ao observar crianças em um playground, é fácil identificar as sanguíneas. São aquelas que solicitam continuamente:

– Olhe para mim. Viu o que eu fiz? Sabe o que eu vou fazer agora? Sabe o que eu vou fazer depois disso?

Enquanto isso, o acompanhante lamenta para si mesmo: "E pensar que eu a trouxe ao playground para que brincasse sozinha e me deixasse em paz..."

Lembro-me da minha professora do 2º ano, a sra. Walsh, dizendo, no fim do ano letivo:

– Vou sentir falta da minha tagarela.

Todos os meus relatórios escolares mencionavam: "Diane poderia se sair melhor se falasse menos e prestasse um pouco mais de atenção". A propósito, fiquei encantada por ter sido convidada a discursar em um jantar para antigas alunas da escola onde estudei, ocasião em que pude citar meus relatórios da época e explicar que, agora, ganho a vida falando!

Necessidades dos coléricos

Tendo em vista que a necessidade primeira da criança colérica é o controle, e certamente não se pode ceder sempre o comando da família ao seu membro mais jovem, são sábios os pais que procuram *outras* necessidades dos filhos que se enquadram nesse tipo e fazem o melhor que podem para atendê-las.

A necessidade mais fácil de tentar atender é a de admiração pelo trabalho verdadeiro. Enquanto a criança sanguínea fica feliz se admirada apenas por estar ali, por existir, a criança colérica não responde bem ao elogio caso não se sinta merecedora.

Quando Deborah (que tem um traço colérico) tinha 4 anos, adorava arrumar documentos com muitas páginas. Se eu solicitasse sua ajuda para um "trabalho de adulto", ela se dedicava até completar a tarefa. Seu lado sanguíneo gostava da companhia de adultos, enquanto o lado colérico tentava ser mais rápido e eficiente do que eu.

Crianças coléricas se caracterizam pela necessidade de respeito à sua versão de lealdade e podem transformar a maioria das situações em uma questão de respeito. Para elas, geralmente existem apenas duas posições na vida: ou se está do lado delas, ou não se está do lado delas. Qualquer atitude, vinda de quem for, que contrarie sua ideia sobre o que deve acontecer pode ser interpretada como uma questão pessoal de falta de lealdade. O lado positivo dessa exigência de lealdade, no entanto, é que não existe amigo ou membro da família mais leal do que um colérico.

Com crianças coléricas, é preciso usar de absoluto senso de justiça ao decidir de quem é a vez de sentar no banco da frente e em todas as demais situações que envolvam escolhas.

A criança colérica tem um forte desejo de ser a melhor e mais rápida. Ela quer tudo escrupulosamente justo – especialmente se a justiça apontar a favor dela!

Florence Littauer não inclui "acusar" como uma das necessidades do colérico. Pela minha experiência, porém, como a criança colérica sabe exatamente do que precisa e como as coisas devem acontecer, quando os fatos não seguem seu "roteiro", ela acredita que deve encontrar um culpado e faz o escolhido passar por maus pedaços.

Colérico
CONTROLE

Influi pela
RAIVA

Necessidades: Admiração por trabalho verdadeiro
Lealdade
Acusação

Quando Rob era pequeno, costumava se mostrar tão aborrecido ou infeliz que eu sempre pensava: "Esse menino precisa de um cachorro." Infelizmente, nossa casa não comportava um animal, e isso jamais ocorreu. Contudo, tenho certeza de que teria sido um enorme conforto para ele. Com um cachorrinho, ele poderia extravasar suas tristezas sobre as injustiças do mundo, poupando assim os pais e as irmãs de serem "alvos de acusações".

Uma vez que a forma principal de influência dos coléricos é a raiva, não admira que, quando preocupados com alguma coisa que não podem controlar em seu mundo, frequentemente descontem na pessoa mais próxima.

Necessidades dos melancólicos

A criança melancólica é movida pela necessidade de deixar o mundo perfeito – isto é, ordenado e previsível. A melhor coisa a fazer é respeitar sua necessidade de espaço e silêncio.

Os momentos decisivos são a volta do jardim de infância ou da escola, quando a criança melancólica já usou sua cota de palavras e esgotou sua tolerância. É quando ela anseia por estar em um espaço aberto ou por privacidade e quietude. Cuide para que ela tenha o espaço e o silêncio de que necessita e logo a terá de volta, pronta para brincar e se divertir.

> *Melancólico*
> PERFEIÇÃO
>
> Influi pelo
> ESTADO DE ESPÍRITO
>
> *Necessidades:* Espaço
> Silêncio
> Sensibilidade
> Apoio

Um dos melhores conselhos que posso dar para manter a criança melancólica satisfeita é preencher sua terceira necessidade, ou seja, demonstrar *sensibilidade* em relação a seus sentimentos e exigências e *proteger seu espaço.* Sinta-se à vontade para dizer às outras crianças:

– A Sofia só precisa de um pouco de calma e de tempo para si mesma. Tenho certeza de que ficará feliz em se juntar a vocês assim que tiver descansado.

Isso é difícil para pais sanguíneos, porque estão sempre preocupados com a possibilidade de seus filhos perderem alguma diversão. Para pais coléricos, isso pode ser complicado porque fazem planos que devem ser seguidos por todos. Pais fleumáticos apenas desejam manter todo mundo feliz e tranquilo, por isso podem achar difícil colocar as necessidades de um filho à frente dos desejos de outro.

É muito fácil dizer aos pais melancólicos que entendam as necessidades de seus filhos melancólicos. No entanto, imagine que você tenha planejado cuidadosamente uma tarde, nos mínimos detalhes, para que sejam momentos perfeitos. Nesse caso, talvez ache difícil lidar com um desmancha-prazeres que não quer participar.

Uma das mais difíceis tarefas incluídas na educação de filhos é separar necessidades de desejos para então atender, ao mesmo tempo, às exigências de várias personalidades. Eis aí um trabalho árduo. Uma vez conscientes da necessidade que nossos filhos melancólicos têm de espaço, silêncio e sensibilidade, podemos apoiá-los mais efetivamente, sem nenhum ressentimento.

Embora todos os filhos precisem do apoio dos pais, no caso de uma criança melancólica a necessidade é mais frequente, em razão de seu temperamento. Só existe uma resposta: apoie-a.

Necessidades dos fleumáticos

Os filhos fleumáticos são movidos pela necessidade de paz, e o meio mais seguro que encontram para garantir isso é simplesmente nem pensar em fazer algo que não querem. Eles são mestres na arte de se tornarem invisíveis e desaparecem em momentos de turbulência. Quando afinal veem os pais realmente zangados, livram-se do problema, dizendo:

– Vou fazer direitinho desta vez, mãe.

Isso não significa necessariamente que eles o farão. Quer dizer apenas que têm a séria intenção de fazê-lo – se não for muito difícil ou inconveniente. Claro que, se conseguirem ficar fora de cena por tempo suficiente, todo mundo acabará se esquecendo do que era para ser feito.

Mais do que qualquer outra coisa, os fleumáticos precisam viver sem confrontos. São grandes mediadores, mas, se não for possível resolver o assunto, precisam de um certo grau de proteção contra as discussões e a raiva dos outros.

Os fleumáticos geralmente possuem uma inteligência viva, de poucas palavras, mas não se negam a levantar debates. Em seguida, porém, recolhem-se discretamente a um local seguro, de onde observam a fúria da batalha.

Os adultos fleumáticos são cordatos, de fácil convivência e querem melhorar a vida de todos. Assim, quando têm de tomar providências que incluam muita gente, isso pode se tornar angustiante, pois mudam várias vezes os arranjos, de modo que ninguém fique insatisfeito.

Quando uma criança fleumática fica triste e silenciosa, é preciso ficar atento. Sua primeira escolha é sempre ficar quietinha e ser muito bondosa, para que o mundo a trate bem. Quando a estratégia não funciona e a criança é alvo de críticas ou deixada de lado, precisa ser notada e valorizada, de modo que possa levar adiante a tarefa de resolver o problema, sozinha ou com a ajuda dos pais. Preste atenção.

Os fleumáticos têm grande necessidade de que as coisas sejam organizadas e aconteçam de forma previsível. Não se trata da mesma tendência perfeccionista do melancólico, mas de uma forma de evitar tensões. Para o fleumático, é importante poder contar com os sistemas adequados, para reduzir a possibilidade de que as coisas deem errado, o que seria motivo de tensão.

Fleumático
PAZ

Influi pela
MOROSIDADE

Necessidades: Ausência de confrontos
Sentido de mérito
Sentido de valor

Uma palavra final

Mais frequentemente do que se pensa, o comportamento das pessoas é a concretização de uma necessidade de sua personalidade. Podemos ser capazes de responder a essa necessidade ou não – mas não adianta olhar para aqueles que fazem parte da nossa vida, sejam crianças ou adultos, como se estivessem dispostos a tudo para nos desagradar. É mais proveitoso tentar descobrir quais necessidades estão tentando satisfazer.

Energizados por pessoas

Sanguíneo DIVERSÃO Influi pelo ENCANTO *Necessidades:* Atenção Aprovação Aceitação Afeto	*Colérico* CONTROLE Influi pela RAIVA *Necessidades:* Admiração por trabalho verdadeiro Lealdade Acusação
Fleumático PAZ Influi pela MOROSIDADE *Necessidades:* Ausência de confrontos Sentido de mérito Sentido de valor	*Melancólico* PERFEIÇÃO Influi pelo ESTADO DE ESPÍRITO *Necessidades:* Espaço Silêncio Sensibilidade Apoio

Esgotados por pessoas

7
Atrações e combinações

Para melhor entender as interações dentro da família, é interessante observar as personalidades da árvore familiar e suas inter-relações. Para os objetivos deste capítulo, vou usar exemplos da minha família, em especial por conhecê-los bem, mas também porque neles está representada a maior parte das combinações entre as personalidades.

A atração dos opostos

É impossível escolher a personalidade dos filhos, sejam eles concebidos naturalmente, por meio de reprodução assistida ou, ainda, adotados. No entanto, as pessoas, em sua maioria, escolhem parceiros de personalidade diametralmente oposta à sua. Meu marido, Vernon, é principalmente melancólico. Gosta das coisas feitas de um determinado jeito, em uma certa ordem. É um homem reservado e precisa de tempo e espaço para si. Ao chegar em casa depois de um dia de trabalho, ele desaparece.

Vernon sempre pareceu fortemente atraído pela minha personalidade sanguínea. Sou ruidosa e gregária, troco qualquer tarefa solitária pelo prazer de uma companhia. Amo com exuberância minha família, meus amigos e meu trabalho.

Diane

Sanguíneo DIVERSÃO	

Vernon

	Melancólico PERFEIÇÃO

Marta e Geoffrey, os falecidos pais de Vernon, foram atraídos pela diagonal colérico/fleumático. Marta era controladora, sempre firme em suas opiniões, embora fosse capaz de ceder "um pouquinho", caso o outro insistisse.

O temperamento de Geoffrey era fortemente fleumático. Todos adoravam seu jeito doce e sua capacidade de aceitar as pessoas como são. Apaixonado por medicina, aposentou-se aos 80 anos e logo morreu.

Geoffrey

Fleumático PAZ	

Marta

	Colérico CONTROLE

Neste momento, estou na pequena casa de praia de Marta e Geoffrey, onde seus espíritos continuam fortemente presentes. Uma das deliciosas lembranças que aqui me ocorrem é a voz de Marta (a colérica), dizendo:

– Querido, vamos dar uma volta!

E Geoffrey (o fleumático), respondendo:

– Sim, querida!

Porque, mesmo depois de cinquenta e cinco anos de um casamento feliz, ele queria agradá-la – e evitar conflitos. No entanto, se não tivesse vontade de sair, Geoffrey podia levar meia hora para ir até o banheiro e calçar meias e tênis.

Sally, minha querida mãezinha, era também fleumática, e todos gostavam dela por isso. Passou trinta e dois anos casada com o meu pai, Emanuel, e outros vinte e quatro com o meu padrasto, Hilel. Ambos eram fortemente coléricos, cada um a seu modo.

Emanuel era dominador, ativo, a "alegria da festa". Embora principalmente colérico e perfeccionista, possuía as características de extroversão típicas de um sanguíneo. Hilel era calmo, reservado e carregava tanta força em si que poucas pessoas um dia tentaram se opor a ele. À natureza colérica, ele acrescentava a tranquila precisão do melancólico, e foi um dos melhores ouvintes que encontrei.

Esses dois homens eram coléricos, sem dúvida, e pareciam exercer total controle sobre o relacionamento. Também não resta dúvida de que minha fleumática mãe seguia o lema "tudo pela paz".

Minha mãe ficou conhecida na família por sua afirmação, aos 80 anos de idade, depois de dois casamentos felizes que somaram cinquenta e seis anos e um ano depois de ter enviuvado pela segunda vez:

– Não me daria ao trabalho de casar de novo, mas uma amizade seria bem-vinda...

Eu me considero feliz por ter na família essas cinco pessoas e agradeço pelo amor, cuidado e sabedoria que me transmitiram e que carrego até hoje. Sinto falta delas.

Emanuel

Sanguíneo DIVERSÃO	*Colérico* CONTROLE
	Melancólico PERFEIÇÃO

Sally

Sanguíneo DIVERSÃO	
Fleumático PAZ	

Hilel

	Colérico CONTROLE
	Melancólico PERFEIÇÃO

Depois da cerimônia, vem o casamento

Existem, é claro, muitos relacionamentos felizes e bem-sucedidos que não se encaixam no padrão de opostos. Mas, se você olhar em volta e observar os casais que conhece, verá que a maioria das pessoas escolhe parceiros de personalidade diametralmente oposta à sua para viver o resto da vida.

A atração inicial é sempre pelos pontos fortes da personalidade, mas, depois de algum tempo, começamos a perceber os pontos fracos – e toda personalidade apresenta pontos fortes e fracos.

Gosto muito da frase de Florence Littauer: "Depois da cerimônia, vem o casamento." Atualmente, quando as cerimônias representam o compromisso público do casal, no sentido de permanecerem junto anos depois de uma vida e de filhos em comum, é possível decidir se a frase resiste ou é apenas uma metáfora. No entanto, todo relacionamento chega a uma fase em que os dois reconhecem que o temperamento do ser amado possui aspectos que a emoção do primeiro amor simplesmente encobriu.

Vernon e eu estávamos casados havia algum tempo quando começamos a nos desentender sempre que eu contava um caso de que tivéssemos participado. Tenho a tendência sanguínea natural de contar apenas as partes que, acredito, possam dar uma boa história, deixando de lado os pormenores. Vernon tem a tendência melancólica de crer que todos se interessam por detalhes e considera minha falta de atenção a eles o equivalente a uma quase inverdade. Já os sanguíneos não gostam de ter suas histórias interrompidas por detalhes maçantes, que acreditam não ter qualquer interesse.

Não existe certo ou errado. Ambos descobrimos que indivíduos diferentes gostam de receber informações de maneiras diversas. Aprendi a não interromper nem apressar as histórias de Vernon. E Vernon aprendeu que é perigoso corrigir a performance de um sanguíneo em público.

Agora que estamos mais velhos e nos tornamos um pouco mais "separáveis", sempre posso ser encontrada na parte mais ruidosa e movimentada das festas e volto para casa com muitas e boas piadas novas – sem esquecer quem contou, mas com certeza esquecendo o desfecho. Vernon, que é excelente ouvinte e gosta de passar as festas conversando com várias pessoas, uma de cada vez, volta para casa cheio de informações interessantes.

Combinação de personalidades

Até aqui, falei como se as pessoas possuíssem temperamentos precisamente definidos e facilmente identificáveis. No entanto, como já mencionei, as pessoas frequentemente apresentam características de mais de uma personalidade.

Sanguíneo/fleumático

Minha personalidade é principalmente sanguínea, sem dúvida, mas também possuo muitas características dos fleumáticos. Embora adore argumentar, pelo simples prazer da conversa, detesto discussões e desejo basicamente que todos se entendam. Tenho as características da criança fleumática, descrita frequentemente como "boa" e disposta a se manter longe de confusões. E, como sanguínea/fleumática, vivo para brincar. Acredito ser uma pessoa de muita sorte, porque tenho uma profissão que amo e que me permite trabalhar sério e, ao mesmo tempo, me divertir.

Brincadeira	*Sanguíneo* DIVERSÃO	
	Fleumático PAZ	

Melancólico/fleumático

Vernon apresenta uma combinação de temperamentos melancólico e fleumático, o que confere a um indivíduo analítico uma predisposição à doçura. Ele é tremendamente prestativo, mas possui uma ideia muito particular da maneira como deve oferecer ajuda.

Certa noite, quando estacionei o carro na garagem, Vernon – como sempre, graças a Deus – veio abrir a porta. Como boa sanguínea, eu fervilhava de novidades e queria que o mundo todo soubesse o que havia aprendido naquela noite.

De repente, lembrei o que Florence dissera acerca da necessidade de valorização do fleumático. Então, perguntei a Vernon:

– Como foram as coisas?

Resposta de Vernon:

– Você ganhou metade dos pontos pela porta dos fundos. Você a trancou, mas se esqueceu de colocar a corrente e esconder a chave.

Ele talvez não tenha entendido por que passei os braços em volta de seu pescoço e lhe fiz um afago. Sua resposta fora perfeitamente melancólica. Somente um melancólico diria tais palavras ao abrir a porta do carro da esposa e lhe dar um beijo de saudação!

Essa história evidencia também a doçura do temperamento melancólico/fleumático. Nenhuma visita deixa a nossa casa sem que Vernon a acompanhe até o carro. Ele não sabe o quanto isso é raro. Pensa que todo mundo tem o mesmo cuidado.

Analítico/Doce

Colérico/melancólico

Certo dia, uma cegonha sobrevoou a nossa casa, olhou para as duas pessoas que viviam lá e pensou: “Este ambiente precisa de um pouco de controle.” E então nos mandou Robert. Sendo ele nosso primeiro filho, não fazíamos ideia de quanto era controlador. Sabíamos apenas como era difícil satisfazê-lo.

Confesso, sem pudor algum, que entrei para esta área da Psicologia – oferecer ajuda aos pais na criação de seus filhos – muito como uma tentativa desesperada de fazer Rob feliz.

Hoje, no entanto, que compreendo melhor as personalidades, percebo por que uma criança ao mesmo tempo colérica e melancólica não pode suprir a necessidade de constantes provas de seu sucesso que sua mãe sanguínea tem.

Robert, desde bebê até a adolescência, teve todas as características da criança colérica e melancólica, alternando suas necessidades: em um momento, dominava a cena, exigindo tudo ao seu modo; no momento seguinte, desmanchava-se em lágrimas porque as pessoas eram insensíveis com ele.

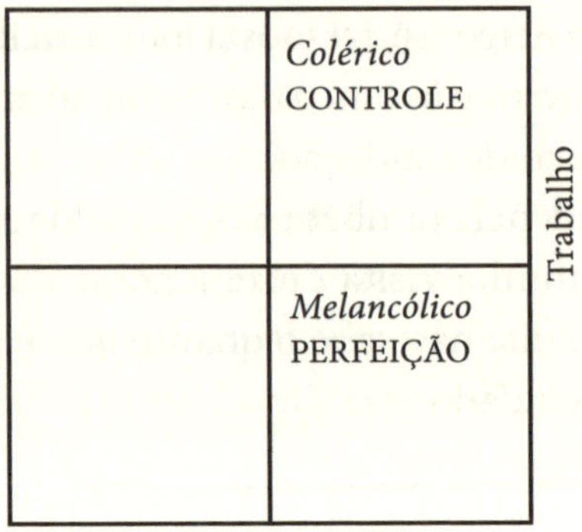

Se conseguirmos sobreviver aos anos de crescimento, controlando o controlador e apoiando o melancólico, seremos recompensados por um adulto esplêndido. Essa combinação produz grandes trabalhadores. Indivíduos como Rob possuem a capacidade colérica de estabelecer metas grandiosas e a tenacidade de levá-las até o fim, sem permitir que obstáculos os atrapalhem, e têm também a atenção melancólica aos detalhes, que fundamenta seus objetivos e os faz acontecer.

Rob impôs a si mesmo metas ambiciosas no campo do judô e se tornou um respeitado atleta internacional. Admiramos sua tenacidade, determinação e grande capacidade para o trabalho árduo e solitário, além de sua lealdade colérica à família e aos amigos. Tendo chegado o mais longe possível e inundado nossa casa de troféus e medalhas, ele hoje persegue uma carreira com igual dedicação e garra. Temos muito orgulho dele.

Continuo fascinada pelo fato de a maioria dos pais que me procuram como terapeuta familiar ter filhos com a combinação colérico/melancólico. Não sei por que essa combinação cria tantas dificuldades para os pais. Quando comento: "sempre acho que esse tipo de criança se daria bem em uma fazenda", escuto com frequência relatos de férias ou visitas a casas de parentes no campo em que a criança esteve feliz e tranquila o tempo todo.

Parece-me que a criança colérico/melancólica se dá bem no ambiente rural porque lá o trabalho é valorizado desde cedo e há muito espaço – a combinação perfeita para atender às necessidades dela.

Não quero sugerir com isso que todos os pais de crianças coléricas/melancólicas se mudem para o campo. Mas podemos ajudar o desenvolvimento delas se garantirmos, depois de um dia na escola, um pouco de paz em um espaço aberto, onde possam se movimentar livremente.

Na sociedade urbana ocidental, proliferam os rótulos: DDA (Desordem do Déficit de Atenção), DDAH (Desordem do Déficit de Atenção com Hiperatividade), *bullying* (intimidação), dificuldades de leitura, baixa autoestima e assim por diante. Não consigo deixar de pensar que muitas dessas situações são um reflexo da inadequação do nosso estilo de vida às necessidades de muitos dos nossos jovens. Aqueles cujo temperamento administra condições intoleráveis são chamados de "bem-sucedidos"; aqueles cujo temperamento não lhes permite administrar situações intoleráveis são rotulados de "problemáticos".

Sanguíneo/colérico

Essa combinação produz os líderes naturais. Sua parte sanguínea é voltada para pessoas, e eles gostam de atividades divertidas, que envolvam companhia e colaboração. Sua parte colérica faz com que gostem de organizar pessoas e situações, de modo que metas sejam estabelecidas e alcançadas pela cooperação. Seu encanto sanguíneo atrai seguidores fiéis.

Somente pude apreciar a força, o encanto e a liderança natural que flui dessa combinação de temperamentos quando assisti à atuação de uma legítima representante. Deborah, nossa filha mais nova, tinha cerca de 5 anos e estávamos passando as férias em nossa casa de campo. Na ocasião, algumas crianças que provavelmente nunca teriam se conhecido em outro lugar formaram um grupo social por algumas semanas.

Liderança

Sanguíneo DIVERSÃO	*Colérico* CONTROLE

Em determinado momento, vi Deborah organizando seis crianças, com idades entre 5 e 7 anos, em fila diante dela. Quando me aproximei, pude ouvi-la dizer:

– Cada um de vocês vai me dizer do que quer brincar. Depois de ouvirmos todo mundo, vamos decidir qual vai ser a primeira brincadeira.

Tudo foi feito conforme as instruções de Deborah, que organizou a lista, e todos brincaram satisfeitos.

O que mais surpreendeu foi vê-la liderar naturalmente e as outras crianças aceitarem sua liderança. Ninguém questionou; todas esperaram a vez e cooperaram.

O colérico possui a capacidade de estabelecer metas, e o sanguíneo tem o encanto que atrai. Com essa combinação, são líderes natos.

Assim como Deborah, Tanya também possui a capacidade colérica de estabelecer metas para o grupo e o encanto de persuadir os seguidores.

Mas a este ponto você já deve ter percebido que todos os nossos filhos têm personalidades um pouco coléricas. Não é à toa que nossa casa é um ambiente dinâmico, e nossas refeições, uma barulheira.

8
Interações

A personalidade é determinada antes do nascimento – mas não estabelecida. Segundo a minha visão, nossos filhos nascem com uma personalidade fortemente instalada. Nosso papel, como pais e mães, é aparar as arestas e ajudá-los a se encaixar melhor na sociedade em que vivem.

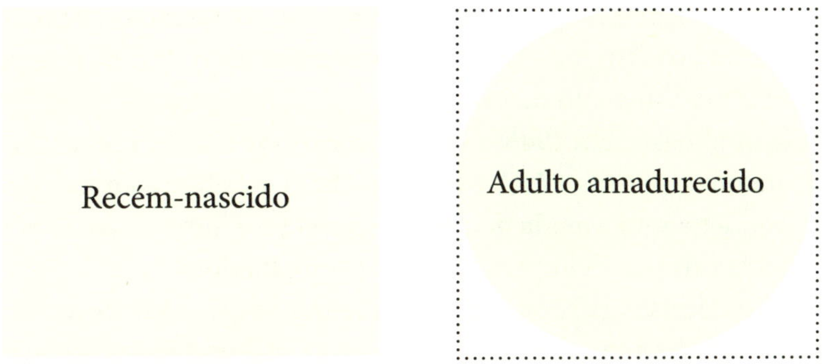

Nossa tarefa é apoiar nossos filhos, de modo que encontrem o equilíbrio.

As máscaras

Florence Littauer se refere a "máscaras" como as diferentes maneiras de ser e interagir que adotamos conforme a situação. Começamos a aprender isso ainda crianças.

Se você tiver dificuldade em identificar as características da sua personalidade, é provável que esteja usando uma máscara. A melhor maneira que conheço para identificar a máscara é se perguntar: "O que a minha família exigia de mim? Que fosse alegre? Que fosse boa? Que assumisse responsabilidades? Que me lembrasse de detalhes?" As respostas a essas perguntas podem ajudar você a identificar a personalidade adotada – seja para se adequar ou para se manter a salvo.

Sempre que eu respondia a testes de personalidade em revistas, encontrava resultados contraditórios. O aspecto individual – sanguíneo – repetia-se, mas o resto era uma confusão só. Eu me declarava fleumática, mas, se meus filhos me ouvissem dizer que era uma amante da paz, rolariam pelo chão de tanto rir. Quando atuei como professora, tinha a fama de rígida (colérica), mas o que desejava realmente era que os alunos se dedicassem, gostassem da matéria (fleumática) e de mim (sanguínea).

Lá pelos meus 30 e poucos anos, comecei a refletir sobre o que me parecia uma infância maravilhosa e a compreender a grande tristeza que se escondia por trás dela.

Meus pais e irmãos chegaram à Nova Zelândia fugidos da Europa de Hitler. Como tantos outros, traziam educação e cultura europeias, lembranças assustadoras e o que quer que coubesse nas malas. Meu pai fora um importante advogado, mas estava velho e alquebrado demais para aprender uma nova língua e revalidar sua qualificação. Minha mãe passou a responder pelo sustento da casa.

Quando nasci, em 1948, a família começava a se recuperar. Embora o novo membro da família fosse muito bem recebido, cuidar de uma criança pequena sem a ajuda de creches, parentes e subvenção do governo representava um pesadelo para uma mãe trabalhadora.

Minha decisão subconsciente, desde muito cedo, foi me tornar uma boa garota. Adotei a máscara fleumática e fiz o que pude para ser boazinha e não causar problemas. Abafei minhas tendências coléricas e fui uma criança agradável e colaboradora – a não ser pelos esporádicos e surpreendentes acessos de raiva.

Diane

Sanguíneo DIVERSÃO	*Colérico* CONTROLE
Máscara fleumática PAZ	

Em nossa família, dizemos, em tom de brincadeira, que finalmente tive meu surto de rebeldia adolescente aos 35 anos, obrigando o pobre Vernon a lidar com a minha personalidade colérica emergente. Vinte anos mais tarde, ainda oscilo entre a fleumática e a colérica. Se houver uma solução pacífica, costumo dar preferência a ela, mas em questão de princípios sou bastante enérgica. Essa mistura de tendências ainda me deixa desconfortável.

Quando se observa a combinação de melancólico e fleumático, encontrada em Vernon, percebe-se que seria lógico que ele escolhesse uma esposa com tendências sanguíneas e coléricas. No entanto, quando nos conhecemos, eu me achava sanguínea e fleumática.

Isso ilustra uma situação que ocorre com frequência: a atração entre parceiros em perspectiva vai além das máscaras, envolvendo a "verdadeira" personalidade.

Vernon

Fleumático PAZ	*Melancólico* PERFEIÇÃO

Escolha Provável

Sanguíneo DIVERSÃO	*Colérico* CONTROLE

Qual é a sua favorita?

Sempre que pergunto a pais ou professores que tipo de criança "preferem", a resposta vem precedida de um suspiro. E todos afirmam gostar igualmente das crianças de quem cuidam. Gostaria de estabelecer uma distinção clara entre amor e compatibilidade.

Ainda me lembro do dia em que ficou claro para mim o significado de "amar igualmente". Robert e Tanya tinham 8 e 7 anos, respectivamente. Esqueci a causa do problema, mas sei que Rob reclamou que algo "não era justo", porque Tanya levara vantagem. Então, argumentei:

– Se você quer justiça, vai ter. Na semana passada, comprei um par de sapatilhas cor-de-rosa para a Tanya. Vou comprar um para você também.

Não estou sugerindo que minha resposta sarcástica deva ser imitada. Francamente, foi cruel e desnecessária. No entanto, aprendi um bocado com ela.

Aprendi que é impossível tratar os filhos igualmente – em termos do que você compra ou faz para eles. Seria uma tremenda bobagem comprar sapatilhas para uma criança que não dança balé. Seria insensato oferecer duas atividades extracurriculares a todos os filhos quando eles possuem níveis de energia diferentes. Seia loucura entregar as chaves do carro a um filho irresponsável somente porque outro filho é suficientemente responsável para dirigir.

Considero imperativo amar os filhos igualmente e cuidar igualmente de seus desejos e necessidades. Todos os nossos filhos merecem receber cuidados básicos e muitos extras que tenhamos tempo e disposição para oferecer. Com o máximo da nossa capacidade, nós os orientamos da mesma maneira, no sentido de se tornarem adultos independentes e produtivos, comemoramos com a mesma alegria suas realizações e nos esforçamos com o mesmo vigor para ajudá-los a superar obstáculos.

Acima de tudo, porém, não há como fugir ao fato de termos mais afinidade com certos tipos de temperamento; de compreendermos alguns e considerarmos outros absolutamente misteriosos. Você descobrirá uma compatibilidade – ou incompatibilidade – natural de temperamentos. Reconheça isso, apesar do seu amor.

Esse é um processo de mão dupla. Os filhos também podem se relacionar mais facilmente com o pai ou com a mãe.

Meu pai costumava dizer:

– Você não ama os seus amigos apesar dos defeitos, mas com os defeitos deles.

Sendo colérico, ele tendia a considerar as diferenças como "defeitos". Sendo mais sanguínea, eu gostaria de mudar a frase para: "Não amo os meus amigos apesar de suas diferenças, mas com suas diferenças."

Atrações naturais

Depois de estabelecer que é possível ter mais afinidade com alguns tipos de temperamento do que com outros, vamos tratar da atração natural na família.

Quando Tanya nasceu, encontrou na família um primogênito fortemente colérico. Sanguínea por natureza e, portanto, capaz de perceber as pessoas e seus desejos, ela era sociável, de fácil convivência e, desde muito cedo, aprendeu a se relacionar com todos ou a brincar satisfeita sozinha, se essa fosse a única opção.

Ocasionalmente, percebíamos um lampejo de força e de luta por uma posição em suas interações com os amiguinhos, mas, de modo geral, Tanya cedia às exigências do irmão colérico, e ficávamos agradecidos pela paz daí resultante.

Imagine a nossa surpresa quando, aos 15 anos, ela se tornou fortemente assertiva e passou a insistir em ter as coisas do seu modo. Descobrimos então seu temperamento voluntarioso, quando contrariada, e sua capacidade de estabelecer e perseguir objetivos. Antes que completasse sua formação acadêmica, ficou claro para nós que estávamos diante de uma líder natural (sanguíneo/colérica).

Tanya

Sanguíneo DIVERSÃO	*Colérico* CONTROLE
Máscara fleumática PAZ	

Ao observar nossa árvore familiar, entende-se como as atrações – com base na personalidade – acontecem nas famílias.

Comecemos com Robert. Em matéria de temperamento, ele não se parece comigo nem com Vernon. Portanto, nenhum de nós consegue entendê-lo com base na própria experiência. Ele é nosso "marciano". Nós o amamos e o admiramos, mas, até começarmos a estudar as personalidades, não fazíamos a menor ideia das razões de seu comportamento.

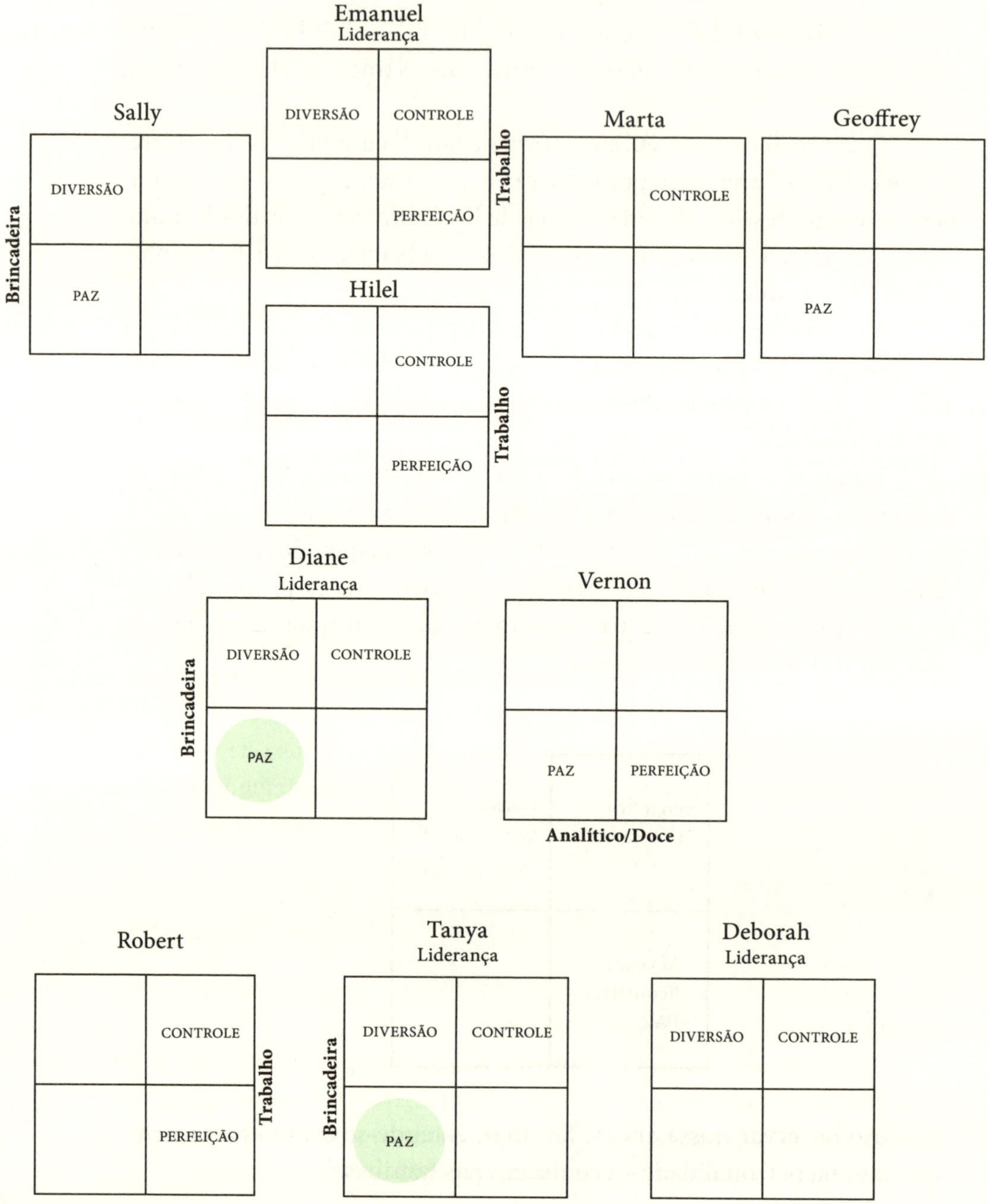

Eu considerava teimosia a admirável tenacidade de Robert. Quando o via sensível, pensava: "O que fiz de errado? Como posso deixá-lo mais feliz?" Interpretei sua necessidade de espaço como sinal de desajuste. Era como se eu o amasse por partes.

Embora Robert provavelmente tenha sofrido por não ser bem compreendido pelos pais – e felizmente nosso amor incondicional compensou essa falha –, os avós o compreenderam. Primeiro, por dedicarem a ele um amor de que somente os avós são capazes. Segundo, em questão de temperamento, ele recebeu apoio de pessoas que de modo algum o consideravam um marciano.

Rob se parece muito com a mãe de Vernon, Marta. Com temperamentos semelhantes, eles eram almas gêmeas que se compreendiam. Geoffrey, com sua natureza pacífica, sentia-se atraído pelo neto, que em temperamento era um clone da esposa que tanto amava. Minha mãe, Sally, com um temperamento diametralmente oposto ao de Rob, apreciava suas qualidades.

Tanya, por sua vez, é uma clonagem da personalidade da mãe. Como Tanya é a pessoa da família mais parecida com aquela que Vernon escolheu para viver (eu), os dois são muito próximos. Mas não é apenas uma proximidade entre pai e filha, trata-se daquela intimidade que acontece quando a personalidade do filho é idêntica à do parceiro escolhido.

Deborah também é minha alma gêmea, e sua personalidade exerce forte atração sobre Vernon. Ela é o líder natural que resulta da combinação de temperamentos colérico e sanguíneo – mais ou menos em partes iguais.

Somos uma família de cinco, sendo quatro coléricos e três sanguíneos. Não admira que nossa mesa de jantar seja tão cheia de vida, com quatro pessoas falando ao mesmo tempo, cada uma defendendo suas opiniões. Ainda bem que existe um melancólico/fleumático para ouvir e apoiar os outros!

Inato versus *aprendido ou "estou marcado para sempre?"*

Existe algo que possamos fazer para alterar nossa personalidade ou estamos para sempre marcados por ela?

Muita gente me diz que possui os quatro tipos de personalidade. Todos somos assim, claro. Existem os aspectos naturais e aqueles que aprendemos, pois o indivíduo pleno precisa de determinados comportamentos que permeiam todos os tipos de temperamento.

Embora eu acredite ser impossível alguém mudar de temperamento, com certeza é possível adquirir comportamentos úteis à nossa integração ao ambiente em que vivemos. No entanto, sempre existe certa pressão em tentar ser o que não somos.

Como adultos bem formados, ao percebermos que certos aspectos da nossa personalidade nos atrapalham em determinadas situações, tendemos a substituí-los por outros. Quando operamos em harmonia com a nossa personalidade, as coisas acontecem mais facilmente. Os comportamentos que não se alinham com o nosso temperamento exigem muito mais esforço.

Se você vier à minha casa como cliente, vai encontrar uma cozinha arrumadíssima, onde poderá se servir de chá ou café. Daí, passaremos a uma mesa bem organizada, com blocos de anotações, lenços de papel, clipes, cartões de visita e canetas esferográficas – tudo cuidadosamente posicionado para o máximo de eficiência. Após dez minutos de trabalho, os objetos estarão espalhados, já que me concentro em atender às necessidades do momento e em aproveitar a interação. Enfim, consigo sustentar a abordagem melancólica durante algum tempo porque me esforço, mas a sanguínea está sempre a postos, pronta para dominar.

Isso ajuda a explicar por que as pessoas em geral parecem diferentes em casa e no trabalho. Como seres humanos, somos infinitamente adaptáveis e capazes de nos integrar à "cultura" na qual estamos inseridos.

Assim, o temperamento dos nossos filhos não pode ser mudado, mas certamente é possível incentivá-los a alterar comportamentos indesejáveis.

O caminho para a independência emocional

9

ATENDENDO ÀS NECESSIDADES EMOCIONAIS DA CRIANÇA

Imagine a cena

No playground, tem um escorregador com três degraus e uma rampa suave. O pai leva o filho pequeno até lá. É a primeira vez que o menino experimenta o brinquedo. O pai ajuda o filho a subir e segura a mão dele, controlando a descida pela rampa. A cena se repete duas ou três vezes, e os dois saboreiam o prazer da realização.

O pai, então, fica ao lado do escorregador, enquanto o filho usa o brinquedo sozinho. O menino se mostra confiante, e ambos estão satisfeitos com a conquista da nova habilidade. O pai se sente seguro para se sentar em um banco, supervisionando a brincadeira a distância.

O menino sobe e desce, sobe e desce, sobe e desce. Está encantado com o que aprendeu. De vez em quando, lança um olhar para o pai, que diz:

– Isso mesmo, campeão!

A criança vive o prazer de se sentir capaz. O pai apenas acompanha a experiência.

Dois outros meninos também estão no playground. Um deles se mantém grudado ao pai, que tem de ficar ao lado do escorregador; quando tenta se sentar um pouco, o menino corre para junto dele e nem olha para o brinquedo. O pai põe em prática todas as suas habilidades de convencimento: explica, ameaça, fica zangado. O filho choraminga. Afinal, o pai consegue que o menino faça uma tentativa. Tudo parece muito difícil e a criança fica pouquíssimo tempo no escorregador. O pai se pergunta de que adiantou tanto trabalho.

O terceiro menino simplesmente desaparece da vista do pai, que o chama de volta e vai buscá-lo, preocupado com o que possa acontecer. A criança passa muito mais tempo contrariando o pai do que brincando no escorregador.

Ambas as crianças – tanto a que se agarra ao pai quanto a que prefere se afastar – estão perdendo a oportunidade de desenvolver habilidades e de sentir o prazer da realização. E os pais deixam de apreciar o crescimento da capacidade dos filhos.

Para que nossos filhos atinjam o terceiro aspecto do desenvolvimento – da incapacidade à capacidade –, é preciso que tenham suficiente independência emocional e autodisciplina a fim de aproveitarem as oportunidades que se apresentarem.

Aprender de novo

Lembro-me de um seminário que conduzi, há dez anos, com o título "Aprecie a sua criança; aprecie você". As palestras aconteceram em uma sala de jardim de infância, o que por si só representou um desafio, pois fiquei diante do olhar fixo de 30 ou mais pais e mães sentados em cadeiras pequenas.

Um deles me perguntou como lidar com as "cenas" de seu filho de 3 anos. Falei sobre mudança de comportamento.

Assim, expliquei que as cenas são um comportamento adotado para chamar a atenção. A resposta adequada seria verificar se a criança está segura e depois se afastar. Ao perceber que ninguém lhe dá atenção, ela logo se acalmará.

Outro pai me perguntou sobre o que fazer quando a criança bate a cabeça em momentos de raiva.

– A mesma coisa – respondi sem pestanejar. – Afaste-se. Criança alguma bate com a cabeça no chão se ninguém estiver vendo.

Então, uma mãe disse:

– Mas meu menino bate com a cabeça na borda da cama, mesmo que esteja sozinho no quarto. Como posso me afastar?

Aquela situação não se enquadrava na minha teoria, com certeza.

Existe um ditado muito bom: "Quando o aluno está pronto, o professor aparece." Naquele dia, tive uma sorte extraordinária – o universo provavelmente achou que eu estava necessitada demais – porque logo apareceram dois professores.

A primeira: uma professora

Uma das mães presentes levantou a mão.

– Há alguns dias, minha filha se jogou no chão de concreto, em um momento de raiva. Ela já havia batido a cabeça antes e vi que poderia provocar uma fratura se fizesse aquilo de novo. Sem conseguir suportar a ideia, eu a peguei no colo e disse: "Não faça isso, querida. Mamãe ama você e não quer ver o seu rostinho machucado."

E ela continuou, com voz baixa e hesitante:

– Será que fiz alguma coisa terrivelmente errada?

Aquele comentário atravessou meu cérebro e foi diretamente ao coração. Eu soube imediatamente que a resposta daquela mulher era a abordagem amorosa e indubitavelmente "certa", que não poderia ser alterada por qualquer teoria de modificação do comportamento. Lembro-me de ter ficado imóvel por algum tempo, pensando: "Diane, sua idiota. Claro que a mãe está certa. Claro que ninguém pode se afastar e deixar uma criança bater com o rosto no chão de concreto." Se não me engano, respondi – ou, se não foi exatamente assim e eu pudesse reescrever a história, responderia:

– A sua solução é muito melhor do que a minha.

O episódio me rendeu algumas noites em claro, pois comecei a questionar muito do que sempre havia considerado verdade absoluta – cientificamente comprovada.

O segundo: um professor

Durante o mesmo seminário, um pai levantou a mão:

– Conheço um livro que você talvez ache interessante. Trata de uma tribo em que as crianças nunca choram e muito menos fazem cenas. Os pais não guardam os facões, as crianças podem pegá-los à vontade e ninguém se machuca. Além disso, as crianças são muito obedientes. É *The Continuum Concept* (não publicado em português), de Jean Liedloff.

O livro, escrito na primeira pessoa, é um relato do tempo que Jean Liedloff passou com o povo yequana, uma tribo indígena da América do Sul que vive próximo a um dos afluentes do Rio Orenoco, na Venezuela. Sua ligação com a tribo foi tão intensa que ela voltou lá várias vezes.

O primeiro aspecto a chamar a atenção da antropóloga foi a completa ausência de tristeza, o que a levou a reexaminar a premissa de que a infelicidade faz parte da condição humana.

Outro aspecto que a fez repensar suas ideias foi a visível ausência de uma palavra para "trabalho". Havia palavras correspondentes a todas as atividades que incluiríamos no conceito de trabalho, mas não um termo genérico que implicasse uma visão de tais tarefas como algo cansativo, desagradável ou tedioso. Como atividades essenciais à sobrevivência, eram simplesmente realizadas por todos.

Liedloff também ficou impressionada ao notar que era raríssimo ouvir uma criança chorar naquela tribo. No entanto, nada naquele ambiente indicava qualquer restrição à expressão de emoções em crianças ou adultos. Ela se convenceu de que os pequenos não sentiam necessidade de chorar nem de sufocar o choro para demonstrar "valentia".

Outro aspecto que impressionou a antropóloga foi a obediência demonstrada pelas crianças. Bastava um pedido de pai ou mãe para que elas se apressassem a obedecer, ansiosas por serem úteis. Qual a razão de tal comportamento?

A lição: o povo yequana

Os bebês da tribo yequana

Até começar a engatinhar, o bebê yequana é levado pela mãe para toda parte. Seu único trabalho é observar o que se passa em volta, dormir quando tem sono e comer quando tem fome. Não precisa chorar para ser alimentado: a um simples grunhido, a mãe lhe oferece o seio; quando se sente satisfeito, para de sugar. Esse bebê não precisa aprender a contar o número de horas que se passam até que seja alimentado.

Quando se cansa, o bebê yequana dorme. Depois de dormir o suficiente, acorda. A mãe não precisa distraí-lo. Ele a acompanha nas atividades de uma rica vida comunitária; portanto, há sempre o que ver, ouvir e aprender pela observação.

A comunidade yequana desfruta com prazer a companhia dos bebês. Uma vez por dia, mulheres e crianças vão até o rio se banhar e brincar. As meninas não têm bonecas, elas brincam com os bebês da tribo. A maioria se torna perita no cuidados com os pequenos, distraindo-os entre as refeições. Os adolescentes parecem igualmente satisfeitos: ao voltar da caça, divertem-se com os menores, que adoram ser jogados para cima. Assim, os bebês passam com tranquilidade e confiança pelo cuidado de várias pessoas que os amam.

Engatinhando e começando a andar

Quando o bebê começa a engatinhar, ele fica livre para estar junto da mãe ou se afastar pelo tempo que quiser. A mãe, por experiência própria, não se preocupa com a segurança do filho, pois presume que ele saiba cuidar de si. Liedloff não encontrou qualquer indício de que isso não fosse verdade.

Ela conta uma história encantadora a respeito de crianças pequenas que brincavam em volta de um buraco bem fundo cavado no centro da aldeia. Liedloff ficou apavorada ao ver os pequeninos engatinhando e andando perto do local que considerava tão perigoso. Eles chegavam mesmo a se sentar de costas para o buraco. Somente então percebeu que era a única a se preocupar e a observar a cena. E, embora as crianças tenham passado muito tempo em volta do buraco, nenhuma caiu lá dentro.

Sempre que uma criança pequena se sente cansada, com fome ou aborrecida, volta para junto da mãe, que a pega, a encaixa no quadril e continua com suas atividades, a não ser que precise alimentá-la.

Assim que tem suas necessidades atendidas, a criança procura se soltar da mãe, demonstrando que deseja voltar para o chão.

É difícil abandonar um comportamento adquirido

Aquelas crianças pequenas buscando as mães ao precisar delas me fizeram pensar. À nossa maneira ocidental, a criança se mantém parada e grita: "Mãe!" Ao ouvir, corremos para atendê-la. Por que nossos filhos, em vez de usar suas fortes perninhas para chegar até nós, esperam que nossas pernas cansadas nos levem até eles?

A melhor resposta que encontro é que nós os treinamos desde cedo para agir assim. Os recursos para esse treinamento são um quarto, um berço ou uma cama. Colocamos nossos filhos pequenos para dormir e nos afastamos. Então, quando precisam de nós, eles aprendem a chorar para nos chamar. Não admira que nossos filhos, desde bem pequenos até a adolescência, continuem fiéis ao que aprenderam e pensem que, para serem atendidos, basta gritar: "Mãeeee!"

O bebê yequana é carregado pela mãe até ser capaz de engatinhar. Quando isso acontece, ele engatinha apenas a distância que lhe parece confortável e fica livre para voltar quando for preciso.

Não se preocupe, porém. Não estou necessariamente defendendo a ideia de que o seu bebê deve ser carregado o tempo todo. No entanto, de algum modo, estamos inadvertidamente treinando nossos filhos para ficarem parados e gritar, quando precisarem de nós.

Vamos conhecer algumas histórias do mundo animal.

A primeira é sobre piranhas. Se criarmos uma piranha em um tanque de água dividido ao meio por um vidro, com uma vítima saborosa do outro lado, em um primeiro momento ela vai tentar repetidamente alcançar a presa. Chega uma hora, porém, em que ela desiste, depois de bater várias vezes na divisória sem conseguir atravessá-la. Diz-se ser possível até mesmo retirar o vidro; embora a presa continue lá, a piranha nunca mais tenta atravessar para o outro lado.

A segunda história trata do adestramento de bebês elefantes. Imagine que o filhote seja preso regularmente por uma corrente a uma pesada estaca de ferro que o impeça de fugir. Depois de adulto, ele não tentará fugir quando amarrado à mesma corrente, mesmo contando com força mais do que suficiente para arrancá-la. Devido ao treinamento que recebeu, o elefante continuará a se acreditar incapaz de se livrar da estaca.

Eu não conhecia nenhuma dessas histórias quando tivemos nossa terceira filha, mas já havia superado minhas preocupações acerca de mimar um bebê. Encantava-me o fato de ter uma criança em casa enquanto as outras duas estavam na escola. Eu ainda a alimentava, trocava fraldas e a deixava no berço, afastando-me para dormir em meu quarto. Mas, frequentemente, ao perceber seus primeiros movimentos depois de uma boa soneca, eu a pegava no colo e me sentava em uma poltrona, pelo simples prazer de vê-la acordar em meus braços. Será simples coincidência o fato de ser ela, entre os meus três filhos, a única que, em vez de me chamar lá do outro lado da casa, vai ao meu encontro?

Deixando que a criança resolva o problema

A mãe yequana pega no colo o filho que corre para ela e depois continua com suas atividades. Ela não pergunta nem tenta descobrir qual é o problema. Ela simplesmente aceita que a criança precisa de conforto e, assim que o tiver, tudo estará resolvido e a vida seguirá seu curso. Seu papel é confortar; o da criança, resolver.

Eis aí um forte contraste com a nossa resposta tipicamente ocidental. Pegamos a criança no colo com um "o que houve, querida?" Depois tentamos distraí-la do que a aborrece. "Olhe aqui, amor, não chore! Veja as chaves do carro da mamãe. Ah! Não quer? E este chocalho? Venha, vamos até o espelho. Mamãe vai fazer caretas. Dance! Dance! Dance!"

Geralmente, nesse ponto, a criança para de chorar, e ficamos satisfeitos por termos feito um bom trabalho como pais. Mas a repetição da cena várias vezes ao dia é exaustiva e dá a ideia de que nossos filhos não sabem se distrair sozinhos.

O apoio silencioso, tranquilo e incondicional oferecido aos filhos pelas mães do povo yequana parece formar crianças fortes e espertas. Quando chegam ao que corresponde à chamada idade pré-escolar, as crianças se mostram muito independentes, capazes de tolerar a maior parte dos reveses e frustrações comuns. E, quando as coisas ficam difíceis demais, recorrem às mães, que suprem suas necessidades de apoio e conforto.

Também funciona com crianças maiores

Não são apenas as crianças pequenas que precisam de apoio. No caso dos yequanas, seja em que idade estiverem, espera-se que sejam fortes e espertos, mas, quando o sofrimento é insuportável, consideram-se perfeitamente naturais as demonstrações de emoção. Veja estes dois exemplos.

Jean Liedloff era também experiente em primeiros socorros. Certa vez, uma mãe muito preocupada levou até ela o filho de 10 anos. O menino estava com um dente cariado que lhe provocava muita dor e precisava ser extraído.

Quando ela examinou melhor o dente, a dor foi terrível, e o menino gritou. Àquela altura, um grupo de companheiros preocupados e curiosos se reunira para observar, e Liedloff, imbuída do pensamento ocidental, pensou que ele pretendesse fazer pelo menos algum esforço para se mostrar forte e corajoso diante dos outros. Então, explicou ao menino e à mãe que a extração do dente era necessária e que seria um procedimento doloroso.

Durante a extração, o garoto gritou e chorou, mas não fez qualquer tentativa de afastar Liedloff. A mãe permaneceu ao lado dele, segurando e apoiando-o. Os companheiros observaram com interesse e preocupação, mas em nenhum momento o menosprezaram pelas lágrimas que derramou. E, quando tudo terminou, todos voltaram aos seus afazeres.

Em outra ocasião, a antropóloga viu-se diante de um homem de seus 30 e poucos anos, com um dedo do pé gangrenado. Metade da aldeia se reuniu para assistir à cirurgia. O homem levou com ele a mulher e a mãe, que cuidaram dele durante todo o procedimento.

Como se tratava de um adulto, Liedloff pensou que fosse testemunhar uma demonstração de bravura e resistência. Para sua surpresa, no entanto, assim que ela começou a operação, o homem gritou. Liedloff parou. Mas logo percebeu ser a única que parecia preocupada. Não que a "plateia" fosse indiferente. Todos sabiam que se tratava de um procedimento doloroso, mas necessário, e ofereciam ao companheiro o máximo de apoio disponível. Aceitavam também o fato de que, se alguém estava sentindo muita dor, a reação mais lógica era chorar e gritar. Mais uma vez, ninguém menosprezou o paciente por expressar seu sofrimento.

Assimilando novas ideias

A leitura daquele livro me deixou impressionada com a naturalidade do comportamento do povo yequana e a artificialidade da nossa maneira ocidental. Esperamos que as pessoas suportem o insuportável ou, pelo menos, que reclamem o mínimo possível. Desde cedo, fazemos comentários do tipo "você é um garoto valente", "homem não chora", "foi só um arranhãozinho", "vai acabar em um minuto" ou "procure não pensar nisso".

Comecei a avaliar também o quanto eu havia interferido na vida dos meus filhos e me preocupado com a possibilidade de as coisas darem errado. Eu sempre explicava de antemão tudo o que poderia acontecer de ruim, para que meus filhos sempre estivessem preparados. E percebi que geralmente demonstrava pouca confiança na capacidade deles de aprender com as próprias experiências. Eu acreditava ser muito mais simples e fácil para eles aprender por meio das minhas ideias e do saber que eu havia acumulado.

Mas essa minha visão começava a mudar.

10

Cuidar mais e intervir menos

Pouco tempo depois de ler *The Continuum Concept* (não publicado em português), de Jean Liedloff, e ainda não convencida por completo de sua relevância, eu estava confortavelmente sentada em uma poltrona, aproveitando três minutos de folga, enquanto minha filha brincava no quarto ao lado. De repente, Deborah irrompeu quarto adentro, chorando:

– Mamãe, a Gemma está implicando comigo!

As duas adoráveis garotinhas de 5 anos brincavam juntas com frequência e se davam razoavelmente bem.

Dizendo a mim mesma "faça como as mães yequanas", passei o braço em volta da cintura da minha filha. Sabia que uma mãe yequana não diria coisa alguma, mas seria demais exigir de mim tal comportamento. Então, resmunguei:

– Ah, querida, que pena!

Acostumada às minhas respostas prolixas e intervencionistas, Deborah me olhou surpresa, como se pensasse: "Parece minha mãe, mas não fala como ela." Minha cabeça girava, tentando imaginar o que fazer em seguida. Talvez funcionasse na Venezuela, mas não se aplicasse à Nova Zelândia. Ficamos congeladas na mesma posição por quinze segundos, pelo menos. Mas pareceu muito mais.

Então, Deborah disse:

– Tchau, mãe.

E correu de volta para a brincadeira com Gemma. Fiquei atônita. De algum modo, tinha funcionado. Deborah se sentiu confortada, arranjou uma solução e, não precisando mais de mim, voltou às coisas próprias de pessoinhas de 5 anos de idade.

Minha mudança de opinião, que começou naquele momento, me levou a ver de outra maneira a criação de filhos. Fez-me cuidar mais e intervir menos. Fez-me ajudar centenas de pais a se livrar da necessidade de elogiar de tantos em tantos minutos – e de castigar. E me levou a escrever este livro, esperando ajudar você.

Uma lista de nãos

Enquanto fiquei ali sentada, confusa depois do meu encontro com Deborah, pensei no que eu normalmente teria dito naquela situação. Pensei também na reação da minha filha. Ela poderia ter voltado para bater em Gemma, dito alguns desaforos, ter se trancado no quarto para chorar. Surpreendentemente, ela escolheu uma atitude socialmente positiva. Então, organizei uma lista do que não deveria fazer.

Não acuse

É típico do nosso estilo de criação acreditar no equilíbrio: toda história tem dois lados. Assim, minha resposta mais natural seria:

– O que você fez para a Gemma?

Com frequência, nosso primeiro impulso é acusar. Isso, é claro, dá à criança a impressão de estarmos mais preocupados com o que aconteceu com a outra, o que a faz assumir uma posição defensiva, criando uma tremenda confusão na tentativa de nos convencer de que tem razão.

Não critique

Nossa tendência é responder à reclamação chorosa "a Gemma está implicando comigo" com um "por que vocês não podem brincar direitinho?" No entanto, qualquer questão retórica que comece com "por que vocês não podem..." implica que os sentimentos da criança não têm importância – ela deve simplesmente ignorá-los. É como se disséssemos que ela está errada em sentir.

Tal tipo de crítica fere as crianças mais sensíveis e aborrece as menos sensíveis. Nossa intenção pode ser apenas incitar à ação – "Pare de pensar nisso. Não seja tão sensível!" – mas, na verdade, estamos apenas criticando os sentimentos da criança.

Não procure contornar

Essa é uma forma abreviada de dizer "Não se esforce demais para desviar a atenção". No contexto da briga de Deborah e Gemma, a tentativa de contornar seria mais ou menos assim:

– Não se preocupe, querida. Tenho certeza de que Gemma não quis aborrecer você. Não pense nisso. Vamos ler um livro juntas?

Muitas vezes, começamos a usar essa estratégia com nossos bebês. Assim que os percebemos inquietos, procuramos um objeto interessante, que faça barulho, para que se distraiam e se sintam melhor.

Se a estratégia não funcionar de início, provavelmente não vai dar certo mesmo. Portanto, vamos evitar insistir. Além disso, se a tentativa de contornar é o seu método preferido para conseguir obediência, é sinal de que você não vem obtendo sucesso.

Não explique

Meu primeiro trabalho foi como professora. Daí meu antigo hábito de passar à explicação quando a acusação, a crítica e a tentativa de contornar não davam certo. "Não se aborreça, querida. Talvez você tenha mexido em algum dos brinquedos preferidos de Gemma." Ou: "Quem sabe, a Gemma esteja em um mau dia!" Ou, então, um erro fatal, garantia de inflamados protestos de todo jovem dotado de respeito próprio: "Talvez você esteja cansada. Lembra como demorou a ir para a cama na noite passada?"

Quando nossos filhos estão aborrecidos, explicar a situação do "inimigo" ou apontar os aspectos em que eles mesmos contribuíram para o problema são atitudes que provavelmente provocarão respostas do tipo: "Você *nunca* me escuta", "Você *sempre* fica do lado dela" ou "*Não* estou cansada".

Não faça minipreleções

A primeira vez que ouvi o termo *minipreleção* foi durante uma palestra de Barbara Coloroso, autora de *Vale a Pena Ter Filhos*. Minipreleção é uma coleção de ideias repetidas com tal insistência que, depois de ouvir as primeiras cinco palavras, a criança é capaz de terminar o discurso. Em nossa casa, a minipreleção número 43, reservada especialmente para ocasiões como aquela, seria: "Você não sabe a sorte que tem por poder contar com uma amiguinha para brincar. Quando eu tinha a sua idade, daria tudo para..." E assim por diante.

A maioria dos pais possui uma minipreleção preferida, que acredita que possa ser aplicada à experiência dos filhos. No entanto, tais "lições" não ensinam nem confortam. O mais provável é que sejam interrompidas por um comentário mais ou menos assim: "Já sei, já sei. Quando você tinha a minha idade..."

Não resolva o problema

Podemos tentar essa solução logo de saída ou deixar para o fim. De todo modo, estará fadada ao fracasso.

Mãe:

– Que tal vocês duas darem uma volta de bicicleta?

Filha:

– Na-na-ni-na-não.

Mãe (com mais entusiasmo):

– Tudo bem. E se fossem experimentar o seu novo estojo de maquiagem?

Filha:

– Na-na-ni-na-não.

Mãe (ainda mais entusiasmada):

– Já sei! Lembra aquele quebra-cabeça espetacular que a vovó lhe deu na semana passada? E se você chamasse a Gemma para montarem juntas?

Filha:

– Na-na-ni-na-não.

Mãe (exausta e impaciente):

– Ora, então, por que não vai para o seu quarto e fica lá um pouco?

O que há de errado na cena? Tudo começou com um probleminha entre duas meninas de 5 anos e, de repente, lá estava eu procurando desesperadamente uma solução. E minha filha, muito calma, apenas dizendo de vez em quando "na-na-ni-na-não" para que eu não desistisse!

O que fazer então?

Até então, passaram-se pelo menos dez minutos. Minha filha ficou tão irritada que se desmanchou em lágrimas ou demonstrou toda a sua raiva. Como já vimos anteriormente, tratava-se de um problema perfeitamente administrável para uma criança de 5 anos. Mas, quando eu o tomei dela, o clima desandou completamente.

Mas, se não posso:

- acusar
- criticar
- distrair
- explicar
- fazer uma minipreleção
- resolver o problema,

o que resta a fazer?

Agindo como uma mãe yequana

“Agindo como uma mãe yequana”, passei meu braço em volta da cintura de Deborah, resmunguei algumas palavras que indicassem a importância que eu dava aos seus sentimentos e esperei que ela estivesse pronta. Teria sido aquele um golpe de sorte ou funcionaria igualmente em outras situações?

A resposta é: desde então, empreguei variações daquela resposta em outras situações e posso dizer que funciona. Aliás, funciona com gente aflita e zangada de todas as idades – crianças, amigos e colegas de trabalho. Os componentes essenciais são:

- empatia
- um abraço de conforto.

Empatia

Um modo de despertar empatia é traduzir em palavras o sentimento da criança. Use frases como:

- Que ruim para você!
- Ah, que pena!

- Uau! Isso deve ter doído!
- Você parece muito zangada!
- Esse problema está perturbando mesmo você, não é?

A empatia inclui falar de tal maneira que a pessoa insatisfeita saiba que você compreende os sentimentos dela. E, quando faltarem palavras, um "o-o-o-oh" resolve na maior parte das vezes.

Muitos de nós já viveram a experiência de chegar a um consultório de dentista com uma dor de dente terrível. Então, o dentista dá uma olhada e resmunga:

– É, está um pouco vermelho.

Em seguida, volta para a sua mesa e começa a escrever. Será que ele percebe o quanto aquilo dói? Será que ele pensa que estamos exagerando? Será que se preocupa com nosso sofrimento?

Meu falecido cunhado, Gordon, era médico. Ele tinha um jeito de dizer "deve estar doendo um bocado!", que nos fazia perceber seu interesse e sua preocupação. Com nossos filhos, de maneira similar, a intensidade das palavras e do tom de voz deve ser a mesma dos sentimentos. Acredito que, assim como acontece com algumas aves e seus filhotes, às vezes somos muito duros com nossos filhos. Nossa resposta-padrão para uma criança que se aproxime chorando por causa de um pequeno ferimento é:

– Não chore, meu amor. É só um arranhãozinho...

A criança sente sua dor subestimada e passa a gritar:

– Está doendo! Está doendo!

É um castigo para os nossos tímpanos.

Seria muito mais rápido, eficiente e estimulante dizer:

– Humm, esses arranhões doem muito. Um carinho ajuda a curar.

Se dissermos essas palavras com sentimento, a criança provavelmente vai se acalmar, passando a choramingar apenas. Claro que, se exagerarmos na empatia, corremos o risco de ouvi-la dizer:

– Calma, mamãe. Também não está doendo tanto assim!

Com nosso apoio, a criança consegue administrar pequenas frustrações. E, mais importante: ela aprende que é capaz de tolerar pequenas frustrações.

Um abraço de conforto

Tome o bebê (nesse caso, costumamos acarinhar e embalar) ou a criança pequena em seus braços; a criança um pouquinho mais crescida pegue no colo; abrace a criança mais velha ou o adolescente; ou, se nada disso for apropriado, espere com paciência e carinho, apenas. Mas esperar o quê? Que o seu filho receba o apoio de que precisa e, quando estiver pronto, resolva o problema. Tanto pode levar dez segundos como dez minutos. De qualquer jeito, é mais fácil e eficaz do que acusar, criticar, explicar, fazer minipreleções ou resolver o problema.

Segundo as ideias de Liedloff, permitimos à criança descarregar sua energia negativa em nosso corpo, que é maior do que o dela. Isso também explica por que, depois de oferecermos apoio a uma pessoa que esteja passando por um sofrimento intenso, frequentemente nos sentimos esgotados.

Gosto da analogia do copo de água. Se pingarmos algumas gotas de água fervendo em um copo de água fria, haverá apenas uma ligeira mudança de temperatura. De maneira semelhante, se confortarmos uma criança aborrecida sem nos envolvermos com o problema, poderemos continuar relaxados e oferecer-lhe apoio sem, no entanto, nos deixarmos esgotar.

"Não estamos fazendo deles indivíduos dramáticos demais?"

Na primeira vez em que li sobre os índios yequana, preocupei-me com a possibilidade de que seus métodos resultassem em crianças fracas, que esperassem apoio a todo o momento. No entanto, o livro de Liedloff relata o contrário, e o mesmo demonstra minha experiência. As crianças que, quando insatisfeitas, recebem apoio incondicional se tornam rapidamente autossuficientes e espertas.

O apoio incondicional resulta em crianças que creem na própria capacidade de resolver problemas, sustentadas pela segurança de poder contar com braços calorosos e acolhedores, caso precisem deles. Existem dois outros conceitos que considero úteis quando penso no apoio a oferecer a crianças insatisfeitas: "reservatórios emocionais" e "pais no miolo da margarida".

Reservatórios emocionais

Todos trazemos, em algum lugar, um reservatório emocional – embora tal "órgão" não seja descrito nos estudos de anatomia.

O reservatório está cheio. A criança consegue resolver problemas adequados à sua idade.

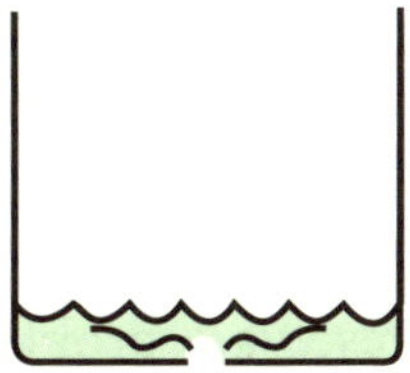

O nível do reservatório está baixo. A criança não consegue lidar bem com os problemas.

Quando o reservatório emocional está cheio, conseguimos lidar com pequenas irritações, administrar frustrações comuns e resolver problemas condizentes com a nossa idade. Aquele abraço pouco efusivo a que me referi é um meio de encher o reservatório emocional do indivíduo.

Quando o tanque emocional se esgota, perdemos a resistência e a tolerância às frustrações. Considero esse um conceito aplicável à criança que se manteve tranquila e interessada pela maior parte do dia e, de repente, se mostra irritada, impaciente e insatisfeita, aparentemente sem motivo.

Isso geralmente acontece entre 16 e 18 horas, período em que a criança está com a energia esgotada e se sente frágil. Nesse momento, é bom que as coisas estejam organizadas e calmas, de modo que ela possa dispor do máximo de tranquilidade para que o resíduo em seu reservatório emocional seja suficiente até a hora de dormir.

É importante lembrar que um dia positivamente estimulante, por mais divertido que seja, também esgota o reservatório emocional. Talvez isso lhe sirva de consolo na próxima vez em que você se pegar dizendo:

– Nunca mais levo essas crianças à praia. São mal-agradecidas!

O tamanho do tampão

Mais uma vez em um local não descrito anatomicamente, parece existir um tampão no fundo do nosso reservatório emocional. A criança calma e de fácil convivência possui um tampão pequeno que se adapta muito bem. Ocasionalmente, ocorre um pequeno vazamento – nada que um pouco de conforto não resolva logo. Metaforicamente falando, é fácil "completar o tanque".

Mas existem crianças de outro tipo. O tampão do reservatório emocional delas é grande, não fecha bem e se solta com facilidade. Você sabe o quanto é difícil acalmá-la e fazê-la voltar à normalidade. É complicado conviver com uma criança instável, irritadiça, que custa a recuperar o equilíbrio. Às vezes, até esquecemos que tal comportamento tem mais a ver com a personalidade dela do que com seu desejo de ser inconveniente e estragar o nosso dia.

Completando o reservatório emocional da criança

Além da empatia e do abraço pouco efusivo, há outras atitudes possíveis para completar o reservatório emocional de nossos filhos. Algumas crianças se sentem muito melhor depois de falarem sobre o que as incomoda; outras preferem alguns momentos de calma e solidão para restabelecer o equilíbrio.

Boa parte dessas preferências depende da personalidade. Depois de uma manhã movimentada, seja no jardim de infância, na escola de ensino médio ou na universidade, a sua criança (ou o seu jovem) extrovertida pode chegar em casa ansiosa para contar tudo o que lhe aconteceu de interessante. No entanto, mesmo a pessoa mais extrovertida pode precisar de um pouco de sossego no fim de um dia movimentado.

A criança dominadora talvez chegue em casa impaciente para contar o que fez de certo e os outros fizeram de errado ou, quem sabe, esteja à procura de alguém com quem implicar depois de passar o dia todo tendo de distribuir amabilidades.

E a melancólica? Pode ser que precise contar com os mínimos detalhes tudo o que lhe aconteceu de ruim ou talvez a necessidade de espaço seja maior, e ela opte por passar algum tempo sozinha.

Se for uma pessoa indiferente, é provável que precise apenas de um pouco de paz e deseje ficar só, sem qualquer solicitação.

É preciso um pouco de organização e diplomacia para atender às necessidades de uma criança extrovertida em idade pré-escolar, que tira uma soneca rápida e espera ansiosa a chegada dos irmãos, e às necessidades de outra, de personalidade melancólica, que já esgotou a cota de palavras que pretendia usar no dia. A regra mais prática é raciocinar em termos de necessidades e desejos. O melancólico precisa de espaço, e a menina vai ficar muito agradecida se a mãe disser à irmã dela, uma extrovertida em busca de companhia:

– Jennifer teve um dia agitado e precisa descansar. Fique comigo. Mais tarde, ela virá falar com você.

Sei que às vezes isso é difícil para o pai ou para a mãe depois de um dia cansativo. Mas é menos estressante do que tentar acalmar toda a turbulência que se instala quando ficam lado a lado uma criança cheia de energia e um indiferente ou melancólico absolutamente exausto.

Os pais no miolo da margarida

Outra ideia que considero útil é pensar em nós, pais, como o centro de uma margarida. Quando nossos filhos começam a engatinhar, fazem pequenas incursões. Mais cedo ou mais tarde, porém, voltam para nós em busca de conforto, apoio ou somente para terem certeza de que continuamos lá.

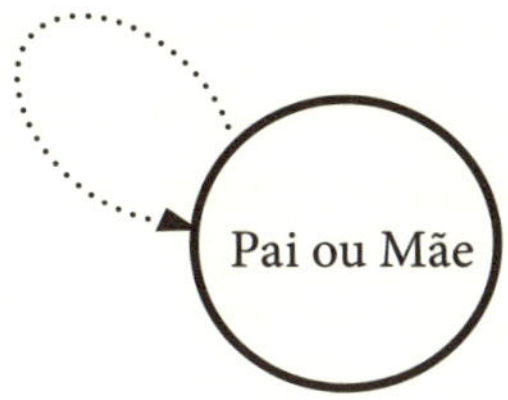

Um pouco mais crescidinhos, eles se aventuram até o cômodo ao lado, no máximo, mas ficam de olhos e ouvidos atentos para monitorar onde estamos. E, ao menor sinal de que algo possa dar errado, voltam para junto de nós.

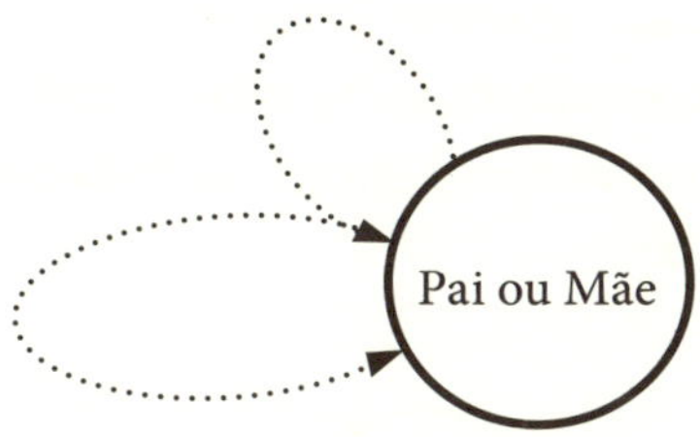

Portanto, a crescente independência dos nossos filhos pode ser comparada a incursões cada vez mais longas ao mundo real, sempre seguidas pelo alívio de voltar para o conforto do ponto de partida. O afastamento pode ser até o cômodo ao lado, a escolinha do jardim da infância, o acampamento com os colegas ou um país do outro lado do mundo. As pétalas da margarida vão se alongando, mas a necessidade de um lar que sirva de base (centro) não muda.

Quando nossa filha mais velha fez sua primeira viagem internacional, eu lhe disse:

– Enquanto estiver fora, talvez fique saudosa e sinta necessidade de falar conosco. Em algumas épocas, vai ter vontade de falar conosco todos os dias. Tudo bem. Ligue sempre que precisar.

Queríamos que ela soubesse que nosso apoio – o miolo da margarida – estaria sempre disponível. Só não fazíamos ideia de que nós precisaríamos ouvir sua voz com muito mais frequência do que ela sentia necessidade de fazer contato conosco. E tivemos de mudar o discurso para:

– Não deixe de telefonar uma vez por semana!

Mais tarde, quando ela viajou para viver fora definitivamente, suas palavras durante a despedida no aeroporto foram:

– Não me poupem das notícias ruins da família. Preciso delas ainda mais do que das notícias boas.

Para ter certeza de que o miolo da margarida estava lá, à disposição, ela precisava saber que forneceríamos a ela todas as informações, de modo que se mantivesse ligada à sua família e ao seu país, a Nova Zelândia.

Não é só mamãe e papai

À medida que a criança cresce, mais gente passa a fazer parte do miolo da margarida, o que significa "segurança". Avós, irmãos, tios, babás, padrastos e madrastas, parentes por afinidade e professores integram o centro. Com isso, a criança adquire a segurança de saber que pode contar com apoio e amor quando se sentir carente.

É ao centro – ao miolo da margarida – que a criança retorna para encher seu reservatório emocional, preparando-se para a próxima aventura que a vida lhe apresentar.

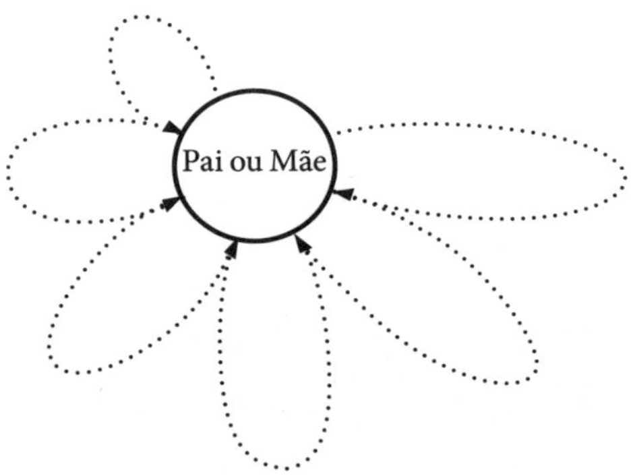

A separação pode dar aos filhos duas margaridas

Uma forma de tornar a separação dos pais menos estressante para os filhos é fazê-los imaginar que estão se mudando de um lar, onde viviam com pai e mãe, para dois lares: cada um o miolo de uma margarida. Isso significa que podem encontrar conforto e apoio em ambos.

11

AJUDANDO A LIDAR COM A FRUSTRAÇÃO

Já que vamos abandonar as acusações, críticas, explicações, lições de moral e tentativas de resolver os problemas, como aplicar a empatia e o contato físico em situações da vida real?

Os bebês não são manipuladores

É altamente improvável que um bebê chorão esteja apenas tentando fazer chantagem. Na maior parte das vezes, seu choro é sinal de desconforto. Depois de atender a suas necessidades físicas mais óbvias – fome, cansaço, dor, troca de fralda –, o melhor que se tem a fazer é pegá-lo no colo e caminhar com ele ou acariciá-lo, procurando executar as demais tarefas com a outra mão. Assim, ele tem garantidos apoio e conforto.

Não corra para socorrer os seus filhos pequenos

Acredito que temos o dever de proteger os filhos, mas, na minha opinião, não é bom exagerar. Quando os bebês aprendem a andar, precisam praticar e, certamente, cometer "enganos". Mas uma criança pequena que tropeça e cai sobre o tapete não causa o mesmo impacto de um adulto, e não há necessidade de se assustar e correr para ajudá-la. Saiba que a criança vai levar muitos tombos e, na maior parte das vezes, conseguirá se levantar sozinha e prosseguir. E saiba que, se ela precisar, vai se aproximar de você, que a estará esperando com um carinho.

E qual é a diferença entre proteção e socorro? Veja este exemplo do que aconteceu na minha casa. Temos uma mesa quadrada, cujos cantos representam um certo perigo. Então, sempre que uma criança pequena passa por perto, eu me aproximo e, sem comentários, coloco a mão sobre o canto. Assim, se a criança tropeçar naquela direção, não correrá o risco de machucar os olhos ou os dentes. Isso é proteção.

Por outro lado, dizer "cuidado com a quina da mesa, dê a volta pelo outro lado, olhe por onde anda, vou pegar você no colo e passar para o outro lado!" é socorro. Você prejudicará a capacidade de atenção da criança, e ela provavelmente tropeçará e será atraída por uma misteriosa força magnética para o local em questão.

"Vamos dar uma volta"

Nosso filhinho de menos de 5 anos passa a manhã toda em movimento: sobe escada, desce escada, sobe na mesa, desce da mesa... Ele espalhou os blocos de construção, mexeu com o gato, escalou o sofá para espiar pela janela, correu pelo quintal e depois se escondeu no banheiro para descobrir quantas toalhas conseguia colocar no vaso sanitário.

Desesperados, pensamos em dar uma volta para ver se ele se acalma. Quem sabe se, cansado pelo passeio, ele não tira uma boa soneca de tarde? No entanto, não se passam nem cinco minutos de caminhada e o "senhor animadinho" perde toda a energia e declara, de braços erguidos, pronto para subir ao colo:

– Estou cansado, me carregue!

Inadvertidamente, pensamos: "Um pouquinho só não faz mal." Em meio ao esforço, vamos murmurando frases como:

- Você não estava cansado de manhã quando quase me enlouqueceu, correndo pela casa. (Acusação)
- Por que será que assim que saímos para passear você se cansa e pede colo? (Crítica)
- Olhe! Acho que vi um mico atrás da árvore, me dê a mão e vamos até lá espiar. (Distração)

- Se continuar carregando você, a mamãe vai ficar tão cansada que nem vai poder preparar o jantar. (Explicação)
- Você deve andar, exercitar as pernas para crescer e ficar alto e forte como o papai. (Minipreleção)
- Que tal se eu carregar você até aquele poste e depois você andar até o outro? (Solução do problema)

Tanto trabalho e nenhuma das nossas brilhantes manobras alcança resultado. O menino ainda repete:

- Estou cansado. Me carregue!

O que parecia um passeio agradável está definitivamente estragado.

Existe uma alternativa

Pegue a criança e permaneça imóvel. Ou, melhor ainda, encontre um muro baixo e se sente ao lado dela.

Murmure algo do tipo "Oh, meu amor. Está cansado?" (Empatia)

Fique imóvel, sem qualquer comentário, e espere. (Abraço pouco efusivo)

Quanto tempo você pensa que isso pode durar? Dez segundos? Eu diria vinte, no máximo. Assim que seu reservatório emocional estiver reabastecido, a criança vai se impacientar, pedindo para descer e prosseguir.

Você só tem de oferecer apoio emocional e logo o seu filho se sentirá pronto para andar novamente – e até correr. O segredo está em *esperar.*

Ajudando os filhos a fazer o que não querem

Tivemos uma situação familiar de emergência: nosso sobrinho-neto mais novo foi passar uma semana conosco. Além de mal nos conhecermos, fazia muito tempo que não tínhamos em casa uma criança de 2 anos. Pouco tempo depois da chegada do garoto, percebemos que a fralda dele precisava ser trocada urgentemente.

– Venha cá, Jake. Vamos trocar a fralda.

– Não! – gritou Jake, correndo de mim.

Depois de fugir pela casa, ele chegou a um canto de onde não tinha como escapar. Então, peguei-o no colo com cuidado e fui conversando com ele até o local onde seria trocado.

– Sei o quanto você está sentindo falta da mamãe e não quer que seja eu a trocar a sua fralda.

A empatia contida nas minhas palavras alcançou mais ou menos o mesmo nível de intensidade de seu "não" e, aliada ao contato físico, convenceu-o a permitir que eu o trocasse.

Se essa ideia, assim como as que serão sugeridas a seguir, não tiverem qualquer efeito sobre o comportamento dos seus filhos, é praticamente certo que estejam agindo por teimosia, e não por desconforto. Na próxima seção, vamos ver muitas estratégias úteis para tal situação.

A festa

Você vai a uma festa de aniversário levando o seu filho, que tem menos de 5 anos. Ele ainda não tem idade para ficar sozinho, mas o combinado é que as crianças brinquem no jardim, inclusive com alguns jogos organizados para elas, enquanto os pais conversam e lancham dentro da casa.

Você vê outros pais chegarem com os filhos, que, depois de uma breve introdução, correm para brincar do lado de fora. O seu, não. Você mal consegue andar com ele agarrado às suas pernas. Você o incentiva a pelo menos se aproximar das outras crianças e garante que estará lá dentro, observando-o a distância. Ele começa a subir pelas suas pernas e exige que você o ponha no balanço. Você passa o resto da tarde longe dos outros convidados, empurrando uma criança no balanço.

Repare em quem cuidou da distração, da explicação e da solução do problema. Repare em quem apenas resistiu. Como a empatia e o contato físico poderiam modificar a cena? Vamos tentar novamente.

Você mal consegue andar com o seu filho agarrado às suas pernas. Você se oferece para levá-lo até o local das brincadeiras, mas ele se recusa a ir.

– Tudo bem – você diz delicadamente. – Venha comigo, querido.

Você pega uma xícara de café, passa o braço em volta dele, e só. Não se esforça absolutamente para distraí-lo. (Abraço pouco efusivo)

Depois de algum tempo, ele se cansa e pede a você que o acompanhe até lá fora. Você responde muito, muito delicadamente, mantendo os braços em volta dele:

– Não, querido, não posso ir com você porque estou conversando com os adultos. Mas você pode ficar aqui o tempo que quiser.

Vai chegar o momento em que, totalmente entediado, o menino vai decidir se unir aos colegas, seguro de que poderá voltar se necessário.

Você solta um suspiro de alívio. Três minutos mais tarde, porém, ele está de volta. Acomode-o em uma cadeira perto de você, passe o braço em volta dele e diga:

– Que bom ver você novamente, filho. Fique aqui até sentir vontade de voltar lá para fora.

E continue a conversar com os adultos.

Seu filho recebe conforto, faz uma incursão, volta para se certificar de que está tudo bem e vai embora outra vez. Você lhe oferece apoio emocional e não faz qualquer esforço para resolver o problema dele.

Sei que qualquer pai ou mãe ficaria feliz e sentiria orgulho ao ver seu filho independente e socializado, brincando feliz no meio da garotada. No entanto, nem todas as crianças possuem tal nível de segurança. A estratégia que acabo de descrever, porém, é o meio mais fácil que conheço de desenvolver a confiança em uma criança reservada.

Indo para a escolinha

Uma das principais situações em que os pais são aconselhados a distrair as crianças pequenas é quando elas são levadas à escolinha de educação infantil, seja a creche ou o jardim de infância.

No entanto, muitas crianças encontram dificuldade em permanecer em um ambiente relativamente estranho, povoado por pessoas que mal conhece. Às vezes, ainda que familiarizadas ao local e aos funcionários, elas acham a transição complicada. As crianças de personalidade melancólica, que se sentem mais à vontade em uma estrutura onde sabem exatamente o que fazer e quando, podem considerar a ideia de brincar livremente contrastante demais com o seu temperamento.

O conselho "acalme-o e saia" não faz nenhum sentido para os pais daquela criança que não quer ser deixada. Ela logo percebe que, assim que estiver envolvida em uma atividade, sua mãe irá embora. Então, como se acalmar sabendo que isso vai significar a ausência da mãe?

Vamos voltar ao modelo da margarida. Você está prestes a transferir os cuidados com o seu filho para outra pessoa, que por algum tempo será o centro do mundo dele, responsável pelo conforto e pelo apoio de que ele venha a precisar. Fale assim:

– Sei que você quer que a mamãe fique [empatia], mas eu tenho de ir agora. Na hora do descanso, eu volto. Quem você prefere que cuide de você enquanto eu estiver fora?

Quando se afastam das mães, as crianças costumam saber quem as substitui melhor. Deixe que o seu filho escolha. Então, entregue-o, dizendo:

– James está um pouco preocupado porque vou sair. Posso deixá-lo com você um pouco?

Dê um beijo de despedida e se afaste. Em seguida, acene da porta e saia. Caso ele esteja olhando, dê mais um adeusinho do portão.

Depois de alguns dias, pergunte aos funcionários por quanto tempo a criança chora depois que você se afasta. Talvez ela demore um pouco a deixar de chorar completamente. É difícil para pais e filhos, mas não costuma deixar marcas.

Por outro lado, se descobrir que a criança fica desesperada quando você vai embora e que nenhum funcionário consegue acalmá-la, não continue a estressá-la. Ela perdeu a confiança e não quer ser cuidada por outra pessoa que não seja você.

Talvez a criança não esteja pronta para a separação; talvez sua confiança deva ser recuperada; ou talvez o ambiente não seja adequado a ela. Para mim, a melhor maneira de decidir o que fazer é elaborar um plano e discuti-lo com a professora, solicitando a cooperação dela.

Encontre um local adequado dentro da sala de atividades e se acomode passivamente, em silêncio. Leve alguma coisa para espantar o tédio. Diga ao seu filho que você vai ficar até o fim do período. Se ele levar algum "trabalhinho" para fazer ao seu lado, aceite, mas sem receptividade exagerada. Não sugira atividades. Não se levante nem o acompanhe. Ele acabará se afastando, embora possa voltar correndo a qualquer momento.

Se, depois de três a cinco tentativas como essa, a criança não estiver consideravelmente mais confiante, é hora de questionar sua prontidão para a experiência ou de examinar melhor a situação para descobrir a razão de tanta dificuldade.

A batalha da aula de natação

Natação, tênis, aulas de violino, ginástica, coral e outras maravilhosas atividades extracurriculares disponíveis são ótimas ideias – mas somente se você conseguir administrar confortavelmente os compromissos e se a criança tiver energia suficiente. Como ponto de partida para esse exemplo, digamos que a criança possua um nível razoável de energia e esteja disposta a praticar as atividades. É aí que começa o problema.

Você chega à beira da piscina. Todas as outras crianças estão dentro da água, aproveitando a aula. O seu filho se agarra a você e não quer entrar. O instrutor faz um convite pessoal. O garoto não quer nem ouvir.

Resista à tentação de:

- Acusar ("Foi você que pediu para aprender a nadar.")
- Criticar ("Por que não entra logo na água como os outros? Olhe! Aquele menino tem a metade da sua idade!")
- Explicar ("Veja, você está ficando roxo de frio. Dentro da água está muito mais quente.")
- Fazer uma minipreleção ("Toda criança deve saber nadar. Existem praias maravilhosas e você vai poder aproveitar.")
- Resolver o problema ("Entre e segure na borda. Depois de entrar, você vai gostar.")
- Resolver o problema ("Preste atenção no instrutor. Ele diz o que você tem de fazer para conseguir.")
- Mentir ("Não é preciso mergulhar o rosto.")
- Ameaçar ("Se não entrar na água agora, vamos para casa, e você vai direto para a cama.") O perigo dessa ameaça é a criança concordar – e ela realmente preferiria estar em casa a entrar na água fria.
- Subornar ("Se entrar na água agora, compro um sorvete enorme para você na volta para casa.")

Experimente isto:

Enrole-o em uma toalha. Sente-o ao seu lado e diga:

– Vamos ficar aqui sentados até você estar pronto para entrar.

Assista à aula com interesse. Não procure fazer seu filho perceber a aula maravilhosa que está perdendo. Prepare-se para ficar no mesmo lugar até o fim da aula. É a maneira menos trabalhosa de conseguir que o seu filho entre na água.

Na semana seguinte, encontre uma oportunidade de ir à piscina. Veja se ele gosta de brincar na água com você. Prepare-se para assistir à segunda aula, assim como aconteceu com a primeira – e evite lições de moral no caminho.

Se, depois de passar duas aulas somente observando os outros, o seu filho não entrar espontaneamente na piscina, é sinal de que ainda não é hora. Pode ser que o estilo do professor não combine com o dele, que a piscina não lhe inspire confiança ou que ele simplesmente não esteja pronto. Não adianta insistir. Apenas cuide para que ele jamais se aproxime da água sem usar boias.

Essa maneira de agir costuma dar certo com quase todas as crianças que precisam enfrentar uma situação de aprendizagem em grupo.

"Não quero ir e não vou mesmo."

Se o seu filho tem dificuldade em acordar pela manhã e começa o dia com um "Hoje tem aula? Pois não quero ir e não vou mesmo!", é bom saber que as coisas só tendem a piorar. Lembre-se, em primeiro lugar, e reafirme na sua mente, de que essa não é uma decisão tomada pela criança. É uma decisão dos pais mandar os filhos para a creche, a pré-escola, o colégio – sem discussão. Digo isso porque, se não fosse assim, os pais acabariam enredados em todo tipo de argumentação, convencimento e preleção que, apesar da cuidadosa elaboração e do raciocínio impecável, não mudariam nem um pouquinho a opinião do filho porque:

1. ele já ouviu tudo aquilo antes;
2. nenhuma das razões o impressionou nas vezes anteriores. Por que iria funcionar agora?

Poupe-se. Para a pergunta "Hoje tem aula?", a única resposta necessária – a menos que seja fim de semana – é sim!

Crianças mais determinadas ou teimosas podem insistir, dizendo:

– Não vou. Você sabe que eu não vou!

A menos que você goste de discutir ou tenha uma necessidade infantil de dar a última palavra, a melhor resposta é um grunhido neutro situado entre "ah-ha" e "é mesmo?" A criança não tem escolha.

"Como foi o seu dia?"

Quando Robert era pequeno, antes que eu aprendesse as diferentes necessidades das várias personalidades, reunia minha pequena trupe no carro e, durante a volta para casa, pedia animada:

– Agora quero que todos me contem três coisas boas que aconteceram hoje.

As crianças sanguíneas começavam imediatamente a falar de situações engraçadas. As fleumáticas ficavam satisfeitas em ver como eu me divertia. O lado melancólico de Robert só precisava desabafar, falando das coisas ruins, e sua parte colérica se ressentia por eu estar solicitando algo que ele não tinha para dar. A situação, em geral, desandava a partir daí.

Uma sugestão que admita várias respostas, como "se tiver vontade, me conte do seu dia", é uma opção muito melhor para a situação, pois pelo menos respeita os sentimentos da criança. Se preferir começar com um "como foi o seu dia?", aceite um resmungo monossilábico como indicação de que o seu filho, naquele momento, precisa mais de sossego do que de apoio.

Muitos pais hesitam em perguntar aos filhos sobre as coisas ruins que lhes aconteceram com medo de que estes se fixem em tais fatos, perdendo de vista os positivos. Pela minha experiência, porém, ao permitir que os nossos filhos falem – se quiserem – de suas experiências negativas, nós os capacitamos a se livrarem delas, vivendo melhor as horas seguintes, e a chegarem à conclusão de que o dia não foi tão mau assim!

É ótimo também para adolescentes teimosos

O seu filho chega em casa. Um resmungo, uma enxurrada de lágrimas ou um acesso de raiva indicam que aquele não foi um bom dia.

Versão da criança mais nova:

– A professora tem implicância comigo. Eu só estava pedindo um lápis emprestado. Nunca mais volto àquela escola horrorosa.

Versão da criança mais velha:

– Aquela professora idiota. Eu só estava perguntando ao James o que ela tinha falado. Ela me repreendeu na frente da turma e ainda me fez levantar para repetir o que ela havia acabado de dizer. Como não lembrei, disse que eu não estava prestando atenção e acabei recebendo uma advertência. Então, quando disse pra ela onde podia enfiar a advertência, me expulsou da sala. Agora vou ter de passar a tarde de sexta-feira na escola, e o chato do diretor vai telefonar pra você.

Fuja também da armadilha que seria tentar defender a escola ou a professora. Não sei por que, mas muitas vezes sentimos o impulso de apoiar os professores (que nem conhecemos), em vez de atender às necessidades dos nossos filhos amados e aflitos.

Sempre que possível, vamos evitar:

- Acusar ("Você sempre fala quando deveria ouvir.")
- Criticar ("Por que você não se cala durante a aula e fala durante o recreio?")

- Explicar ("Quem sabe, a professora teve uma turma difícil antes da sua... então, chegou nervosa e sobrou para você. De qualquer jeito, se ela tiver de interromper a aula a todo o momento, nunca vai chegar ao fim!")
- Fazer uma minipreleção ("Este é um ano muito importante. Você já tem fama de tagarela. Os professores esperam que, a esta altura, saiba como se comportar. Você já tem idade para se concentrar durante a aula. Além do mais, é falta de respeito conversar enquanto a professora fala.")
- Resolver o problema ("Agora você vai ter de ficar na escola até mais tarde (suspiro) e eu vou ter de enfrentar um tráfego horrível para buscar você.")
- Resolver o problema ("Vou escrever um bilhete para livrar você do castigo. Vou dizer que tem problema de coluna. Não deveriam fazer você carregar tantos livros todo dia.")
- Resolver o problema ("Por que não procura a professora amanhã e pede a ela para trocar você de lugar, de modo que não fique perto de colegas que lhe criam problemas?")

A resposta mais segura e solidária é algo empático, como "Que desagradável! Deve ter sido um dia terrível!" E siga com uma versão do abraço pouco efusivo.

A boa intenção frustrada – ou "preciso de você, portanto fique longe"

Perdi a conta das vezes em que montei a cena da "grande mãe". Quando meus filhos chegavam da escola, encontravam um lanche à espera na cozinha e, para mim, uma xícara de café. Isso simbolizava: "Estou disponível. Minha atenção é total. Estou pronta para ouvir. Sou toda empatia, me contem tudo."

As crianças chegavam, davam uma olhada no cenário e diziam:

– Obrigado, mãe. Posso levar pra comer no quarto enquanto leio?

Eu ficava só, na cozinha, lamentando ter feito tanto esforço para estar em casa quando eles chegassem da escola. Até que entendi: estávamos no território do "miolo da margarida". Meus filhos precisavam do carinho e do apoio representados pela presença da mãe, mas também precisavam do sossego difícil de encontrar em um dia muito movimentado. Sabendo que eu estava lá, eles podiam se retirar para o quarto, fazer o dever de casa, e voltar mais tarde. À mesa do jantar, então, eu recebia todas as informações que eles decidiam partilhar comigo.

O mesmo princípio se aplica a adolescentes em férias. Eles saem todo dia. Você se pergunta de que adianta ficar em casa. De algum modo, porém, nossos filhos se sentem incrivelmente seguros por saberem exatamente onde estamos. O miolo da margarida deles está intacto.

Para uma criança um pouco mais velha, o abraço pode ser, com frequência, praticamente invisível. Basta que você adote uma postura solidária e interessada, até que o seu filho se acalme. E se ela se afastar, trancando-se no quarto para ouvir música no volume máximo, lembre-se de que deixá-la em paz também pode funcionar como um abraço, se você assim o quiser. O fato de deixá-la fazer o que tiver vontade, acreditando que retornará assim que se considerar capaz de tolerar a frustração e resolver o problema, também é uma forma de apoio.

Ajudando crianças maiores a enfrentar problemas maiores

À medida que nossos filhos crescem, não tem como protegê-los das inevitáveis dores e decepções que fazem parte de uma vida rica e plena – provas malsucedidas, amizades destruídas, amores desfeitos, entes queridos que se vão...

É comum nos pegarmos buscando a palavra ou atitude certa para melhorar esses momentos. E acabamos dizendo coisas que, além de não ajudarem, deixam nossos filhos mais furiosos ou magoados.

Sempre que me vejo diante de adolescentes tomados pela raiva ou pela angústia, meu primeiro recurso é procurar ouvir, demonstrar empatia e evitar qualquer atitude até que eles se acalmem. O abraço pouco efusivo pode ser um braço passado em volta do corpo ou apenas a companhia silenciosa. Cada vez mais, pode ser um telefonema internacional que só termine quando o jovem tiver dito tudo o que quis. Qualquer que seja a situação, sempre fico à espera daquelas palavras mágicas: "Obrigado, mamãe. Acho que já posso me arranjar sozinho."

Quando oferecemos apoio aos nossos filhos para que administrem os próprios problemas, nós os estamos potencializando, melhorando sua autoestima e fazendo deles indivíduos mais competentes, emocionalmente maduros e independentes.

12

PAI E MÃE TÊM O DIREITO DE ACONSELHAR?

"Mas Diane" – parece que estou ouvindo você dizer – "quando devo dar conselhos? E se meus filhos estiverem a ponto de fazer algo errado? Poderão se arranjar com um pouco de sabedoria adulta? Você fala sério quando sugere que eu ofereça apenas empatia e apoio?"

Você tem razão, é claro. Seria ridículo sugerir que negássemos àqueles a quem mais amamos todo o saber, o conhecimento e a experiência que conseguimos acumular. Por outro lado, todos já passamos por situações em que tentamos explicar a uma criança a melhor maneira de agir e acabamos vendo-a gritar histericamente: "Quero fazer sozinha!" (a pequena) ou "Você não me escuta!" (a mais crescidinha).

No entanto, existem certas "extensões" do apoio emocional capazes de prolongar nossa interação empática e que nos permitem oferecer ajuda sem arriscar nosso pescoço.

Fazendo a criança continuar a falar

Frequentemente, nossos filhos precisam desabafar. Alguns "oh-oh-oh" e um abraço sem muito entusiasmo nos fazem parecer meio distantes.

Perguntas carregadas de interesse sustentam o diálogo com crianças pequenas, fazendo-as nos dizer o que está acontecendo. São perguntas que levam a criança a contar a história até o fim, como:

- E o que aconteceu depois?
- O que você fez então?
- E deu certo?

Mantenha essa linha, pois você está apenas coletando informações. Evite apontar soluções, o que poderia levar a criança a se calar.

No caso de crianças mais velhas – e com adolescentes, em especial –, é preciso agir com muita cautela. Existe uma linha sutil que separa o interesse do envolvimento e do interrogatório – um crime do qual muitas vezes meus filhos me acusaram.

O adolescente possui um forte senso de lealdade aos amigos e pode se calar caso suspeite estar revelando os segredos dele. É uma atitude sábia a daqueles pais que resmungam qualquer coisa do tipo "se você quiser me contar o resto da história, eu vou adorar ouvir" e se afastam.

Lembre que o objetivo de deixar a criança contar seus problemas não é que você aponte uma solução. E, mais importante: não use a conversa como meio de descobrir atos de desobediência cometidos por ela. A intenção é deixá-la desabafar e recuperar o equilíbrio, retomando, então, a sua rotina.

Você deve aproveitar para comentar ou corrigir algum eventual mau comportamento? O momento vai chegar – mas não é esse. Por enquanto, a criança precisa de apoio para lidar com a raiva e a mágoa. Mais tarde, quando a criança não estiver estressada, você terá oportunidade de se juntar a ela e refletir sobre o que poderia ter sido dito ou feito para evitar a situação ou – ainda mais importante – impedir que a situação se repita.

Não se apresse em apresentar a resposta certa

O bebê ou a criança pequena precisa de algumas palavras de simpatia vindas de um adulto para atravessar a crise e administrar os próprios sentimentos. Alguns sons suaves ajudam a acalmar pais e filhos.

A criança em idade escolar precisa contar sua história e é normalmente enquanto faz isso que ela encontrará suas soluções. Ela pode até pronunciar aquela palavras mágicas:

– O que acha que eu devo fazer, mamãe?

Não se deixe enganar, porém. Não pense que ela deseja mesmo o benefício da sua experiência e pretende seguir os seus conselhos. Você estará em posição muito mais segura dizendo:

– Eu tenho uma ideia que você pode estudar.

Isso vai deixar você em ótima posição para avançar ou recuar, dependendo da resposta.

Evite começar qualquer discurso com: "Você deve fazer..." A solução pode ser boa, mas você não deve perder de vista o fato de que a criança precisa mais de apoio do que das suas soluções.

Depois de abrir o coração, ela muito provavelmente vai querer espaço. Talvez mais tarde, depois que ela tiver reabastecido seu reservatório emocional, você se sinta à vontade para dizer:

– Estive pensando nas coisas que você me contou hoje. Quer saber o que eu penso?

Mas não se surpreenda se a resposta for:

– Não, obrigada. Está tudo bem.

Ela teve atendidas as necessidades de sensibilidade e espaço e, com o reservatório emocional completo, está pronta para resolver os próprios problemas.

Respeite as diferenças de personalidade

Nossas crianças sanguíneas precisam de plateia. Ao contar uma história, podem procurar o lado divertido, e sua sociabilidade inata costuma levá-las a buscar a solução mais favorável em termos sociais.

Nossas crianças melancólicas precisam contar tudo em detalhes. Para os pais coléricos, é difícil conter a impaciência, o impulso de apresentar a solução óbvia. Se você pertence a esse grupo, lembre que a criança melancólica não lhe conta histórias apenas por prazer; ela está mal e precisa de apoio. Feliz é a criança que pode contar aos pais fleumáticos ou melancólicos – provavelmente bons ouvintes – todos os seus problemas.

A criança colérica tende a sentir mais raiva e frustração do que mágoa e é surpreendente perceber o quanto pode ser dura – em geral com os melhores amigos. Mas não podemos ceder à tentação de sair em defesa do amigo ou do professor.

A criança fleumática se satisfaz com um relato breve. "Charlie fez uma coisa horrível hoje", e pronto. Ela chegou em casa e precisa de paz. Dê uma resposta do tipo "Depois de se recuperar, me conte mais" e não se surpreenda se ela esquecer o assunto.

Respeite as diferenças entre os sexos

Em termos gerais, as mulheres se sentem melhor falando de seus problemas, enquanto os homens tendem a se isolar para pensar.

As atitudes dos nossos filhos podem muito bem refletir essa diferença entre os sexos. Enquanto minhas filhas quase sempre aceitavam o convite "Vamos sentar e conversar", tive muitas decepções por pensar que meu filho fosse fazer o mesmo.

Eu costumava me ofender. Hoje, entendo que fiz a ele uma oferta completamente inadequada. Ele precisava – para usar as palavras de John Gray em *Homens são de Marte e Mulheres são de Vênus* – se recolher à sua caverna e pensar. Portanto, cuidado com o dragão que vive na caverna. Não se aproxime demais ou ele pode queimá-lo.

Respeite as diferenças de idade

As crianças pequenas têm muito mais facilidade de falar de seus problemas. Elas abrem o coração, e pronto.

Quanto mais se aproxima a adolescência, maior a necessidade de isolamento para pensar. Os adolescentes gostam de ficar no quarto pensando. As meninas, em especial, costumam manter diários. É assim que colocam os pensamentos em ordem.

Muitos preferem comentar determinados assuntos com os amigos a conversar com os pais. Eis uma situação difícil de aceitar. Como podem nossos filhos preferir como confidente alguém vinte ou trinta anos mais jovem que seus pais? Não somos bons o suficiente? Que tipo de conselho estarão ouvindo? Trata-se de gente confiável? Que maluquices vão inventar?

É importante lembrar que essas são preocupações nossas, e recomendo enfaticamente que não façam perguntas desse tipo a seus filhos. Ou correremos o sério risco de não gostar das respostas.

O telefone, e mais recentemente o correio eletrônico e as mensagens de texto, exercem um papel significativo no processo. Eu não conseguia entender como minhas filhas passavam o dia todo na escola com as amigas, percorriam em quarenta e cinco minutos o trajeto até a casa junto com as mesmas amigas e, ao atravessar a porta de entrada, corriam para o telefone, mantendo com elas uma longa conversa, provavelmente complementada por um ou dois "papos on-line" durante a noite.

Hoje, acho que entendo. Algumas crianças precisam viver o dia, rever o dia, analisar o dia e preparar o dia seguinte. É assim que utilizam o apoio emocional para resolver seus problemas. As companhias telefônicas devem adorar.

Oferecendo conselhos – delicadamente

Com o apoio adequado, a criança "está em outra": superou ou esqueceu o aborrecimento de uma hora atrás. Agora, quem carrega o peso sobre os ombros é você, que se preocupa e quer ajudar. Esta é a hora de procurar uma abordagem respeitosa.

Acredito ser nosso papel, como pais, respeitar a capacidade que possuem os filhos de resolver problemas adequados à sua idade. Portanto, se vamos expor nossas ideias a eles, que seja com respeito. Pode-se tentar uma destas três abordagens:

- Estive pensando naquela história que tanto aborreceu você. A questão está superada ou quer falar no assunto?
- Tenho algumas ideias de que você talvez goste. Quer saber quais são?
- Você já sabe como vai encarar o problema amanhã ou prefere conversar mais sobre o assunto?

Prepare-se para ter a sua ajuda recusada. "Não, obrigada, já decidi" é uma resposta que demonstra apreciação, boas maneiras e independência nas decisões – um motivo de satisfação, portanto. Sinal de que você fez um bom trabalho.

Encontre o seu caminho

Sempre esperamos que nossos filhos adolescentes pronunciem aquelas palavras mágicas: "O que acha que devo fazer?"

Quando isso acontecer, cuidado com as armadilhas. Lembro-me de ter ouvido alguém dizer que a melhor maneira de dar conselhos é descobrir o que a pessoa quer fazer e então dizer a ela que o faça.

Rob, na posição de meu primeiro filho, muitas vezes sofreu com a inocência da mãe, que, ao ouvi-lo pedir "Mãe, leia a minha redação", pensou que ele quisesse dizer "Mãe, veja onde errei e me mostre." Eu custo a aprender, mas, depois de ter várias vezes o papel arrancado das mãos só por haver apontado quatro erros de pontuação e cinco de ortografia no primeiro parágrafo, acabei entendendo a mensagem.

Uma redação que me chega pelas mãos de uma criança exausta e irritada precisa de uma resposta afirmativa. Eu deveria dizer que gostara do texto, que havia muitos pontos interessantes e que entendera o que ele queria dizer. Então, estando tudo bem até aí, poderia mencionar os erros de pontuação ou ortografia, perguntando se achava melhor comentar naquele momento ou deixar por conta da professora.

Acabei aprendendo a observar primeiro o panorama geral e ir descendo aos detalhes, se e quando meus filhos desejassem.

Quando você simplesmente não consegue

Se não estiver em condições de atender às necessidades dos filhos em determinado momento, reconheça isso, dizendo:

– Gostaria muito, muito mesmo, de conversar com você agora, mas seria impossível no estado de exaustão em que estou.

Se tiver esgotado a sua cota diária de paciência e delicadeza, é melhor admitir.

O apoio emocional não tem de se arrastar para sempre

Quando nossos filhos iam para a cama antes de mim, costumava me sentar ao lado da cama deles para uns dez minutos de conversa antes de ajeitar as cobertas e deixá-los ler um pouco até adormecerem.

Tanya tinha uns 8 anos quando começou a aproveitar aqueles momentos para falar de três questões que a preocupavam:

- Fazer um exame de sangue.
- Aprender a dirigir.
- Ter um filho.

Tratei de suas preocupações com o máximo de cuidado, explicando tudo em detalhes. Por mais que eu a tranquilizasse, porém, ela voltava ao assunto todas as noites. Enfoquei as questões por vários ângulos, e nada. Mas eu continuava paciente e gentil.

Depois de algum tempo, percebi que nossas conversas, antes curtinhas, já se alongavam por quarenta e cinco minutos. Comecei a ficar impaciente e, para falar a verdade, mal podia esperar para ir embora.

O que estava acontecendo? Não acredito que fosse um plano manipulador, um meio deliberado de me manter mais tempo junto dela. Creio que acontecia no nível subconsciente. Ela descobrira, subconscientemente, que seria preciso um problema insolúvel para me prender por completo.

Na noite seguinte, tomei uma atitude corajosa. Sentei-me ao lado de sua cama e disse:

– Tanya, querida, nesta noite podemos falar de qualquer assunto, menos de exames de sangue, de provas para tirar carteira de motorista e de partos.

Quando se sente que alguma coisa está errada

Recolher-se

É comum percebermos que há algo de errado com nossos filhos, sem, no entanto, conseguirmos que eles nos contem o que se passa. Todos os nossos esforços são em vão. Dependendo do estilo de cada um, eles podem se recolher ou expressar em ações seus sentimentos.

Conviver com a criança que se recolhe é mais fácil, mas muito preocupante. Ela se retrai e mostra um aspecto abatido. Passa muito tempo olhando para o vazio ou trancada no quarto. Parece preocupada. Nossa pergunta inúmeras vezes repetida – "o que há de errado?" – recebe como resposta uma só palavra: "nada".

O que você gostaria de dizer é:

– O que há de errado com você? Deve haver algo de errado. Faz dias que anda à toa pela casa. Remoer pensamentos não vai levar você a lugar algum. Fale com alguém, pelo amor de Deus! Quer que eu marque uma consulta com um psicólogo?

Não faça isso. Tente esta outra abordagem. Bata na porta do quarto e pergunte delicadamente:

– Posso entrar?

Sente-se ao lado da criança e, sem fazer contato visual, fale com calma:

– Eu me preocupo com você. Anda tão quieta, fica tanto tempo no quarto... Parece preocupada. Há alguma coisa que eu possa fazer para ajudar?

Repare que a sua atitude *não* é de quem procura adivinhar os pensamentos da criança. Você simplesmente descreve o que *vê* e *sente*.

Talvez a criança se desmanche em lágrimas e precise apenas de um abraço até chorar tudo o que tiver vontade.

Se a criança quiser conversar, ótimo. Se não quiser, faça um esforço, respeite-a e se restrinja a um: "quando quiser".

Expressar em ações

Custei a entender o conceito de expressar em ações. Quando a criança grita, faz cena, xinga ou atormenta as pessoas em volta, fica difícil dizer se é um caso de mau comportamento ou de sérias preocupações.

Se suspeitar da última possibilidade, a melhor forma de lidar com a situação inclui uma mentirinha bastante conveniente. É um dos raros casos em que os fins justificam os meios. Experimente falar assim, com muita calma e delicadeza:

– Reparei que você tem agido ultimamente com mau humor e agressividade. (Aqui entra a mentirinha.) Você não é assim. Tem alguma preocupação? Posso ajudar em alguma coisa?

Já que está lidando com uma criança voluntariosa, não se surpreenda com uma resposta negativa – e possivelmente explosiva. Murmure algumas palavras gentis ("Caso mude de ideia..."), dê um abraço ligeiro e se afaste. Lembre que a sua atitude foi positiva e útil – um ótimo apoio emocional.

Descobri isso por acaso. Rob, nosso filho voluntarioso e sensível, passou alguns dias especialmente aborrecido. Na época, tinha uns 18 ou 19 anos. Rude com as irmãs e frio com os pais, mais parecia uma nuvem carregada prestes a despejar raios e trovões.

Certa noite, ele foi ao nosso quarto para nos dar um beijo. (Já estávamos no estágio em que os filhos é que nos botavam para dormir!) Aproveitei para perguntar:

– Rob, qual é o problema? Tem andado tão aborrecido. Você não é assim. Quer conversar sobre o assunto?

– Não! – ele gritou, saindo do quarto em disparada.

Ao chegar ao fim do corredor, porém, voltou e se atirou na cama, entre o pai e mim.

– Tem uma coisa... – ele começou.

E passamos a meia hora seguinte conversando.

É difícil apontar a diferença entre grosserias e expressão de sentimentos. Um bom indicador é: quando você tiver a sensação de que alguma coisa está errada, provavelmente se trata da segunda opção.

Como os adultos oferecem e recebem apoio emocional

Sou uma privilegiada por poder contar com amigas com quem me encontro regularmente. Assim, além de aproveitarmos a companhia umas das outras, trocamos extraordinário apoio emocional. Parte do prazer e do suporte proporcionados por nossos encontros vem do fato de ficarmos sabendo o que aconteceu a todas nós durante o período em que não nos vimos.

Presume-se que todas já tenhamos alcançado a independência emocional. Assim, quem quiser contar sua história dispõe do tempo que precisar. Algumas vezes encontramos alívio, prazer e soluções no próprio ato de contar. Outras, terminamos a história com um "o que acham que devo fazer?"

Ocasionalmente, alguém pede para fazer comentários ou lança a pergunta:

– Você não terá passado pela mesma situação antes?

Não me canso de admirar o respeito e a gentileza com que são tratadas nossas preocupações, o que não nos impede de rir de nós mesmas, sem abrir mão do amor. O apoio emocional é altamente valorizado.

13
QUANDO A SOLUÇÃO NÃO É ÓBVIA

As coisas, obviamente, nem sempre são tão simples – ouvir e apoiar. Podemos ter ou não as melhores soluções para os problemas dos nossos filhos. E, ainda que tenhamos, eles nem sempre aceitam a *nossa* solução.

Vamos ver um meio de levar os seus filhos a descobrir e examinar várias opções, escolhendo a melhor, elaborando um plano de execução e avaliando o resultado.

Comecei a desenvolver este módulo no dia em que Deborah irrompeu pela casa gritando: "Nunca mais volto àquela escola estúpida!" Eu havia oferecido toneladas de apoio emocional em situações semelhantes ocorridas anteriormente, com razoável sucesso, mas daquela vez era diferente. Deborah estava furiosa e queria uma solução – bem violenta, de preferência.

Primeira etapa: forme uma equipe

Neste ponto, você tem de estar inteiramente ao lado do seu filho, para formar a equipe que apontará a resposta.

– Deborah, já passamos por esta situação e dá para ver que você fica realmente aborrecida. Que tal aproveitarmos a hora do lanche para pensarmos juntas em uma solução? Eu posso anotar tudo.

Repare no apelo representado pelas guloseimas da hora do lanche e na ideia implícita no convite de que basta estar lá para que haja um resultado positivo.

Segunda etapa: defina o problema

A etapa seguinte é reduzir o problema a uma questão única que exija resposta. A versão apresentada por Deborah para o problema foi: "Como lidar com a estúpida profª Jones, que quer que eu faça com mais capricho seu dever de casa idiota?"

Para mim, era muito difícil passar o problema para a forma escrita dentro daquele formato. Eu me sentia tentada a discutir com ela sobre a maneira certa de se referir aos professores, a lhe dar uma verdadeira lição de moral e a comentar que o dever de casa deveria mesmo ser legível. Por mais certo que fosse, se tivesse feito isso, eu interromperia completamente aquele processo. Foi mais inteligente engolir as palavras e aceitar a questão que Deborah me oferecia.

Pegue uma folha grande de papel e trace um círculo no meio, escrevendo dentro dele o problema a ser resolvido – usando as palavras da criança:

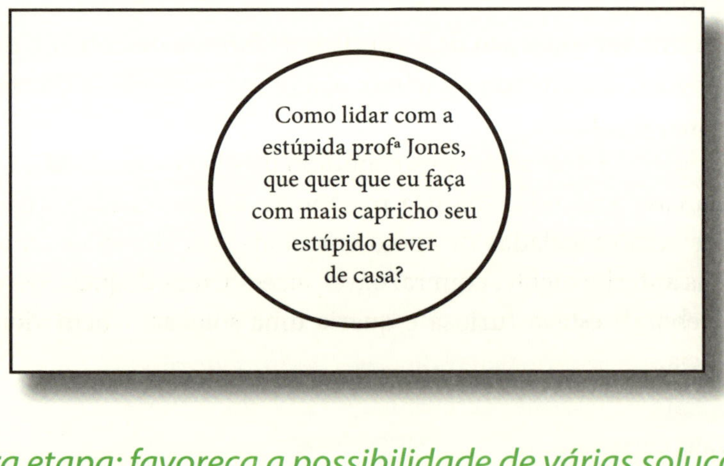

Terceira etapa: favoreça a possibilidade de várias soluções

A melhor maneira que conheço de abrir a mente para várias soluções possíveis, de modo a descobrir a melhor delas, é listar pelo menos dez opções. Risque dez linhas.

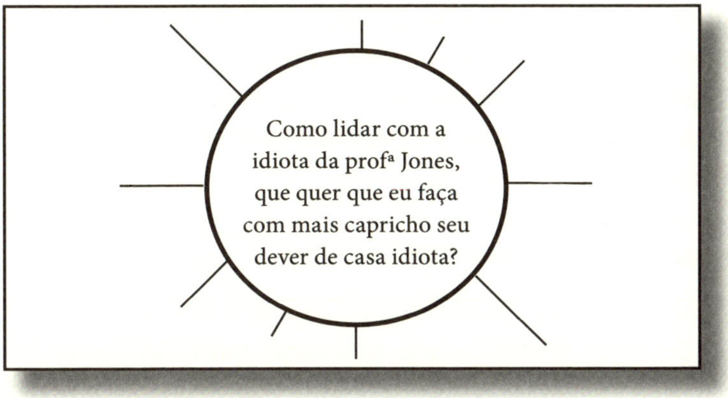

Sugeri a Deborah expor suas ideias para que eu escrevesse. Como ainda sentia muita raiva, ela começou pelas sugestões dramaticamente antissociais, com as quais eu jamais poderia concordar: "vou pegar um revólver e dar um tiro nela" ou "você vai lá e dá uma surra nela". Obedientemente, escrevi: *tiro, surra*. Eu me agarrava à crença de que, dissipada a raiva, ela apresentaria soluções práticas.

Provavelmente incentivada pelo fato de eu não ter retrucado suas ideias absurdas, Deborah continuou apresentando sugestões:

- Não ir mais à escola.
- Mudar de escola.
- Pedir à mamãe que faça a professora ser despedida.
- Continuar a apresentar o dever de casa malfeito.
- Não dar importância à apresentação, desde que as respostas estejam certas.
- Pedir à mamãe que vá repreender a professora.

Como não consegui ficar inteiramente neutra, sugeri:

- Alternar trabalhos caprichados com outros malfeitos.
- Refazer o dever caso a professora ache o trabalho malfeito.

Deborah acabou achando graça e, sorrindo, disse:

– Está bem. Pode escrever esses também.

Foi o que fiz.

– E ponha aí – ela acrescentou, com certa ironia – fazer o trabalho daquele jeito estúpido que a professora quer.

Continue escrevendo até que acabem as ideias. Se for preciso, utilize mais linhas. Não há problema em incluir as suas sugestões – apenas não parta direto para as mais sensatas. Espere que os seus filhos façam esse tipo de sugestão, depois de esgotarem as negativas.

Talvez você considere esse caminho um tanto assustador. No entanto, a realidade é que, se as ideias inflamadas dos seus filhos forem tratadas com razoável respeito, você irá se surpreender com a rapidez com que eles passarão a apresentar soluções razoáveis. A essa altura, a sua tarefa – e deles, também – não é processar, mas gerar e registrar as ideias.

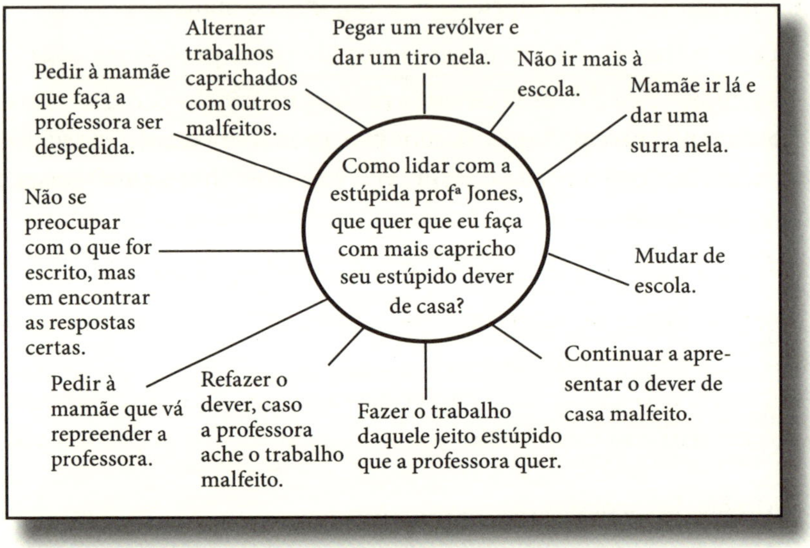

Quarta etapa: processe as ideias

Diga a seu filho que você vai processar as ideias, de modo a encontrar a melhor solução. Eu costumo dizer:

– Pode ser que não cheguemos à solução ideal, mas vamos buscar a menos ruim.

Assim, a criança se dispõe a aceitar uma ideia que talvez não agrade muito a ela, mas que pareça a melhor disponível no momento. Comece por eliminar as inaceitáveis e as ilegais. Sempre que possível, deixe a criança decidir.

- ~~Pegar um revólver e dar um tiro nela.~~
- ~~Não ir mais à escola.~~
- ~~Mamãe ir lá e dar uma surra nela.~~

Então, sobram:

- Mudar de escola.

- Pedir à mamãe que faça a professora ser despedida.
- Continuar a apresentar o dever de casa malfeito.
- Não se preocupar com o que for escrito, desde que as respostas estejam certas.
- Refazer o dever, caso a professora ache o trabalho malfeito.
- Pedir à mamãe que vá repreender a professora.
- Alternar trabalhos caprichados com outros malfeitos.
- Fazer o trabalho daquele jeito estúpido que a professora quer.

– É muito difícil conseguir que a professora seja despedida e não acredito que eu tenha esse poder. Podemos procurar outra escola, mas isso leva tempo, e, até lá, você teria de continuar a conviver com a profª Jones.

- ~~Mudar de escola.~~
- ~~Pedir à mamãe que faça a professora ser despedida.~~

Assim, continuei apresentando argumentos a fim de eliminar as soluções ruins para o problema.

A tarefa não era fácil. Eu não podia esquecer que o objetivo era dar a Deb um mecanismo e um apoio que a fizessem encontrar por si a melhor resposta.

Por fim, ela concluiu resmungando:

– É, acho que é melhor fazer do jeito dela.

– Boa ideia – respondi, procurando parecer o mais neutra possível.

Quinta etapa: oferecer apoio para a execução do plano

Chegou a hora de mudar para o conceito de "líder servidor". Pergunte:

– Você vai precisar de ajuda para pôr a sua ideia em prática?

Na maior parte das vezes, a resposta será: "Não, obrigado, mamãe. Eu sei o que estou fazendo."

Em meu exemplo particular, Deborah perguntou:

– Poderia fazer o favor de dar uma olhada no meu dever de casa?

Claro que sim!

Sexta etapa: marcar uma data para revisão

Esta é a etapa mais importante, embora muito fácil de ser esquecida – o que seria uma pena, já que exige pouquíssimo esforço. É a maneira de garantir ao seu filho que você respeita a opinião dele e o processo e que vai acompanhar o cumprimento do que ficar resolvido.

Assim, o jovem ainda terá a oportunidade de experimentar a sensação de saber que existe um limite de tempo e que você estará disponível para conversar sobre o que deu certo ou não. É como se você se habilitasse à função de mentor para os anos seguintes.

Duas semanas costumam ser um bom período de tempo. Escreva a data no papel em que fez as anotações – que passa a ser uma espécie de contrato. Anote na sua agenda, na agenda da criança e no quadro de avisos da família, se houver.

Não deixe de fazer a revisão na data marcada. A questão pode terminar aí ou servir para identificar outros problemas a serem resolvidos. Nesse caso, o seu filho provavelmente estará em condições de criar as próprias soluções.

"Não terá sido muito barulho por nada?"

Acho que não. Você conseguiu que uma pessoinha passasse de um estado de mágoa e raiva à participação ativa na solução de um problema. Você ofereceu apoio, sem abrir mão dos limites de um comportamento apropriado. Você deu à criança um exemplo que lhe será útil para a superação de obstáculos na adolescência e na idade adulta. Você demonstrou ser o tipo de pessoa a quem os filhos podem recorrer em situações difíceis – alguém capaz de ouvir sem impor as próprias soluções.

Eu diria que foram vinte minutos muito bem aproveitados.

O caminho para a autodisciplina

14

Conseguindo que as crianças obedeçam

Não seria maravilhoso se os nossos filhos fizessem o que pedimos logo da primeira vez? Melhor ainda, sem que pedíssemos? Não seria incrível se os filhos fizessem o que mandamos?

Analise os seus objetivos

Quando pedimos a uma criança que faça alguma coisa, temos objetivos que podem ser de curto, médio ou longo prazos.

Objetivo de curto prazo

Devemos estar atentos ao objetivo de curto prazo: conseguir que uma coisa seja feita. Em geral, é uma tarefa simples e frequentemente repetida:

- Por favor, venha se vestir.
- Coloque o cinto de segurança, por favor.
- Por favor, vá pegar o seu dever de casa.
- Prepare a sua mochila para amanhã, por favor.

Vamos lidar com o "por favor" agora. Não que tenha qualquer influência sobre o atendimento de seu pedido, mas você estará dando o exemplo de boas maneiras, o que não pode ser desprezado.

Objetivo de médio prazo

Ao aprenderem a fazer o que lhes pedem quando pequenas, as crianças dão um importante passo para se tornarem adultos autodisciplinados. Ao resistirem às solicitações mais simples, aperfeiçoam uma velha habilidade – a desobediência – que, em última análise, é ruim para elas. Assim, desperdiçam tempo e energia que poderiam ser mais bem empregados no aprendizado de habilidades novas e úteis.

Se ela já resistiu a se levantar, a se vestir, a escovar os dentes, a preparar a mochila, a fazer a cama e são apenas 7h45, que tipo de criança você acha que está mandando para a escola? Uma criança disposta a se beneficiar da sabedoria e da experiência de uma professora ou uma criança pronta para resistir a uma nova série de solicitações durante a aula? Assim, nosso objetivo de médio prazo é fazer com que a criança atenda ao que lhe pedem.

Objetivo de longo prazo

E no longo prazo? A criança extremamente desafiadora acaba, mais tarde, sabotando os relacionamentos que surgem em sua vida. Os pais conseguem perdoá-la indefinidamente, mas os professores, exaustos, esperam ansiosos os fins de semana, e os amigos tendem a se cansar dela também.

Quando pais me procuram preocupados com o progresso de seu filho na escola ou com sua falta de amigos, a primeira pergunta que faço é:

– Qual é o nível de obediência dele?

Se a resposta for parecida com "bem, ele é muito teimosa", costumo recomendar que cuidemos primeiro de sua capacidade de obedecer em casa. Quando melhoram essa capacidade, é impressionante como seu desempenho na escola e seu convívio social melhoram também.

Uma criança que aprende a obediência em casa não só terá um melhor relacionamento com os pais, professores e amigos, mas estará também no caminho certo para se tornar um adulto autodisciplinado. Esse é o nosso objetivo a longo prazo.

Se aceitarmos a tese do desenvolvimento contínuo, do bebê indisciplinado até o adulto autodisciplinado, é preciso cumprir cada etapa antes de passar à seguinte. Assim, podemos observar que, se nossas crianças não ultrapassarem a fase "fazer o que lhes pedem", terão problemas adiante.

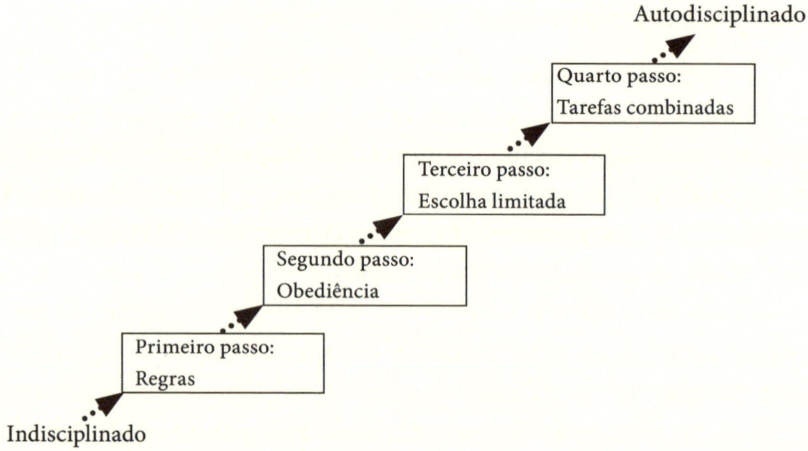

Estratégias positivas

Eduquei meus dois filhos mais velhos pelo princípio de "amar com limites e advertir quando estiverem errados".

Quando Deborah nasceu, eu estava convencida de que, se pudesse manter o estímulo ao bom comportamento, talvez nunca tivesse que lidar com qualquer comportamento indesejável. A estratégia seria apontar o que ela fizesse de bom e elogiá-la por isso. No entanto, o que fazer com procedimentos indesejáveis? Alguns precisavam ser abolidos. Ela tinha apenas 1 ano e estava naquele estágio de mexer em tudo o que via pela frente.

Montei um plano. Quando eu dizia com firmeza "não, Deborah", ela percebia o tom e parava por um momento para olhar em torno – provavelmente para verificar se eu falava sério ou não. Eu aproveitava o momento e fazia um comentário positivo:

– Que boa menina! Parou logo que a mamãe pediu!

Isso me dava tempo suficiente para pegá-la e levá-la para outro lugar.

Confirmamos o acerto da estratégia quando Deborah tinha cerca de 15 meses. Estava na fase em que era preciso colocar elásticos nas maçanetas das portas duplas dos armários da cozinha. Ela fazia de tudo para tentar abrir as portas, até que a resistência do elástico as fechava com um estalo. Eu ouvia o barulho e dizia:

– Nã-ã-o-o. Muito bem, Debbeee.

Isso me proporcionava uma brecha de dez segundos para chegar até ela.

Como transferir esse aprendizado para os anos seguintes?

Comecei a pensar em alternativas positivas para "não". Pareceu-me que a melhor escolha para "não jogue a xícara" seria "mostre para a mamãe como você sabe segurar bem a sua xícara". Achei que a melhor alternativa para "não" seria "mostre".

O momento crítico chegou quando Deborah tinha mais ou menos 1 ano e meio, num dia em que fui buscá-la na creche.

De repente, Deborah soltou a minha mão e correu, pela frente do carro, para a rua. Um automóvel que vinha desviou e, felizmente, não a pegou. Agarrei-a, coloquei em sua cadeirinha no carro e, ainda trêmula, dirigi para casa. Senti uma terrível vontade de lhe dar uns tapas e gritar:

– Nunca mais corra para a rua!

Em vez disso, alimentei-a, coloquei-a na cama e me sentei para pensar melhor. Qual seria a alternativa "mostre" nesse caso? Como poderia dizer a ela o que fazer, em vez de o que não fazer?

O resultado é que descobrimos o "mostre" em vários lugares, por toda a cidade de Auckland, na Nova Zelândia. "Mostre que você pode ficar segurando essa arvorezinha enquanto eu pego o seu carrinho." "Mostre que você pode andar até essa linha na beira da calçada e parar." "Mostre que pode manter a mão nessa faixa do cinto de segurança do carro enquanto eu tiro as compras."

Por alguns anos, usei montes de elogios e montes de castigos. Agora, acho que trabalhar com um sistema contínuo de apoio/distanciamento é muito mais eficiente do que o sistema de elogio/punição.

Quase no final dos anos 90, ouvi Linda e Dan Popov falarem a respeito de seu projeto Virtudes. Segundo eles, todas as culturas, em qualquer lugar do planeta, aprovavam o desenvolvimento das mesmas virtudes: afeto, bondade, coragem, confiabilidade, excelência, justiça, generosidade, lealdade, respeito e responsabilidade. Isso comprovava a necessidade de desenvolver tais virtudes em nossas crianças, a fim de que se tornassem adultos honrados e íntegros.

O projeto me tocou profundamente e me animei com a ideia que essas virtudes estão presentes em cada um de nós, à espera de serem destacadas, bastando que as estimulemos. A partir de então, passei a reconhecer mais as virtudes dos meus filhos do que a elogiar seu comportamento.

Se dissermos aos nossos filhos que percebemos quando foram atenciosos com os outros, persistentes numa tarefa difícil, cuidadosos na maneira de tratar seus animais de estimação, honestos ao devolver um objeto que não lhes pertence ou humildes no jeito de receber um elogio, estaremos exaltando neles essas qualidades e acelerando o desenvolvimento de suas virtudes, de seus valores, sua ética e moral.

Assim, estaremos contribuindo não apenas para que se tornem jovens adultos independentes, mas – ainda mais importante – seres humanos decentes.

Um cartaz com estrelas que funciona

Muitos pais usam cartazes com estrelas como forma de reforço positivo com bastante sucesso. Outros, no entanto, dizem que tentaram tal estratégia, mas simplesmente não funcionou.

Normalmente, isso acontece quando os parâmetros não estão claros, o comportamento está mais envolvido do que as tarefas, as estrelas são removidas por mau comportamento ou os pais não distribuem as estrelas imediatamente. E o sistema é particularmente malsucedido quando usado como meio de acabar com a desobediência ou quando a criança está decididamente desmotivada. Existe realmente um meio de usar os cartazes de estrelas com sucesso ou devemos abandonar por completo a ideia?

Como tudo começou

Foi na época dos Commonwealth Games, em 1994, quando Deborah tinha uns 9 anos e enfrentava o problema de se aprontar em tempo pela manhã. Eu já havia esgotado todos os habituais gritos, reclamações, castigos e resmungos.

Então, disse a Deb:

– Sei que é muito difícil para você levantar de manhã e dar conta de todas as suas tarefas. Também sei que detesta quando grito ou fico irritada. Tenho um plano que pode ajudar. Envolve biscoitos de chocolate.

Consegui sua atenção total. Ela se interessou em ouvir.

– Todo dia, vou acordar você às 6h45 e programar o despertador para as 7h30. Se, quando ele tocar, você já estiver vestida, tomado o seu café da manhã e pronta para sair, nós faremos uma cerimônia com distribuição de medalhas.

Peguei um pacote de biscoitos de chocolate e embrulhei cada um deles em papel laminado. A cada vez que estava pronta no tempo determinado, eu anunciava:

– Deborah Levy, por favor, se apresente no pódio.

Apertava sua mão e declarava:

– Por ter sido tão competente a ponto de estar pronta às 7h30 e em reconhecimento ao imenso esforço envolvido, você é premiada neste momento com uma medalha de prata.

Espantosamente, funcionou às mil maravilhas.

Pensando nisso e nos fatores que fizeram tudo dar certo, percebi que o sistema poderia ser usado em outras situações. A partir dessas reflexões, desenvolvi uma maneira de usar os cartazes com estrelas que funciona bem – embora apenas com crianças relativamente obedientes. Mas não se trata de um remédio contra a desobediência.

O contrato

Você e a criança devem estar do mesmo lado do problema. Converse sobre o tipo de comportamento contra o qual ela vem lutando e se ofereça para ajudá-la a superá-lo.

Compre estrelas, canetas coloridas ou doces. Faça um desenho simples em um cartaz, como o que aparece a seguir.

Numere os detalhes da carinha por seção de 1 até 21. Por exemplo: no cabelo 1, 2, 3, 4, 5, 6 e 7; na orelha esquerda, 8, 9 e 10...

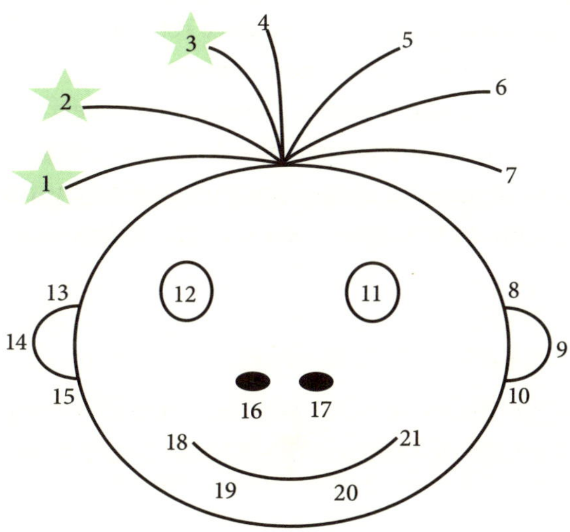

Prolongue o reconhecimento

O propósito do cartaz, das balinhas, estrelas ou canetas coloridas é prolongar o reconhecimento de que aquilo que a criança está fazendo não é fácil para ela. Sempre que obtiver um bom resultado, leve-a até o cartaz e pergunte em que número ela gostaria de colocar a estrelinha. Algumas crianças gostam de começar pelo número 1 e seguir trabalhando até atingir o número 21. Outras preferem trabalhar por "blocos corporais": primeiro os olhos, depois o nariz e assim por diante.

Faça propaganda do sucesso

Coloque o cartaz na porta da geladeira para mostrar aos mais íntimos como a criança está indo bem. Assim, estará valorizando o esforço feito, colocando-se ao lado dela no time do sucesso e convidando os outros a integrar a torcida.

Ofereça apoio quando houver frustrações

Se a criança não chegar a cumprir os critérios, não aproveite a oportunidade para lições de moral. Use a empatia. Tenho certeza de que ela sabe o que precisa ser feito.

Comemore ou desista

Dizem que levamos vinte e um dias para eliminar um hábito. Esse, portanto, é o número de dias que você deve repetir a atividade. Atingidas as 21 repetições, comemore de maneira apropriada.

Se não der certo, não reprove a criança nem deixe o cartaz jogado, amarelando ao sol, como uma espécie de lembrança desagradável. Reflita sobre as razões do insucesso. Quase sempre, você terá utilizado o método como um substituto da obediência ou terá escolhido mais de uma tarefa administrável.

Quando o elogio não é suficiente

Seria maravilhoso se pudéssemos utilizar somente estratégias positivas na educação dos nossos filhos. Mas não é assim que as coisas funcionam.

Nenhum de nós realmente gosta do processo de estabelecer limites para o comportamento dos filhos. Se os meus fizessem exatamente o que lhes peço, eu seria a mãe mais adorável do mundo. Infelizmente, não é assim que as coisas se passam. Mais cedo ou mais tarde – mais cedo, se for uma criança de temperamento forte; mais tarde, se for uma mais cordata –, você vai precisar dizer "não" a comportamentos inadequados e buscar meios de vencer a inevitável resistência.

Como parte do caminho para a transformação dos nossos filhos em jovens adultos autodisciplinados, precisamos conseguir que aceitem a disciplina imposta – que façam o que dizemos e cumpram as regras da casa – até que estejam preparados para fazer escolhas, tornar-se bons planejadores e, finalmente, tomar decisões criteriosas.

As crianças precisam aprender a obedecer.

Entrando em ação

Vou descrever um meio rápido e poderoso de mostrar aos seus filhos que, quando você pede alguma coisa, espera que ela seja feita em seguida. A sequência é a seguinte:

PEDIR – esperar dez segundos – MANDAR – esperar dez segundos – AGIR

Embora pareça simples, a estratégia vai ocupar numerosas páginas de análises e explicações. Raciocine comigo. Uma boa capacidade de argumentação e planos claramente estabelecidos ajudam bastante se queremos ser pais eficientes e positivamente poderosos. Quando confiamos no que estamos fazendo, os filhos percebem isso e se sentem seguros e protegidos.

Tudo começa quando PEDIMOS à criança para fazer alguma coisa.

– Por favor, leve estas xícaras para a pia.

Feito o pedido, a próxima coisa que ela deve fazer na vida é atender. Caso contrário, estaremos ensinando que nossos pedidos não devem ser levados a sério.

Portanto, é muito importante ter em mente que o PEDIDO traz em si o compromisso com o cumprimento da tarefa.

10% de diferença: 100% de progresso

Foi no Leslie Centre, Centro de Terapia Familiar, em Auckland, que comecei a aprender como conseguir que as crianças fizessem o que lhes era pedido. Realizamos um estudo extremamente interessante. Contratamos universitários para seguir alguns pais e mães em suas tarefas do dia a dia. Toda vez que um destes fazia um pedido ao filho, o estudante anotava a solicitação bem como a resposta.

O critério para a escolha das famílias foi terem, pelo menos, dois filhos e haverem ligado pedindo ajuda para um deles. Assim, teríamos a chance de comparar crianças "fáceis" com crianças "difíceis".

Descobrimos que as crianças "fáceis" faziam o que lhes era mandado em 70% do tempo. Isso quer dizer que, em 30% das vezes, elas não deram atenção às ordens ou os pais não fizeram questão de acompanhar o comportamento dos filhos. Assim, a proporção de 70 para 30 corresponde a uma criança que classificamos como "fácil".

A conclusão da pesquisa me deixou pasma. As crianças difíceis faziam o lhes era pedido em cerca de 60% das vezes. Por incrível que pareça, a diferença em obediência entre a criança considerada "difícil" e a criança considerada "fácil" era de apenas 10%. Portanto, eis por que devemos trabalhar para estimular a obediência em nossas crianças.

Se pudermos melhorar a obediência das nossas crianças em 10%, perceberemos nelas uma diferença de 100%. Como acredito firmemente que devemos aproveitar ao máximo a companhia dos filhos, imaginem o que 10% a mais de obediência acrescentariam de prazer à nossa convivência!

Não exagere na gratidão

Depois de pedir ao seu filho que faça algo, o próximo passo é que ele o faça.

PEDIDO → Obediência → Agradecimento

Se você deseja que o seu filho aprenda a obediência como resposta automática a um pedido, demonstre essa expectativa com um simples "obrigada". Se você se desmanchar em agradecimentos, a mensagem transmitida à criança será de que a obediência foi uma surpresa.

Sendo assim, um simples "obrigado" será mais do que suficiente para uma criança com um razoável nível de obediência.

No entanto, os filhos muitas vezes são bem pouco obedientes e precisamos treiná-los nesse aspecto. Se for esse o caso, é preciso fazer do reconhecimento da obediência uma atitude obrigatória, na esperança de que eventualmente se torne a norma.

Um tipo de elogio para cada temperamento

Se você quer alcançar o máximo impacto ao reconhecer a atitude de seus filhos, adapte o elogio ao temperamento deles.

Para o sanguíneo, movido a necessidade de plateia e aprovação, diga entusiasticamente:

– Uau! Você atendeu logo! Que maravilha!

Para o colérico, que precisa de admiração pelo que considera um trabalho verdadeiro, tente dizer:

– Obrigada pelo seu trabalho. Realmente apreciei a sua ajuda. O que eu faria sem você?

Com o melancólico, não use o elogio pleno e direto, pois correria o risco de invadir sua necessidade natural de espaço. Aproxime-se, passe o braço em volta dele e diga calmamente:

– De verdade, apreciei a sua ajuda.

Com a criança fleumática, que gosta de ter alimentada sua necessidade de valorização, experimente dizer baixinho:

– Muito obrigado por isso. O que eu faria sem você?

Respostas possíveis

Em algumas ocasiões, você vai conseguir obediência imediata. Frequentemente, porém, isso não vai acontecer. No caso de uma solicitação simples, como "pegue essas xícaras, por favor", a desobediência pode adotar vários disfarces:

- Não é a minha vez.
- Por que você sempre pede isso para mim?
- É muito difícil.
- Eu não quero.
- Você me ajuda?

- Só vou acabar de completar o quebra-cabeça de 500 peças.
- As xícaras não são minhas.

E existem as respostas não verbais:

- Gemer.
- Lamentar-se.
- Dar de ombros e se afastar.
- Rir.
- Ignorar.

Ignorar é uma atitude que denuncia uma espécie de "surdez seletiva", em que a criança só não ouve o que a mãe fala. E, com frequência, alguns pais ingênuos levam o filho desobediente para verificar a audição!

Os três "contras"

Em seu livro *Vale a Pena Ter Filhos*, Bárbara Coloroso fala sobre os três contras que as crianças usam quando solicitadas a fazer alguma coisa que não querem.

Primeiramente, há a resposta *zangada*: "não é justo", "não é a minha vez", "não vou fazer", "você não pode me obrigar", "você não manda em mim" – sempre em um tom de voz raivoso e provocador.

Essas respostas podem nos fazer pensar: "mais fácil eu mesmo fazer." Realmente, é muito mais fácil fazer do que mandar. No entanto, nossos filhos estarão deixando de adquirir habilidades essenciais e estaremos ensinando a eles que funciona quando tentam nos intimidar.

Em segundo lugar, existe a resposta carregada de *tristeza*, numa lamúria patética: "não é justo!"; "eu fiz isso ontem!"; "é muito difícil!"; "por que sempre pedem isso para mim?" Essas crianças são mestras na arte de incutir culpa e, geralmente, caímos na armadilha, chegando a pensar se realmente sempre pedimos a elas ou se a tarefa é mesmo muito difícil.

Na maioria das vezes, os pais são justos e distribuem as tarefas mais ou menos igualmente, de acordo com a capacidade de cada um. Lembre-se disso quando estiver lidando com uma criança especialista em "acrescentar um toque de tristeza" à resposta sempre que se pede alguma coisa a ela. Sendo o pedido razoável, não há necessidade de justificativas.

O terceiro estilo de "contra" é o mais difícil de ser identificado, pois envolve distanciamento. A criança se faz de surda, vai fazer outra coisa e ostenta um olhar vazio, como se não tivesse entendido. Outra versão de distanciamento é a criança que diz "certo, mamãe" ou "daqui a pouco, mamãe" – o que pode ser traduzido como: "Vou fazer, sim, antes do fim do século."

Andando em círculos

Costumamos cair nesses "contras" de várias maneiras:

- Explicando: "Queridinha, preciso que você faça isso agora, porque logo vamos sair e temos de deixar a casa arrumada e limpa." Em comparação à atividade do momento, a arrumação da casa raramente é uma prioridade na agenda de alguém com 4 ou 14 anos de idade.
- Explicando: "Precisamos ir logo porque a vovó está nos esperando." Pode funcionar, mas o seu filho também pode achar que, se está tão ansiosa para ver a vovó, você mesma deve arrumar as xícaras.
- Justificando: "Você já é uma mocinha e pode muito bem ajudar a mamãe."
- Justificando: "Não, não peço sempre para você. Procuro ser o mais justa possível." E, de repente, somos envolvidos em uma discussão sobre conceitos de justiça, enquanto as duas xícaras continuam ali, diante de nós.
- Barganhando: "Você leva uma e eu levo a outra."
- Adulando: "Vamos, querida. Você já é uma mocinha e é muito prestativa. Só vai levar um minuto."
- Subornando: "Assim que você levar as xícaras, tenho certeza de que encontraremos algumas jujubas."
- Apelando para a chantagem emocional: "Você está deixando a mamãe muito infeliz."
- Ameaçando: "Se você não pegar as xícaras agora mesmo, não vai ver Os Simpsons logo mais, à noite."

Tudo isso pode até funcionar uma vez ou outra. Contudo, todos os métodos anteriores apresentam uma grande falha: demonstram que não acreditamos ser suficiente pedir a uma criança que faça algo e esperar que ela obedeça. Estamos mostrando às nossas crianças que uma solicitação dos pais não é séria, a menos que acompanhada por um adicional suficientemente poderoso. Será realmente isso o que queremos ensinar?

Ao cairmos nos "contras", demonstramos também aos filhos que os ignoramos. Eles estão sendo ignorados. Vejam bem: quando lhes pedimos que pegassem as xícaras, eles nos transmitiram uma mensagem muito clara. Qualquer que tenha sido a resposta, o significado foi um só: "NÃO!"

Não é a minha vez.
Por que você sempre pede para mim?
É muito difícil.
Eu não quero.
Você me ajuda?
Só vou acabar de completar o quebra-cabeça de 500 peças. ....► NÃO
As xícaras não são minhas.
E existem as respostas não verbais:
Gemer.
Lamentar-se.
Dar de ombros e se afastar.
Rir.
Ignorar.

Quanto tempo levamos para entender um não? Ou melhor: que parte do não nós não entendemos? Mesmo assim, ignoramos o não dos nossos filhos e entramos numa troca sem sentido:

Mãe (conciliadora):

– Olhe. São apenas duas simples xícaras. Pegue logo e pronto, acabou.

Criança:

– Não quero.

Mãe (convencendo e encorajando):

– Todos nós temos de fazer coisas que não queremos. E assim, logo, logo, vamos ver a vovó.

Criança:

– Eu não quero ir à casa da vovó.

Mãe:

– Claro que quer.

Criança:

– Não quero, não.

Mãe (tentando a chantagem emocional):

– Mas a vovó gosta tanto de você e está morrendo de saudade.

Criança:

– É, mas eu não quero ver a vovó.

Mãe (subornando):

– Talvez ela tenha sorvete para você.

Criança:

– Eu não quero sorvete.

E por aí vai... Ficamos tão envolvidos no debate que nem notamos as xícaras, que permanecem no mesmo lugar.

Se quisermos levar nossos filhos a fazer o que dizemos, o primeiro aspecto a reconhecer é que todas as suas respostas – exceto a obediência – têm um único significado: não.

Lidando com o "não"

O que temos a fazer se a criança se negar a atender a um pedido simples é deixar claro que não se tratava apenas de uma proposta casual do tipo "pegar ou largar": era séria. O estudo ao qual me referi anteriormente mostrou que, em cerca de 20% a 30% das vezes, fazemos pedidos do tipo "Eu gostaria que você...", sem nos importarmos se a criança atende ou não. Como fazer com que nossos filhos saibam quando é para valer?

Vamos examinar a nossa forma mais frequente, senão habitual, de conseguir obediência. Dos mais remotos recantos da cozinha, pedimos:

– Você poderia pegar essas duas xícaras e colocar na pia?

A criança resmunga uma desculpa qualquer e continua a olhar para a TV.

A caminho de outra tarefa, fazemos uma pausa para dizer, em voz mais alta:

– Já pedi uma vez. Dá para levantar dessa cadeira e colocar as xícaras na pia?

E desaparecemos. Longe dos olhos, longe da mente, e nossos filhos continuam vendo TV.

Passam-se dez minutos. Nós voltamos e vemos as xícaras no mesmo lugar. Desta vez, gritamos:

– Quantas vezes vou ter que dizer para você se levantar agora e levar as xícaras para a pia?

É claro que nem mesmo isso garante a obediência. Ainda que a criança leve as xícaras, terá sido um penoso processo de vinte minutos de desgaste. E o que conseguimos com isso? Possivelmente, ensinar que, quando se quer mesmo alguma coisa, se consegue gritando e que se a criança conseguir suportar os ataques nervosos dos pais não precisará fazer o que lhe foi mandado.

Mas qual é a alternativa, então?

Mandar é melhor do que gritar

Peça uma vez, de onde estiver. Espere dez segundos. Nesse momento, a criança sabe que você sabe se a resposta é sim ou não.

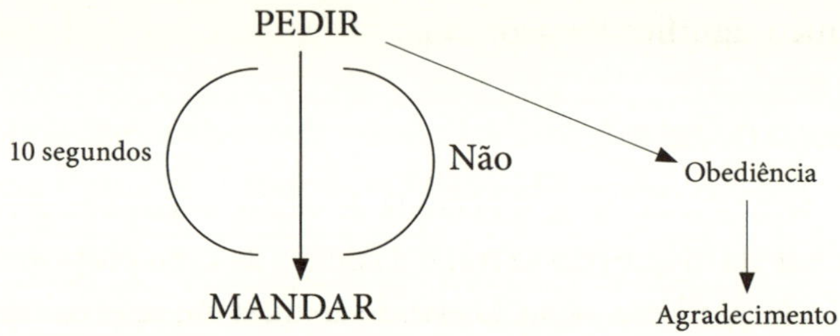

Se a resposta for não, você precisa passar do PEDIR para o MANDAR. Aproxime-se do local onde a criança está, fique de pé e diga com firmeza:

– Eu gostaria que você levasse as xícaras agora.

Espere dez segundos.

Não precisa gritar, argumentar nem persuadir. A mensagem transmitida foi muito forte: você pretende que ela faça o que foi pedido. A simples atitude – chegar perto, pedir com firmeza e esperar – tem como resultado a obediência em 80% das vezes. O que fez foi MANDAR – de maneira muito, muito poderosa.

Mandando – com firmeza

Quais são os componentes que tornam uma ordem tão poderosa?

Primeiro, você não fala de longe. Você invade o espaço da criança. Pelo fato de ter se dado ao trabalho de chegar até ela, a criança sabe que é sério.

Em segundo lugar, você usa a vantagem da altura. Em qualquer sociedade, as pessoas mais altas impõem mais autoridade. Em algumas, a maneira de demonstrar poder é colocar o indivíduo em um trono – acima dos outros, portanto. Assim, qualquer mortal parece muito mais poderoso.

Essa é uma das razões pelas quais é mais fácil conseguir obediência de uma criança de 4 anos do que de um jovem de 14. Pelo menos em relação à primeira, somos consideravelmente mais altos. Dez anos depois, talvez não seja mais assim. Esse é um dos motivos para que o "poder" da mamãe ou do papai seja estabelecido enquanto os filhos são pequenos.

A maioria das pessoas mantém o respeito pelos pais mesmo na idade adulta. É muito improvável alguém responder com um "não enche" ao ouvir a mãe pedir que, na volta para casa, compre um litro de leite. O "poder" da mãe, estabelecido na infância, permanece para o resto da vida.

Em terceiro lugar, é preciso estabelecer um forte contato visual. Olhe a criança diretamente nos olhos enquanto diz:

– Quero que faça isso agora.

Procure fazer um contato visual forte, qualquer que seja a direção do olhar da criança.

Em quarto lugar, fale baixo. Se gritar, estará demonstrando à criança que você perdeu o controle. Ela pode até se aborrecer com a gritaria, mas é improvável que isso a torne mais obediente ou respeitosa. E você ficará em situação duvidosa se um dia disser "não grite comigo, tenha mais respeito". Ao falar baixo, você demonstra autocontrole, tornando-se muito mais convincente.

É muito provável que a sequência de ações leve à obediência.

Do "não" ao "de jeito nenhum"

Algumas crianças simplesmente não levam os pais a sério. Ou são muito teimosas, ou, pelas experiências que tiveram até então, aprenderam que, se recorrerem à argumentação, às reclamações ou ao distanciamento, não precisarão fazer o que lhes foi pedido.

Se você PEDIU, esperou dez segundos, MANDOU com firmeza, esperou outros dez segundos e a criança não obedeceu, ela passou do "não" para o "de jeito nenhum".

Embora a criança tenha demonstrado um não – com raiva, tristeza ou distanciamento –, você pode supor que ela vá além em seu comportamento. Se a resposta inicial foi raivosa, tenha a certeza de que ela vai reclamar ainda mais.

Se a resposta inicial tiver vindo carregada de tristeza, é possível que a resposta seguinte traga ainda mais tristeza. A criança vai parecer dominada por tal amargura que pode se debulhar em soluços histéricos.

Se a resposta inicial tiver sido ignorar você completamente, a criança pode agora se afastar – na direção contrária às xícaras – ou mesmo fugir. Não vá atrás. Não pergunte: "Você ouviu o que eu disse?" Ela ouviu.

Algumas crianças chegam a rir dos pais quando estes fazem um pedido. Trata-se de um desrespeito grave.

Permita-me ser mais direta. A mãe (ou pai) PEDIU e depois MANDOU, de pé. Se a criança reage com raiva, tristeza, total descaso ou agressividade, passa do "não" para o "que se dane".

A criança está sendo rude e ofensiva. Acabou o tempo das solicitações. É hora de entrar em ação. HORA DE AGIR.

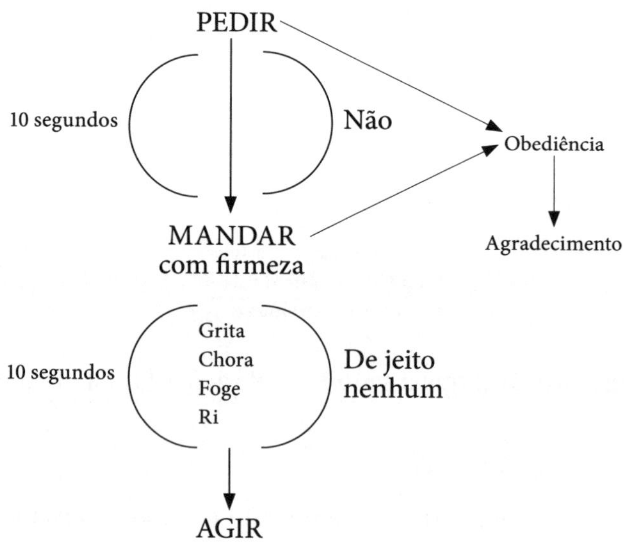

15

UMA BREVE INTERRUPÇÃO PARA DISCUTIR O TEMPO PARA PENSAR

Desde tempos imemoriais, as crianças são mandadas para o quarto, como castigo, quando não se comportam bem. Algumas eram colocadas em armários, outras em depósitos de carvão cheios de aranhas e outras, ainda, postas para fora da casa, na escuridão.

A ideia era que a criança, através do castigo, aprendesse que havia feito algo inaceitável, sentindo-se desestimulada a repetir o erro. Lembro novamente meu caro amigo dos tempos de universidade, o meu rato. Se ele tomasse o par de linhas erradas, caía numa rede. Era desagradável, ele não gostava nem um pouco, mas funcionava como reforço negativo: uma punição.

Há uns vinte e cinco anos, tomei conhecimento do conceito "tempo para pensar". Era uma ideia nova na época – uma forma de reprimenda para substituir o castigo físico. Os pais nos procuravam com crianças desobedientes. Elas haviam apanhado repetidamente e, ainda assim, não obedeciam. O que mais se poderia fazer?

O tempo para pensar era diferente de ser mandado para o quarto. Devia funcionar de maneira que, uma vez que você pedisse duas vezes ao seu filho para fazer alguma coisa, e ele não o obedecesse, você o levasse até o quarto por dois minutos – ou um minuto para cada ano de idade. No fim desse espaço de tempo, você abriria a porta e perguntaria se ele estava preparado. Se estivesse, sairia e faria o que você havia mandado. Caso ainda não estivesse pronto, você repetiria a pergunta, a cada dois minutos, até obter uma resposta positiva. A única maneira de sair do quarto seria obedecendo.

Melhor do que bater

O tempo para pensar é um castigo mais eficiente do que bater.

Dia após dia, nossas crianças assistem a cenas de violência na televisão, nos jogos de computador e no cinema. Também veem inúmeros exemplos de violência na vida real. A violência é retratada como a maneira mais simples de traçar o caminho na vida.

Vivemos tempos tão violentos que cresce a importância de mostrar como é possível resolver as questões por outros meios. Nos dias que correm, é muito difícil escapar desta mensagem: a forma de lidar com a desaprovação do comportamento de alguém é por meio da força física. Um dos meus desenhos animados favoritos mostra um pai dando palmadas no filho, dizendo:

– Isso vai ensinar você a não bater nas outras pessoas.

Sim, eu bati nos meus filhos

Eu bati, antes de saber o que sei agora. Aprendi que, com crianças "fáceis", normalmente cooperativas, uma palmada resulta em geral em meia hora de choro, duas horas de sono e bom comportamento pelos três meses seguintes.

Bater em crianças voluntariosas talvez resolva, ocasionalmente, porém, na maioria das vezes, de nada adianta. As palmadas podem representar para elas uma fonte de contrariedade, mas raramente alteram maus comportamentos. O mais provável é que o episódio deixe a criança ressentida e até disposta a cooperar, numa demonstração superficial de bom comportamento. É possível, no entanto, que ela retribua com sabotagens disfarçadas.

Quanto mais experiente me tornava, tanto como mãe quanto como terapeuta familiar, menos eu recorria às palmadas. Nossa filha Deborah – a terceira – teve sorte nesse sentido. No entanto, toda vez que me referia ao fato de raramente ter lhe dado umas palmadas, ela se vangloriava, contando para quem quisesse ouvir:

– Mas houve uma vez em que a mamãe quase me estrangulou!

É engraçado, porque também me lembro do episódio – quando ela foi tão teimosa que eu a levantei pela gola do pijama e gritei:

– Faça agora o que eu mandei!

Hoje conheço muitas e melhores maneiras que poderia ter usado naquela situação.

Fui particularmente afortunada, porque meus pais, embora muito severos, nunca foram dados à prática de bater. Eu tinha imenso amor e respeito por eles. Eles certamente me deixaram como herança a ideia de que é possível sermos pais firmes e amorosos sem ter que jamais bater numa criança. Gostaria de ter gravado a atuação deles.

Uma última palavra sobre as palmadas

Vou deixar com Robert a última palavra. Este episódio ocorreu quando ele tinha cerca de 4 anos.

Ele fez algo de muito errado e corri para a cozinha gritando:

– Vou pegar a colher de pau!

Quando apareci em seu quarto, brandindo o tal objeto de forma ameaçadora, ele calmamente observou:

– Isso não é uma colher. É uma espátula.

Encorajada pela precisão de seu vocabulário, parti para cima dele. Agora, a versão dele:

– Lembra o dia em que você quebrou a espátula em mim?

Minha defesa se apoia no fato de que ela havia servido para mexer o mingau de aveia do café da manhã por dez anos, havia sido molhada e enxugada milhares de vezes e estava tão gasta que se partiu logo na primeira batidinha!

Admito que bati nos meus filhos e não me orgulho disso. Lembro-me de um amigo e colega que tinha uma opinião interessante. Segundo ele, seria permitido a um professor dar varadas nos alunos malcomportados em classe desde que, a cada golpe, ele dissesse:

– Estou fazendo isso porque sou um professor incompetente!

Dificuldades com o tempo para pensar usado como punição

Quando começamos a ensinar o tempo para pensar como uma forma nova e eficaz de castigo, encontramos alguns empecilhos.

Algumas crianças, quando ameaçadas com a possibilidade de um tempo para pensar, caso não obedecessem, concordavam tranquilamente e iam para o quarto. Outras, prevendo as instruções dos pais, tomavam a iniciativa de se retirarem. E outras, ainda, se recusavam a sair do quarto, apesar da autorização dos pais, dizendo com raiva:

– Eu gosto daqui.

Certamente não podia ser uma punição eficaz se a criança gostava dela!

Cada vez mais, chegava à conclusão de que a punição era um convite ao ressentimento para algumas crianças e para a maioria dos adolescentes. As crianças coléricas, em especial, se sentem muito perturbadas quando punidas. No entanto, podemos até ouvir as sanguíneas cantando durante o tempo para pensar. As melancólicas apreciam os momentos que passam sozinhas. E as fleumáticas normalmente ficam muito magoadas.

Eu não estava sentindo dificuldades apenas com o castigo, mas questionava também o uso do elogio. Como mãe, começava a achar exaustivo o sistema de "encontrar um motivo de elogio a cada dez minutos" e "notar quando forem bonzinhos". Não me parecia razoável que a vida dos pais devesse se resumir a um eterno ciclo de elogios e castigos.

Ao observar muitas crianças obedientes, não me parecia que tivessem pais dedicados a elogiá-las o dia inteiro. Ao contrário, tinha a impressão de que elas correspondiam a um bom comportamento esperado deles. Comportamentos inadequados eram tratados sem discussões. As crianças se apressavam a corrigir os erros e não pareciam sentir a menor necessidade de aborrecer os pais.

Um novo conceito: distância emocional

Ao perceber um número cada vez mais elevado de situações de raiva e frustração infantis sendo resolvidas pelo uso do apoio emocional, comecei a deixar de lado os elogios como meio de mudar o comportamento das crianças. Ainda considerava eficaz o tempo para pensar, mas lutava para entender como as duas coisas se relacionavam.

Então alguém me apresentou o termo *insight*. Bem, um dia, há mais ou menos oito anos, eu tive um *insight*: o oposto do apoio emocional é a distância emocional! Desde tempos imemoriais, as pessoas usam a distância emocional para mostrar que determinados comportamentos são indesejáveis. Para seres humanos, que têm grande necessidade de "pertencer" a um grupo social, não existe força mais poderosa do que a exclusão.

Começou a ficar claro para mim que o tempo para pensar funcionava não porque as crianças odiassem seus quartos, mas em razão da necessidade que têm do apoio dos pais e de se sentirem parte da família. Não precisamos usar o depósito de carvão cheio de aranhas nem mesmo o quarto perfeitamente iluminado, mas sem distrações. A exclusão é suficientemente forte. A criança tem, então, a oportunidade de optar por se comportar da forma apropriada a um membro da família.

As crianças, em geral, procuram a aprovação dos pais – e, certamente, precisam de seu apoio. A retirada desse apoio emocional, portanto, é muito significativa.

Quando uma criança bate, morde, cospe ou arranha e a mandamos para o quarto, estamos transmitindo uma clara mensagem de que esse comportamento não é aceitável em seu grupo social.

Da mesma forma, quando a criança se recusa a fazer o que lhe foi pedido ou a interromper um comportamento indesejado, precisa ser excluída do grupo familiar até que compreenda as coisas sob o enfoque dos pais.

Lembre que não estamos pedindo algo difícil ou insensato. Estamos falando de pedidos como:

- Calce as meias.
- Deixe o gato em paz.
- Não cuspa.
- Ponha essas duas xícaras na pia da cozinha.

Crianças precisam de espaço para analisar a questão

Portanto, o propósito do tempo para pensar não é punir a criança. É fornecer um espaço seguro e calmo onde ela possa analisar a questão "querer fazer as coisas a seu jeito *versus* a necessidade de fazer parte da família". Assim, não tem importância se a criança disser que gosta de estar ali. Na verdade, isso significa que ela ainda não resolveu se fará o que lhe foi pedido e se juntará à família ou se permanecerá afastada por mais algum tempo. Geralmente, em razão de suas necessidades sociais, ela opta pela família. Mas nós estamos lhe dando espaço para trabalhar a questão por si.

Quando o seu filho decidir que deseja pertencer à família e que levar duas xícaras para a pia da cozinha é um preço bastante justo por todos os benefícios que daí vêm, ele sairá do quarto e fará o que lhe foi mandado. Até lá, é melhor ficar fora do caminho dele.

Pense na margarida

O que fizemos foi interromper temporariamente o acesso da criança ao centro da margarida. Cortamos nosso apoio até que a tarefa seja concluída. Pense nisso como um acordo: obediência a solicitações simples em troca dos benefícios de ser membro da família. Parece-me um excelente negócio. O conforto emocional do lar estará novamente disponível para o seu filho tão logo ele tenha colocado as duas xícaras na pia. Não parece um pedido muito difícil de atender.

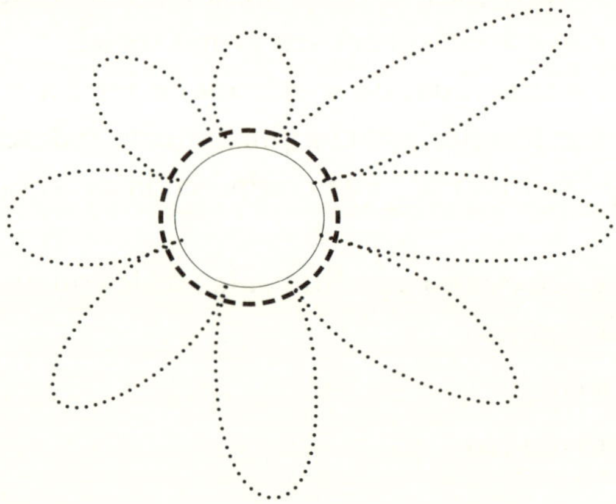

Os bem pequeninos e o tempo para pensar

A forma mais light do tempo para pensar é quando você simplesmente se ocupa de outra tarefa e espera. Por exemplo: você diz ao seu filho de 1 ano e meio que está na hora de se sentar na cadeirinha alta para tomar o lanche da tarde. Ele diz "não" e corre para o outro lado da cozinha. Você começa a fazer outra coisa, calmamente, como se estivesse só na cozinha. Logo em seguida, ouve uma vozinha dizendo "upa, upa". É seu filhinho, que não gostou muito da distância emocional e decidiu fazer o que você pediu.

A abordagem "pegar e largar", por sua vez, é ligeiramente mais forte. Você pede ao seu filho de 2 anos para ficar quieto enquanto calça os sapatos nele. Ele quer sair descalço. Quando você se aproxima, ele começa a chutar e a se debater.

Pegue-o com firmeza e ponha-o no berço. Diga:

– Volto daqui a pouco para ver se você está pronto para calçar os sapatos. Depois, vamos passear.

Não precisa irritá-lo. Saia e espere de dez a quinze segundos. Volte e pergunte:

– Está pronto, agora?

É mais do que provável que, percebendo a sua postura, o garoto aceite um carinho, a caminho do chão, estando pronto então a cooperar. Se não, afaste-se por mais tempo, cuidando para que ele esteja em segurança e em posição de perceber que nada acontecerá em sua vida até que concorde em fazer o que você pediu.

Quando uma criança é crescida o bastante?

Uma criança está suficientemente crescida para ficar algum tempo pensando quando é madura o bastante para lançar "aquele olhar". O olhar que diz:

– Está falando sério?

Imagine a cena. Tem um vaso de plantas. O seu filhinho observa. Olha pela frente, olha por trás, cheira as folhas, testa o sabor, a maleabilidade e a resistência delas. Concentrado, passa os dedos na terra.

Esse é o comportamento exploratório normal da criança pequena. Ela não consegue imaginar como é a parte de trás somente pelo aspecto da parte da frente. Sem experimentar, não faz ideia do cheiro, do sabor e da flexibilidade. Precisa descobrir por si, usando todos os sentidos.

Agora, imagine outra cena. O mesmo vaso de plantas. Seu filhinho quer ver de perto. Possivelmente, por várias vezes e em várias ocasiões, você lhe disse que não mexesse no vaso. Ele faz os mesmos testes do cheiro, gosto e textura. Enquanto isso, porém, mantém um sorrisinho maroto ou um olhar desafiador. A linguagem corporal diz:

– Sei que não deveria estar fazendo isso. O que você vai fazer?

Pronto. Você acaba de conhecer "o olhar".

Essa criança tem idade suficiente para aprender que, quando pai ou mãe pedem a ela que faça ou não faça alguma coisa, é isso o que deve acontecer em seguida.

"Mas eu quero que meu filho veja o berço como um lugar de conforto"

Então escolha qualquer lugar em que ele esteja seguro e de onde não possa sair. Indiquei o berço porque considero um local prático e seguro. Mas, se você tem alguma reserva quanto ao uso do berço ou caso o berço esteja ocupado, qualquer lugar seguro serve – o carrinho, o quarto, um canto, um degrau. O tempo para pensar não é um quarto ou um berço. O tempo para pensar é uma atitude, um estado de espírito.

As crianças pequenas e o tempo para pensar

Mesmo com crianças um pouquinho mais velhas, às vezes você só precisa fingir ignorá-las para ganhar a obediência delas. Você pede para que seu filho faça alguma coisa. Em seguida, prossegue calmamente com as suas ocupações, fingindo ignorá-lo. Seu filho então percebe a distância emocional e decide obedecer.

Em algumas ocasiões, ele vai verificar se você está falando sério.

– Mãe, sabe se tenho natação hoje à tarde?

Mostre que não esqueceu o pedido original.

– Primeiro, por favor, leve as xícaras para a pia. Depois falamos sobre a natação.

Ligeiramente mais forte do que ignorar é quando você diz:

– Vá para o seu quarto até resolver.

Ele vai, porque prefere o quarto às xícaras. Uma vez lá, distrai-se por um tempo, mas a vontade de se reunir à família o acaba convencendo a fazer o que lhe foi pedido.

Ainda mais forte é quando você acompanha a criança até o quarto, já que ela não iria espontaneamente. Você pode ir ao lado dela, pode guiá-la, pode carregá-la embaixo do braço. Não importa o meio de transporte usado, mas que ela fique no quarto até estar pronta a obedecer. Talvez leve algum tempo.

Um nível acima é quando você acompanha o seu filho ao quarto e fecha a porta. A porta fechada é um sinal concreto de que ele está separado da família até decidir obedecer.

Mas ele insiste em sair

Você leva o seu filho para pensar, mas ele sai (e não para fazer o que foi pedido), destrói coisas dentro do quarto, chuta a porta ou tenta subir nas janelas. É importante reconhecer que se trata de um caso sério de insubordinação.

Então, vá com ele até o quarto, feche a porta e cuide para que, de alguma forma, ela se mantenha fechada. Se fizer isso rápida e silenciosamente, é provável que evite nele uma fúria destrutiva.

Só será necessário chegar a esse ponto de demonstração de força se a criança deixar claro que não tem respeito algum pela sua determinação de que ela permaneça no quarto.

Segurar a porta fechada é a solução mais simples. Mas tudo tem de ser feito em absoluto silêncio, para que a criança acredite que, por algum milagre, a porta emperrou. Se, após alguns momentos, ela ainda estiver lutando para sair, você vai precisar descobrir um jeito de manter a porta fechada que não envolva a sua presença. Do contrário, estará dando à criança controle total sobre a sua localização – do outro lado da maçaneta. E, definitivamente, esse não é o tipo de tempo para pensar que mereça o seu apoio.

Você poderá trancar a porta amarrando-a a outra porta ou instalando um pequeno trinco.

Importante: não adianta suportar um comportamento terrível o dia inteiro e, no fim da tarde, gritar, esperando um milagre instantâneo:

– Já chega. Este é o meu limite. Vá para o seu quarto. Não quero mais ver você!

Essa não é uma técnica para ser usada como último recurso. Comece no início do dia, insistindo com calma e firmeza para que cada solicitação seja cumprida, antes de qualquer outra coisa aconteça.

Cada caso é um caso

Você conhece o seu filho melhor do que ninguém. De preferência, escolha um local para pensar e utilize a mínima autoridade necessária. Se você tem uma criança sensível, que se magoa com facilidade e necessita apenas de um local onde possa chorar até perceber que não tem outra opção a não ser fazer o que você pediu, mandá-la para o quarto talvez seja demais. Caso tenha uma criança voluntariosa, repetidamente desafiadora, é provável que precise usar a porta fechada.

Ao decidir sobre a escolha do lugar para pensar, cuide para que seja seguro e pense também na proximidade. Imagine arrastar uma criança relutante por dois lances de escada e por um longo corredor. Por esse motivo, em casas de dois ou mais pavimentos, é aconselhável ter um local determinado em cada andar.

"Mas a criança não deveria gostar de estar no quarto?"

Com certeza e, na maior parte do tempo, o quarto é o lugar que as crianças escolhem para brincar, descansar, ter um momento para si, meditar. Caso você use o quarto como o local para pensar, elas ainda poderão fazer tudo isso – em especial, poderão refletir sobre a sabedoria de obedecer. Uma boa reflexão pode acontecer em espaços agradáveis.

O argumento é o mesmo quando os pais resolvem escolher o banheiro como o lugar para pensar. Não seria a minha primeira escolha, em especial na mesma semana em que estivesse iniciando um treinamento para o uso do banheiro.

A questão não é o tipo de cômodo. Tem a ver com o seu apoio ou o seu distanciamento.

E se você estiver com pressa?

Não imagino que você espere ver uma criança aprender a nadar em cinco minutos ou que você cozinhe uma refeição para a família em dez. Da mesma forma, é impossível ensinar obediência a uma criança desobediente nos poucos minutos que você tem entre se vestir e sair de casa.

Precisamos entender que ensinar exige tempo e persistência. Em especial, temos de compreender que, quando solicitamos a uma criança que leve um par de xícaras para a pia, não se trata da ação em si, mas de educação.

Ao iniciar o processo, NÃO PEÇA, a menos que tenha tempo de acompanhar o cumprimento do pedido. Comece de manhã cedo ou no meio da tarde e faça questão de acompanhar o cumprimento dos três primeiros pedidos que fizer. Você vai se surpreender ao ver como o quarto, o quinto e o sexto pedidos serão atendidos com muito mais cooperação.

E se eu não estiver em casa?

Planeje com antecedência o que fará caso o seu filho se comporte mal quando você estiver ausente.

Lembro-me de um lindo garotinho de mais ou menos 3 anos que, sempre que via um bebê sentado, sentia uma vontade irresistível de "derrubá-lo", como se fosse um pino de boliche.

A mãe me telefonou, porque iriam a uma festa na casa de amigos – onde encontrariam muitos "pinos" a serem derrubados – e ela queria saber o que seria possível fazer. Ligou para lá antes e descobriu que haveria um berço vazio no andar de cima. Formulamos um plano. Só não sabíamos que o garotinho também tinha formulado o plano dele.

No momento em que entravam, ele olhou para a mãe e disse bem baixinho:

– Aqui não tem lugar para pensar.

Admirei profundamente a discrição daquela mãe, que respondeu com calma:

– Veremos.

A razão pela qual a admirei tanto é que eu, seguramente, não conseguiria me impedir de dizer:

– Tem, sim. Já planejei tudo.

Assim que o garoto percebeu alguns bebês sentados, deu um passo decidido na direção deles. A mãe o pegou com firmeza e o carregou por dois lances de escadas. No andar de cima, colocou-o no berço disponível e saiu, sem uma só palavra. Quando voltou, quinze segundos mais tarde, ele continuava no mesmo lugar, parado, parecendo completamente atônito. Ela estendeu os braços para ele e perguntou:

– Você está pronto para descer e se comportar direitinho?

Segundo ela me contou mais tarde, ele pareceu meio chocado por alguns minutos, mas deixou todos os bebês em paz.

Até mesmo com crianças mais velhas é uma boa estratégia pedir licença e se afastar com elas, explicando em particular que tal tipo de comportamento é intolerável. Depois, é só esperar ao lado da criança até que ela esteja pronta para se comportar.

E se eu estiver com visitas?

É vergonhoso quando nossos filhos se comportam mal diante dos outros. Descobri que a mais eficiente resposta quando as crianças fazem isso – seja diante de adultos ou de coleguinhas – é dizer:

– Com licença. Precisamos resolver este assunto.

Quando isso acontece, levo o meu filho para o quarto dele e volto para o grupo. Das duas, uma: ou ele volta depois de um período de tempo relativamente curto, já que precisava apenas de limites para seu comportamento, ou fica no quarto, o que geralmente indica necessidade de espaço.

As crianças maiores, os adolescentes e o tempo para pensar

Conforme as crianças vão crescendo, continuamos a pedir que façam ou deixem de fazer algumas coisas. Felizmente, elas também continuam precisando de nossos conselhos, apoio e serviços. Portanto, quando fazemos qualquer pedido aos nossos filhos mais crescidos, devemos continuar deixando claro que esperamos ser obedecidos em seguida.

Não podemos forçar um jovem de 15 anos a levar duas xícaras para a pia. Mas podemos cortar qualquer envolvimento com a vida dele enquanto as xícaras não estiverem na pia. Ameaças e declarações não são aconselháveis – ou estaríamos lançando um desafio. O modo mais simples de afirmar uma posição, depois de pedir e mandar, é nos ocuparmos dos nossos afazeres. Mais cedo ou mais tarde, ele vai precisar de nós. Então, é hora de lembrar, calma e delicadamente, sem sinais de sarcasmo ou ameaça:

– Primeiro, ponha as xícaras na pia. Depois, conte comigo.

Talvez dê certo. Talvez não. Se não resolver, faça valer na mente de seu filho o tempo para pensar. Continue com os seus afazeres, demonstrando que não estará disponível até que a ordem seja cumprida.

Não espere do seu filho uma reação de alegria e boa disposição. Pode ser que suas cenas, lamúrias e reclamações tenham resolvido no passado. Ele talvez esteja surpreso e com raiva por descobrir que tais recursos deixaram de funcionar. Pode levar algum tempo até que ele se acostume à sua abordagem calma e distante.

Relaxe e lembre-se de que pediu uma tarefa perfeitamente razoável e simples, dentro das possibilidades do seu filho. O tempo para pensar – significando o corte do seu apoio emocional – prevalece até que a tarefa seja executada.

16
Pedir – Mandar – AGIR!

Vamos recapitular. Pedimos à criança para pegar duas xícaras e colocar na pia. Esperamos dez segundos. Repetimos o pedido, em pé ao lado dela. Esperamos dez segundos. Ela deixa claro que não tem a menor intenção de obedecer.

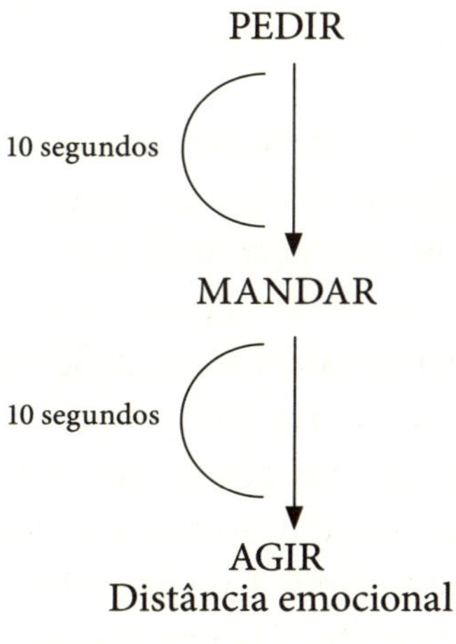

É hora de agir. Essa ação envolve distanciamento até que a criança mude de ideia. A essa altura, já teremos percebido o nível de autoridade necessário. Teremos de levá-la até o quarto e fechar a porta.

Ao chegar ao quarto, diga:

– Pode sair quando estiver pronta para levar as xícaras.

Deixe por conta dela

Você fez a sua parte. Expôs claramente as suas expectativas. Nada mais vai acontecer na vida dela, no que diz respeito à interação com você, até que as xícaras sejam levadas. O resto é com ela.

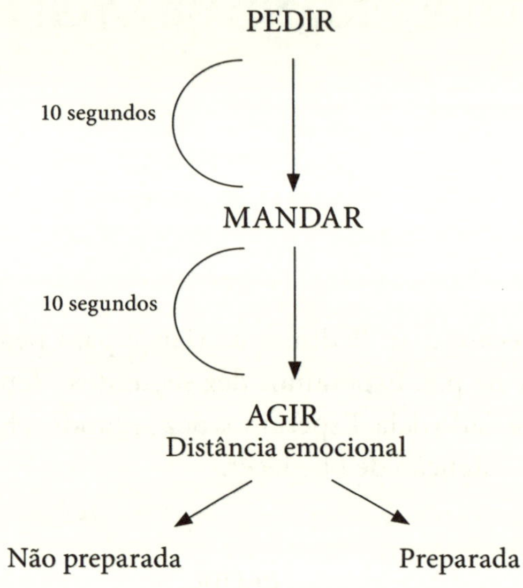

Agora, ela está no quarto dela. Há somente duas opções:

- Preparada – sair do quarto e pegar as xícaras.
- Não preparada – permanecer no quarto.

Ela procura o que fazer. Acha algo para brincar. Está lá há poucos minutos, mas começa a parecer uma eternidade. Pensa por um momento em levar as xícaras, mas desiste, achando que é bobagem. Procura escutar o que se passa lá fora. Por incrível que pareça, tudo parece ir muito bem sem ela. Duas xícaras representam uma tarefa razoável, mas por que ela se importaria? Seu quarto é ótimo. Começa a ficar um pouco demorado demais e ligeiramente enfadonho. O que uma criança deve fazer?

O dilema é dela. Vamos deixar que resolva. Não perturbe.

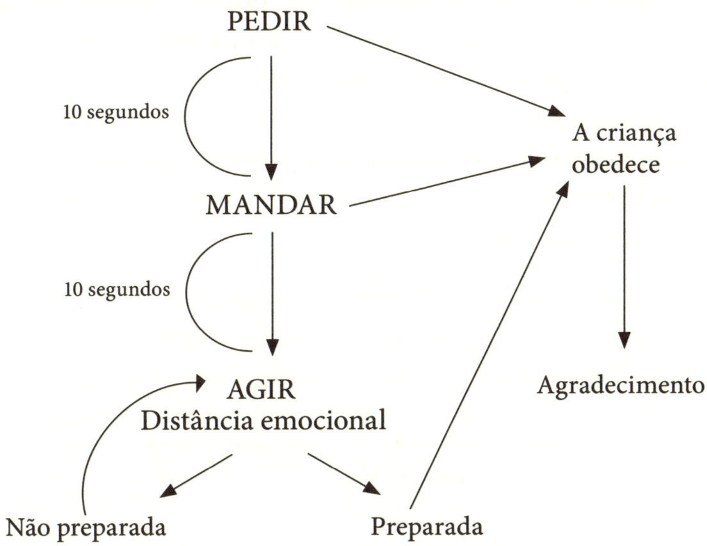

Em algum momento, ela vai estar pronta. Não sei em quanto tempo isso irá acontecer. Essa criança tem de pensar. Não há como adivinhar se ela vai pensar depressa ou devagar. Ignoramos a força de seus princípios. Só sabemos que o pai ou a mãe lhe fez um pedido e ela precisa atender.

Mais cedo ou mais tarde, ela vai sair do quarto... Mas estará disposta a obedecer?

Situação número 1: disposta a obedecer

É provável que criança, ao sair do quarto, pegue as xícaras e coloque na pia. Nesse caso, você dirá tranquilamente:

– Obrigada, fico feliz pela ajuda.

E mais nada.

Você fez um pedido simples. Ela atendeu. Fim da história. O episódio contém muitas lições, sem dúvida, mas a criança aprendeu por si o que precisava aprender. De qualquer forma, você precisará de toda a sua energia para o próximo pedido!

Situação número 2: não preparada

Ela sai do quarto com ar cordato, parece se dirigir na direção das xícaras, mas desvia ligeiramente para a direita, pega qualquer objeto e diz, tentando desviar a atenção:

– Mãe, olhe que interessante. Por que será que foi feito assim?

Mantenha a calma e o foco. Ela parecia pronta, mostrava-se pronta, mas não estava pronta. Diga calmamente:

– Ah, querida, você não está preparada. Vai ser preciso voltar para o seu quarto até que esteja disposta a pegar as xícaras.

Na verdade, só existem duas posições: se preparada, ela obedece; se não preparada, continua no quarto.

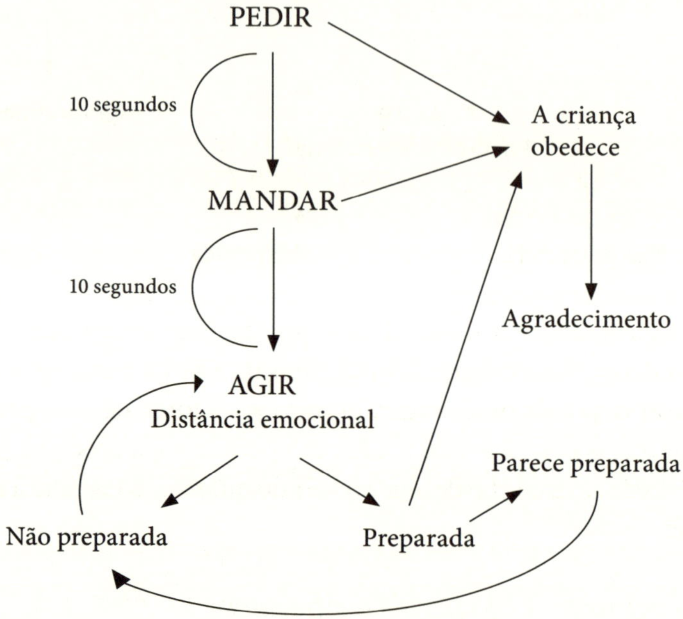

E se ela mudar de ideia?

Parece que nos sentimos fortemente tentados a punir nossos filhos por pensarem em desobedecer ou por não desejarem fazer o que lhes foi pedido. Tudo bem que uma criança não tenha vontade de levar um par de xícaras para a pia. Seus sentimentos são legítimos. Seu comportamento é um outro assunto. Ela precisa obedecer a solicitações simples para o bem do desenvolvimento dela. Precisa de limites em nome de seu bem-estar. Estamos apenas esperando que ela se decida a obedecer, tenha ou não vontade.

Ela pode decidir depois de PEDIRMOS.

Pode decidir depois de MANDARMOS.

Pode decidir depois de passar algum tempo no quarto.

Pode decidir depois de sair para testar se ainda nos lembramos do pedido que fizemos.

Ela não precisa de punição. Precisa que acreditemos que ela saberá tomar a decisão correta e que saibamos esperar. Nossa tarefa é estabelecer limites para comportamentos despropositados e é exatamente o que estamos fazendo.

Assim, se ela mudar de ideia no caminho de volta para o quarto e resmungar, rabugenta, "está bem, eu vou fazer", você vai saber que ela está preparada, e a única resposta cabível é "obrigada". A boa vontade leva um pouco mais de tempo para se desenvolver.

E se ela fizer malfeito?

E se ela levar só uma xícara? E se levar as duas para a mesa, e não para a pia? E se levar as xícaras, mas não os pires? Isso é grosseria – e sabotagem. Volte ao princípio da prontidão.

– Por favor, poderia terminar o trabalho? Ou precisa voltar para o seu quarto até estar pronta?

Por onde começar

Sugiro que comece a qualquer momento em que tenha tempo para acompanhar o cumprimento de três pedidos seguidos – talvez logo de manhã ou em seguida à volta da escola.

Vamos começar pela volta da escola. Provavelmente, a primeira coisa que você quer que a criança faça é carregar a mochila e colocar a lancheira na pia. Ela prefere os serviços de um mordomo. Faça o pedido. PEÇA.

– Gostaria que você levasse a sua mochila e colocasse a lancheira em cima da pia.

Ela anda na sua frente. Você tem as chaves da casa. Na porta, MANDE.

– Gostaria que você levasse a sua mochila e colocasse a lancheira em cima da pia.

Se a criança não estiver preparada para executar essa simples e razoável solicitação, é pouco provável que as coisas melhorem. É aconselhável que se estabeleça, desde já, quem vai ser o chefe nesta tarde: você.

A criança não tem vontade de carregar a mochila e tenta transferir o problema para você. Sempre existe a opção de tomar o problema em suas mãos e começar a explicar, queixar-se, ameaçar, resolver e punir. Acho bem melhor manter o problema nas mãos dela. Você fez um pedido. Ela se dá conta de que deve atender imediatamente. Ela cumpre a tarefa. Ela é competente e tem a segurança dos limites impostos.

Próxima etapa: recomece

Peça à criança a caderneta de anotações e o caderno com as tarefas escolares a serem feitas em casa. Não imagino quanto tempo isso vai demorar ou quanto tempo ela deverá passar no quarto pensando se deve atender ao seu segundo pedido simples; ela vai acabar obedecendo.

De novo...

Quando chega a hora de comer, um terceiro pedido razoável pode ser que a criança lave as mãos antes de ir à mesa. Como você se manteve firme nas duas primeiras solicitações, é provável que seu filho tenha percebido que está lidando com um adulto que vai até o fim. Talvez ele fique um pouco confuso. Afinal, você parece exatamente a mesma mãe do dia anterior. Mas aquela costumava se queixar e gritar e no final acabava desistindo. O que aconteceu, então? Não diga que as coisas serão diferentes daqui para a frente. Não revele o seu plano de batalha. Apenas seja uma pessoa diferente.

Prepare-se para a revolução

Se você pretende iniciar uma revolução e ser a chefe da manhã, vai precisar de alguma preparação e de algum planejamento. Você deve ter notado que a maioria dos generais comanda as revoluções vestindo o uniforme militar completo. Ninguém lidera as tropas usando apenas as roupas de baixo.

Sempre tive curiosidade em saber como as professoras do jardim da infância conseguiam que meus filhos fizessem coisas que não tinham paciência em casa. Cheguei à conclusão de que tudo começava no momento da chegada. A professora recebia as crianças plenamente acordada, perfeitamente vestida e penteada. Era de se esperar que eu não tivesse a mínima chance quando mandava as crianças acordarem às 7h30, ainda de camisola, recém-saída da cama.

Em seguida, entrava no chuveiro. Saía e, ainda encharcada, enrolada em uma toalha pequena demais para o meu corpo, tentava outra vez.

O ataque número 3 geralmente era feito em roupas íntimas, berrando:

Eu perdia o controle e fazia muito barulho. De forma alguma representava, seja pela voz ou pela aparência, alguém cuja autoridade devesse ser respeitada.

Assim, o melhor conselho que posso dar, se você deseja ser a chefe da manhã, é: melhore a aparência; tome banho e se vista antes de dar as primeiras instruções.

O segundo conselho é: se pretende começar o dia desenvolvendo nas suas crianças o respeito e a certeza de que você quer ver os seus pedidos imediatamente atendidos, não estabeleça para si horários impossíveis de cumprir.

Prefira começar em um fim de semana, quando haverá mais inconvenientes para a criança do que para você. Se for um dia de semana, organize-se com antecedência, prevendo a possibilidade de um atraso.

Se estiver preocupada com os seus outros filhos, providencie alguém para cuidar deles nos três primeiros dias. Uma alternativa é estimular uma certa pressão dos irmãos para acelerar os menores.

Deixe a revolução começar

Você já tomou banho. Está vestida e mentalmente preparada. Você vai ao quarto da criança e PEDE, sempre muito gentilmente:

– Por favor, se vista agora.

Ou, se estiver lidando com uma criança muito pequena ou sonolenta demais para se vestir sozinha:

– Fique quietinha enquanto visto você.

Espere dez segundos. Depois, fale com firmeza, em voz clara e tranquila:

– Você precisa se vestir agora.

Espere dez segundos.

Ao perceber que a criança começa a se vestir, diga:

– Obrigada. Assim, a nossa manhã vai ser muito mais agradável.

Se, ao contrário, a criança não tomar iniciativa, diga:

– Quando estiver vestida/pronta para ser vestida, me avise.

Saia e feche a porta. Você acaba de passar o problema para a criança. Vá cuidar dos seus afazeres.

Mais cedo ou mais tarde, a criança vai precisar sair de onde está para ver como vão as coisas sem ela. Se estiver preparada (isto é, vestida), fale assim:

– Que bom ver você pronta!

Ao perceber que a criança sai do quarto sem estar pronta, diga:

– Você não está pronta para sair. Por favor, volte para o seu quarto e só saia quando estiver pronta.

Quando a criança ainda é muito pequena ou está sonolenta demais para se vestir sozinha, tudo o que você precisa é de uma indicação de que ela está preparada para ficar quieta e cooperar passivamente.

O acompanhamento

Digamos que você tenha chegado a este estágio com um excelente desempenho e sinta a forte tentação de tolerar comportamentos inadequados e não colaborativos porque a criança está nervosa ou porque ela custou muito a cumprir uma tarefa simples. No entanto, ao ceder, você se arrisca a anular toda a preparação e todo o trabalho árduo que desenvolveu até o momento.

É importante que as duas solicitações seguintes carreguem a mesma expectativa – atendimento imediato. Certifique-se de que os pedidos sejam simples e razoáveis, como:

- Por favor, guarde a lancheira na mochila.
- Penteie o cabelo (curto).
- Fique quieta enquanto penteio o seu cabelo (comprido).
- Arrume a sua cama, por favor.
- Por favor, ponha o seu pijama na máquina de lavar.
- Por favor, coloque os seus livros de volta na prateleira.

Se as três tarefas ainda estiverem em andamento e os outros já estiverem prontos para entrar no carro, informe calmamente isso à criança e espere. A demora no dia seguinte será muito menor.

Lidando com crianças pequenas

A maior parte das instruções para as crianças pequenas são mais ou menos assim:

- Fique quieta enquanto eu visto você.
- Vamos subir na cadeirinha alta agora.
- Deite quietinha enquanto troco as suas fraldas.
- Deixe o papai escovar os seus dentes.

- Está na hora de tirar a roupa para entrar no banho.

Aplique exatamente os mesmos princípios. Peça, espere dez segundos, chegue perto, mande, espere dez segundos, aja. Pegue a criança no colo e a ponha no berço. Saia. Em geral, basta esperar alguns segundos (antes que ela comece a gritar), entrar devagarzinho e perguntar:

– Está pronta?

Você demonstrou claramente que não pretende perder tempo e, mais frequentemente do que se poderia pensar, a criança vai levantar os braços para ser levada ao colo e fazer tudo o que você pedir.

Lembre de que, ao chegar ao quarto, pode encontrar a criança pronta para obedecer ou não. Prepare-se para agir de acordo. Se ela ainda não estiver pronta, é provável que você tenha voltado cedo demais. Dê-lhe um pouco mais de tempo. Ela vai acabar concordando. Não há necessidade de grandes sermões sobre a obediência. Basta agir com afeto e receptividade. Comentários do tipo "ótimo, assim é muito melhor!" resolvem a maior parte das situações.

E se ela quiser um carinho?

Muitas crianças ficam nervosas ao lidar com o fato de terem que fazer o que não querem. Elas podem muito bem necessitar de um carinho – conhecido também como apoio emocional – antes de executar a tarefa. Pegue seu filho e o abrace em silêncio. Afague e conforte, mas não fale. Depois que tiver o reservatório emocional novamente completo, a criança provavelmente terá capacidade e disposição para obedecer. Caso ainda não esteja preparada, terá de voltar ao berço para pensar mais um pouco.

Pais costumam resistir à ideia de fazer carinho em uma criança que ainda não obedeceu. Sentem como se estivessem gratificando a desobediência, em vez de punir. É por isso que insisto em separar o tempo para pensar do castigo. O tempo para pensar é apenas uma forma de aguardar que a criança esteja pronta para a tarefa que propusemos. Desde que faça um carinho pouco efusivo (sem falar), você estará somente ajudando a criança a lidar com as próprias emoções e a se preparar para obedecer. E você saberá mais pela linguagem corporal do que por suas palavras se ela está ou não pronta.

Crianças maiores

À medida que nossas crianças crescem, o conceito de "tempo para pensar até que a tarefa seja cumprida" deve ser mantido, e é muito mais fácil e melhor para a dignidade delas - e para a nossa - considerá-lo um período em que interrompemos nosso apoio e nossos serviços, em vez de um simples "já para o quarto".

Se você estiver em "fase de treinamento", vai precisar de um certo planejamento estratégico antes de começar. Pense nas situações em que a criança precisará de você em breve e proponha a tarefa sabendo que terá tempo para esperar.

Percorra todas as fases do plano de ação: PEDIR, esperar dez segundos, aproximar-se e MANDAR, esperar dez segundos, AGIR.

Não espere a reação da criança. Você não precisa ficar por perto para testemunhar demonstrações de má vontade ou mau gênio. Tome distância e se ocupe. Se tudo o mais falhar, vá para o banheiro e feche a porta.

Correção dos problemas que podem surgir do tempo para pensar

"Funcionou por um tempo, mas agora não funciona mais"

Em matéria de educação de filhos, mudar de hábitos é o mesmo que enfrentar uma dieta, começar a fazer exercícios ou alterar qualquer outro costume. Enquanto você faz o que precisa ser feito, funciona. Quando você para, não funciona mais. Contudo, sempre nos surpreendemos, porque, tendo feito um árduo esforço por duas semanas, esperávamos que o resultado durasse mais tempo.

Inicialmente, quando usamos o tempo para pensar a cada vez que nossas crianças desobedecem, elas recebem a mensagem de que estamos falando sério e começam a fazer o que lhes foi mandado logo na primeira vez ou depois de alguns minutos de reflexão no quarto. As dificuldades podem surgir mais tarde, no "período de manutenção".

De algum modo, imaginamos que, tendo convencido a criança de estarmos falando sério, ela levará isso em conta para sempre. Infelizmente, nunca vi isso na minha experiência de mãe. É preciso continuar mantendo os limites e ter disposição para recomeçar sempre que as coisas começarem a desandar. Felizmente, tão logo voltamos à antiga estratégia, voltam os bons resultados.

Quando atendo clientes, sempre faço algumas anotações, que eles levam para casa e às quais recorrem em caso de necessidade. Se isso não for o suficiente para tranquilizá-los, peço que me liguem e, em cinco minutos, revemos as notas por telefone. Em geral, os pais precisam apenas desse reforço para se decidirem a repetir a estratégia bem-sucedida do passado. Tudo o que você precisa fazer é ter este livro sempre à mão.

"Minha decisão foi repentina?"

Você suportou um mau comportamento por horas ou semanas e, de repente, no meio de uma frase, decide e grita:

– Já aguentei bastante. Vá para o seu quarto e não saia de lá enquanto não estiver pronta para se comportar.

Seu filho pode ir... ou não. Pode ficar nervoso ou furioso. De todo modo, é improvável que se transforme em criança-modelo naquele exato minuto, só porque você decidiu que já aguentou o bastante.

Decida calmamente que você não vai mais tolerar comportamentos inaceitáveis. Resolva quando vai começar a agir. Responda às três primeiras infrações às regras e/ou insista para que as primeiras três tarefas sejam cumpridas.

Você voltou ao comando. Continue assim.

Um ataque de desespero ou um ataque de controle?

Seu filho já estava terrivelmente perturbado ou zangado quando você lhe pediu para fazer alguma coisa? Nesse caso, o tumulto pode ser completamente desproporcional à tarefa solicitada, e você vai ter de lidar com isso antes de insistir na obediência. Ainda assim, a estratégia continua a ser mandá-lo para o quarto, mas é bom perguntar delicadamente:

– Você parece terrivelmente perturbado/zangado. É só por ter de apanhar três blocos ou existe outro problema?

"Será que ando reclamando demais?"

Vale a pena avaliar se você não esqueceu as recomendações dos dez segundos: PEDIR – esperar dez segundos – entrar no espaço da criança e MANDAR – esperar dez segundos – tempo para pensar.

Se você gastou meia hora explicando, discutindo, ameaçando, prevenindo, reclamando e acabou finalmente gritando, não se surpreenda se o tempo para pensar de nada adiantar. Seu filho terá percebido que ele é quem está no controle.

Afinal, se você pretende basear as suas atitudes na ideia de que a criança não suporta que você se distancie emocionalmente dela, não existe muita lógica em se comportar como uma pessoa de quem ela vai ficar feliz da vida em se afastar.

"Já dei tempo para ela pensar, mas ela não cede"

Vale a pena refletir se você não tem usado o tempo para pensar como uma alternativa para a criança não fazer o que lhe foi pedido. Voltemos ao exemplo das duas xícaras. Como terá sido a experiência da criança? Será que ela esperou, aproveitou para uma leitura agradável na cama, apareceu meia hora depois e descobriu que as xícaras tinham chegado milagrosamente à pia?

Lembre-se de que o tempo para pensar não é um substituto da obediência. É um meio de entender que a próxima etapa da agenda é executar a tarefa. Mais cedo ou mais tarde, isso tem de acontecer.

"Ela não quer sair de lá"

Se tivermos na cabeça um cronograma de obediência – "após três minutos, ela deverá estar pronta para guardar os brinquedos" –, estaremos assumindo uma batalha impossível.

Não tente tirar à força a criança do local onde ela estiver "pensando". O objetivo do tempo para pensar é que ela sinta falta da sua atenção e do seu apoio, de forma que possa chegar à conclusão que ou ela faz o que lhe foi pedido, ou vai passar o resto da vida lá.

"Ela prefere o tempo para pensar a fazer o que lhe foi pedido"

Se encararmos o tempo para pensar como uma punição, estamos pressupondo que nossas crianças preferem executar a tarefa a ficar de castigo. No entanto, o que acontece se elas preferirem passar dois minutos, dez minutos ou meia hora no quarto em vez de levar as xícaras para a pia?

O tempo para pensar não é um castigo pela desobediência; é o local onde a criança espera até decidir obedecer. Quando fazemos um pedido aos nossos filhos, é importante não oferecer alternativas. Eles devem saber que o tempo para pensar não elimina a necessidade de cumprimento da tarefa.

Claro que, se a criança for para um espaço equipado com televisão, computador, estante de livros e coleção de CDs, é bem pouco provável que dedique muito tempo a pensar no seu pedido. Sugiro que encontre um local com menos atrativos.

Onde o tempo para pensar e as tarefas escolares se encontram?

Muitas das batalhas sobre as tarefas escolares ocorrem porque os pais tomam para si a responsabilidade de sua execução, de forma a evitar que os filhos tenham problemas com os professores. Algumas crianças precisam de ajuda e suporte nos deveres de casa depois de um dia cheio, o que as deixa cansadas e irritáveis. Ainda assim, não devemos tolerar comportamentos impróprios.

Se as coisas não estiverem correndo bem, fale com a criança:

– Isso não está funcionando. Vamos interromper e tentar de novo daqui a dez minutos.

Após dez minutos, pergunte se ela está pronta a aceitar ajuda e apoio para fazer o dever de casa. Pela resposta, você saberá se ela está ou não preparada. Caso não esteja, não adianta forçar.

Se o seu apoio não estiver ajudando, você precisa passar o problema para a criança. Prepare-se para escrever e enviar à escola uma nota nos seguintes termos: "O meu filho não foi capaz de se organizar para fazer o dever de casa." Não tolere mau comportamento apenas para que o seu filho faça as tarefas escolares e evite problemas.

E no caso de um comportamento realmente grave?

Com frequência me perguntam o que fazer quando a coisa fica realmente feia. E se os filhos deliberadamente derramarem um copo de leite no chão? Ou se abrirem violentamente a porta, a ponto de a maçaneta fazer um buraco na parede? E se empurrarem alguém, fazendo a pessoa cair e se machucar, precisando levar pontos? E se destruírem a propriedade alheia? Ou se trouxerem para casa os lápis da mesa do professor? Ou se – como aconteceu comigo – você entrar no quarto da sua filha de 4 anos e descobrir que ela fez um corte de 10 centímetros na colcha cuidadosamente feita à mão?

Em momentos como esses, é muito difícil lembrar que o castigo não é uma boa opção. Minha objeção ao castigo, entretanto, é o fato de estarmos tirando a questão das mãos da criança. Precisamos encontrar um jeito de fazer com que o problema seja da criança.

Existe um meio de usar o tempo para pensar como distanciamento emocional em resposta a essas crises? Creio que sim.

A criança derrama de propósito um copo de leite no chão

Muitos livros sobre educação recomendam dar à criança um pano para que limpe o chão. Creio que essa seria uma resposta adequada num acidente – mas para uma atitude deliberada, não. É uma abordagem admirável para pessoas que conseguem manter a calma. E eu não sou uma delas.

Prefiro retirar a criança rapidamente para o quarto dela e dizer:

– Tenho muita coisa para limpar. Você espera aqui enquanto faço isso.

Habitualmente, levo bastante tempo para limpar a confusão toda e para me acalmar. Assim, demonstro claramente a minha posição, deixo o chão limpo e salvo o meu filho de uma mãe muito, muito zangada.

Num ataque de mau humor, a criança abre a porta com força, a ponto de a maçaneta fazer um buraco na parede

Isso não é uma coisa que uma criança possa consertar. O primeiro passo é mandá-la para o quarto, dizendo claramente:

– Estou muito aborrecida. Isso era totalmente desnecessário. Vá para o seu quarto até que eu me acalme e decida o que fazer.

Pense em possíveis maneiras de fazer a criança contribuir para o custo dos reparos ou em algumas tarefas que ela possa assumir, de modo que você tenha mais tempo livre para trabalhar e ganhar mais dinheiro. Se puder comprovar a contribuição da criança de alguma forma, mesmo que absolutamente simbólica, ela aproveitará melhor a experiência.

Enquanto a criança estiver no quarto, avalie se aquele foi um gesto impulsivo ou o reflexo de um comportamento generalizado, que vem fugindo ao controle. Na segunda opção, determine-se a começar a agir toda vez que a criança agredir, bater portas ou atirar objetos.

A criança fez algo que acabou machucando outra pessoa

Ela poderá ser útil, de algum modo, à pessoa machucada? Quem sabe, poderia ajudar em suas tarefas escolares? Ou fazer companhia dentro de casa por algum tempo? No mínimo, a criança deve achar um meio de pedir desculpas, seja oralmente ou por escrito, usando toda a sua sinceridade.

A criança destrói a propriedade alheia

Leve o tempo que for preciso para pensar num plano. Prefira uma combinação de várias formas de pedidos de desculpas, substituição do bem destruído e ressarcimento, por meio da prestação de serviços à pessoa lesada.

Ela traz para casa os lápis do professor

É improvável que o seu filho pegue alguma coisa na mesa do professor sem uma história pregressa de trazer para casa objetos de outras crianças. Existe pouca lógica na punição. Faça um esforço para ficar atenta quando seu filho estiver com alguma coisa que não pertença a ele. Se necessário, verifique a mochila e os bolsos dele todos os dias. Toda vez que houver algo que não seja dele, acompanhe-o e se assegure de que ele devolveu o objeto ao dono na primeira oportunidade. Se ele disser que não sabe a quem pertence, fazê-lo devolver ao adulto responsável pelo território onde o objeto foi encontrado fará bem para a memória.

A chave para interromper esse comportamento é a certeza de manter o problema nas mãos da criança.

"O que você fez quando a Deborah cortou a colcha? "

Precisei de tempo e espaço para não causar nenhum dano sério à minha filha. A colcha era um projeto conjunto, feito carinhosamente, e tinha muita importância para mim. Precisei me acalmar bastante para chegar à conclusão de que Deborah não fazia ideia de que cortar aquela colcha era muito mais grave do que cortar qualquer outro objeto, proibido ou não.

Uma coisa ficou clara para mim: Deborah e tesouras não podiam ficar no mesmo local sem supervisão. Enquanto isso, algumas canetas hidrográficas precisavam ser adicionadas à equação. Então, por um mês, todo o equipamento para trabalhos manuais ficaria disponível para uso, sob supervisão, somente na mesa da cozinha. Remendei a colcha da melhor maneira que pude.

Mais histórias caseiras sobre o tempo para pensar

"O tempo para pensar é muito revigorante!"

Se você tem uma criança voluntariosa, seja flexível. Quando Deborah tinha mais ou menos 5 anos, adorava atividades com papéis, tesouras e cola. Certa vez, era hora do jantar, e eu precisava de acesso rápido à mesa.

– Deb, querida! Você poderia, por favor, colocar seu material na caixa para que eu possa arrumar a mesa?

– Ah, mamãe, estou tão cansada...

Eu sabia perfeitamente que ela estava cansada e que, se a mandasse para o quarto, iria feliz e satisfeita para sua cama.

– Venha comigo, queridinha – eu disse, desarmando-a com meu tom tranquilo.

Delicadamente, levei-a para um pequeno espaço que temos em frente ao box do chuveiro.

– Fique sentada aqui até resolver.

Não se passaram cinco minutos. Deborah apareceu e disse, disfarçando:

– Mamãe, você não faz ideia de como aquele chuveiro melhorou meu ânimo. Estou pronta para guardar tudo agora.

Vamos fazer de novo

Uma tarde, Deborah veio para casa no carro de outra pessoa. Abri a porta pronta para ser a mais calorosa e receptiva mãe do mundo.

– Olá, querida. Como foi o seu dia?

Ela me empurrou para o lado, marchou até a TV, ligou-a e ficou olhando. Estava bem claro que a tarde só poderia ir ladeira abaixo dali por diante.

– Venha comigo, querida – eu disse, levando-a de volta para a porta da frente. – Vamos começar de novo quando estiver preparada para bater na porta e dizer "Olá, mamãe. Posso entrar?"

Passaram-se uns dez minutos, tempo em que ela montou num galho de árvore e numa cerca, mas depois ouvi uma batidinha na porta, e uma criança adorável entrou em casa.

Os adolescentes e o tempo para pensar

De vez em quando, Tanya perdia a paciência com a família e anunciava, um tanto dramaticamente, que não voltaria para casa por um tempo. Como tínhamos algumas regras de segurança bem estabelecidas, ela sempre me comunicava imediatamente antes de correr porta afora para o ônibus escolar:

– Eu aviso onde vou estar.

Às vezes, antes de dormir, recebíamos um telefonema dizendo "estou na casa da Nathalie".

Minha resposta era sempre a mesma:

– Obrigada por me avisar. Vamos esperar até que esteja pronta para voltar.

A resposta, igualmente previsível, vinha na forma de um grunhido ameaçador:

– Vai demorar.

No dia seguinte, durante o horário de aula, eu telefonava para a mãe de Nathalie e agradecia por estar recebendo Tanya. Geralmente, as crianças arrumam lindas e coerentes desculpas umas para as outras, e elas contaram para a mãe de Nathalie que precisavam trabalhar em um projeto.

Eu esperava. Tanya me telefonava toda noite para explicar que ainda não estava pronta para nos aguentar. Lamentando apenas o bastante para que ela soubesse que sentíamos sua falta, mas sem pressionar muito para não estimular a revolta, eu lhe dizia que podíamos esperar até que estivesse pronta. Normalmente, levava uns três dias.

Quando os adolescentes erram

Fazia quinze dias que Robert recebera a carteira de motorista quando foi multado por dirigir acima da velocidade permitida e, em uma manobra brusca, estragou o para-choque do carro. Quatrocentos dólares de prejuízo. O que os pais podem fazer? Como não gritar, não punir, não socorrer e não assumir o prejuízo?

Pagamos as despesas e organizamos um esquema. Ele continuou responsável pela dívida. Toda vez que recebia dinheiro – estava fazendo trabalhos durante as férias, e os avós lhe davam dinheiro de presente –, ele nos entregava metade e, juntos, anotávamos tudo em uma caderneta.

Robert fez a parte dele. Sempre que ganhava algum dinheiro, nos dava a metade e ia comigo anotar a quantia. Quando tinha quase 20 anos, ele nos disse que aquela fora uma das melhores lições que lhe havíamos proporcionado. Eu desejaria tão somente que educar não fosse tão difícil.

17
As regras da casa

Primeiro, pedimos; depois, mandamos; então, deixamos o problema com a criança até que a tarefa seja cumprida.

Agora vamos ver como interromper aqueles comportamentos que nossos filhos sabem ser inaceitáveis. Aqueles da classe dos socos, mordidas, cusparadas, empurrões, xingamentos, puxões, sacudidelas, arranhões, apertos, beliscões, etc.

Vá direto à AÇÃO

Conforme o comportamento, podemos pular a etapa PEDIR:

- Por que você bateu no seu irmãozinho?
- Pare de bater no seu irmãozinho, por favor.
- Não xingue a sua irmãzinha.
- Por favor, devolva o brinquedo para ela. Ela só quer brincar um pouquinho.
- Não atire o seu prato de comida longe, por favor.

Não há necessidade de pedir que interrompam esses comportamentos. Eles representam uma transgressão às regras da casa, explícitas ou implícitas. Pense neles como atitudes inúteis, que não contribuem para o bem-estar de quem quer que seja, pois não acrescentam uma aprendizagem positiva. São coisas que não devem acontecer. Portanto, não há o que discutir.

Podemos pular também a etapa MANDAR:

- Quantas vezes eu já lhe disse para não bater no seu irmãozinho?
- Você tem que parar agora de bater no seu irmãozinho!
- Você sabe que aqui em casa não se fala assim.
- Já disse para devolver. Não foi nada bonito arrancar o brinquedo da mão dela.
- Olhe só a bagunça que eu vou ter de arrumar.

Basta AGIR.

Quando perceber um comportamento que tanto você quanto a criança sabem ser intolerável, deixe isso bem claro. É preciso providenciar uma saída rápida até que a criança esteja pronta para se comportar de acordo com as regras da família.

"Acho que devo explicar"

Temos sempre a impressão de que, com a explicação certa, nossos filhos compreenderão a gravidade de seus atos e as consequências para eles mesmos, os pais ou outras pessoas.

Imagine uma situação que se repete. Você provavelmente já reclamou, explicou e castigou várias vezes. Mas o comportamento persiste.

Com frequência, os pais me perguntam se devem fazer uma reunião familiar para explicar novas regras ou afixá-las em um quadro, de modo que todos tomem conhecimento. Não acho boa ideia. Os filhos sabem quais são os comportamentos inaceitáveis. Talvez o que não saibam ou não tenham maturidade para entender é que a proibição de tais atitudes está ligada à vida em família e que você pretende ajudá-los a aprender como se controlar diante de aborrecimentos e como lidar de uma forma amigável com todo tipo de gente.

Eles se comportaram mal e sabem disso. Vamos estabelecer limites para o que podem fazer, deixando claro o que será aceito ou tolerado. Regras são regras.

A criança sabe que está errada

Digamos que eu pergunte a um menino de 18 meses:

– Você pode bater no seu irmãozinho?

Imagino que ele fique um tanto sem graça e faça não com a cabeça.

Então, só por diversão, pergunto:

– Você às vezes bate no seu irmãozinho?

Ele se anima consideravelmente e, com um meio sorriso, faz que sim com a cabeça.

Com isso podemos concluir que ele sabe muito bem o que é aceitável e o que não é. Está apenas fazendo o contrário.

Agora digamos que eu pergunte a um rapaz de 18 anos:

– Você pode chamar a sua mãe de idiota?

Imagino que ele fique um tanto sem graça e faça não com a cabeça.

Então, curiosa, pergunto:

– Você às vezes chama a sua mãe de idiota?

Ele fica ainda mais sem graça e resmunga:

– É, acho que sim.

De mesma forma que o bebê, o rapaz sabe exatamente o que é aceitável e o que não é. Está apenas fazendo o contrário. Portanto, nem sempre funciona explicar o que os filhos estão fazendo de errado.

Manter a coerência é tarefa árdua

Para que uma regra seja uma regra, deve existir coerência. É a coerência que compõe as regras.

No entanto, sei que a forma como reajo diante de alguns respingos de leite encontrados de manhã no chão da cozinha, depois de uma boa noite de sono, é diferente da forma como reajo a algumas gotas de licor de laranja derramadas no tapete branco da casa da vovó no fim da tarde de um dia infernal. Como seria possível, então, ter reações coerentes?

A má notícia é que, se formos tentar nos livrar de um comportamento inadequado de nossos filhos, precisamos deixar claro para nós que precisamos reagir da mesma maneira todas as vezes que o comportamento ocorrer. A boa notícia é que, se reagirmos com presteza e segurança, empregando, ao mesmo tempo, o distanciamento emocional sempre que ocorrer determinado comportamento, ele tende a desaparecer. Agindo assim, há fortes possibilidades de que lá pela décima vez em que tentamos ser coerentes o comportamento tenha sido interrompido.

Não avise, não explique: AJA

Digamos que o seu menino de 18 meses esteja batendo no irmão mais novo, um bebezinho, ou no irmão mais velho, de 4 anos. Não precisa explicar. Não há necessidade de explicar. Ele sabe que aquela não é uma atitude aceitável.

A abordagem mais poderosa

A abordagem mais poderosa é pegar a criança e levá-la, ou mandar que vá (dependendo da idade), para o lugar previamente combinado para pensar, sem dizer palavra alguma. Deixe-a lá e saia.

Depois de alguns minutos, ela vai estar de volta, pronta para se reunir à família, com um comportamento adequado. E, se você agir sempre assim, o comportamento logo vai desaparecer.

Regra infringida

↓

Tempo para pensar

Se você conseguir fazer isso, é o que eu recomendo. No entanto, sinto-me obrigada a oferecer outra alternativa, já que eu não conseguiria ser impassível assim.

A segunda abordagem mais poderosa

A segunda melhor abordagem é pegar a criança, levá-la, ou mandar que vá, para o lugar combinado para pensar e ir dizendo pelo caminho:

– Você sabe que não pode bater/morder/cuspir/agarrar, etc.

Ao chegar à porta, diga (uma vez apenas!):

- Saia quando souber se comportar.
- Saia quando se dispuser a pedir desculpas.
- Daqui a pouco, eu venho para ver se você já pode voltar.
- Quando achar que pode sair, me chame.

Se a criança vier e pedir desculpas ou tiver uma atitude "civilizada", nada mais há a ser dito.

Mas é possível que a criança volte disposta a criar mais confusão. De qualquer modo, significa que não está pronta e que precisa de mais tempo para pensar nos comportamentos que fazem dela um membro da família e nos que a levam a colocá-la em "exílio".

Diga calmamente:

– Ah, meu bem, você ainda não está pronta.

E leve-a de volta.

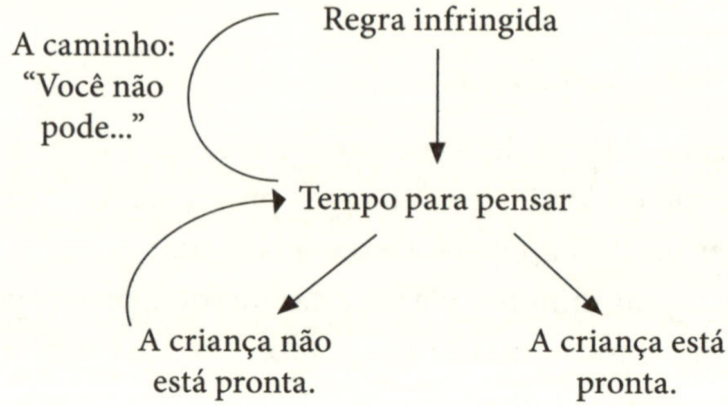

Por quanto tempo a criança deve ficar "pensando"?

Minha resposta-padrão é: "até estar pronta". No entanto, como regra geral, um bom período para você verificar se a criança está pronta para voltar ao convívio da família é: um minuto para cada ano de idade.

Se encontrar a criança brincando ou sentada muito satisfeita, é sinal de que ela precisava mesmo de espaço. Caso seja agressiva, é sinal de que não está pronta. Volte mais tarde.

Se perceber que a criança precisa de um carinho, faça isso e avalie se é ou não hora de voltar para junto da família.

"Meu filho já passou da idade e é muito hostil"

Talvez tenha sido uma surpresa para você quando juntei no mesmo parágrafo uma criança de 18 meses e um jovem de 18 anos. Não foi erro de impressão. Seja aos 18 meses ou aos 18 anos, não é aceitável infringir as regras da casa.

Então, vamos voltar ao jovem que chamou a mãe de idiota. Sei que existem crianças que crescem em lares civilizados, cercadas de amor e carinho, e empregam termos muito piores. A expressão poderia ser ainda mais grave, mas é suficientemente desrespeitosa para servir como exemplo.

A resposta é a mesma: tempo para pensar – longe dos seus serviços, do seu atendimento, do seu apoio – até que esteja pronto para se comportar como uma pessoa civilizada. Mantenha a cordialidade com todas as outras pessoas, mas não se envolva com ele até que demonstre respeito.

O que você fez foi colocar o problema nas mãos dele. O seu filho foi rude e destruiu a sua boa vontade em relação a ele. Além disso, perdeu o seu apoio e os seus serviços. Os filhos, em geral - sejam de que idades forem –, precisam das mães com frequência.

Eles devem pedir desculpas?

Podemos dizer à criança (ou ao jovem) que vá para o quarto e fique lá até resolver pedir desculpas. Ou, se preferirmos, que avise quando estiver disposto a pedir desculpas.

Essa é uma estratégia bastante eficaz em muitos casos. Os filhos pensam - depressa ou devagar - e voltam com um sincero "desculpe, mamãe". Se der certo, ótimo. Você terá deixado o problema com eles, que terão assumido a responsabilidade e encontrado a solução.

Outros jovens e crianças, porém, vão voltar e despejar um simples "desculpe", sem um pingo de sinceridade. Sugiro que você se afaste e diga:

– Isso não é pedido de desculpas. Quando estiver realmente disposto a pedir desculpas, me avise.

Existe uma terceira categoria de criança - ou jovem - que tem uma enorme dificuldade em pedir desculpas, pois raramente se convence de haver feito algo errado e sempre aponta outra pessoa como causadora de seu comportamento ou atitude. No caso de incidentes fora da família, você vai precisar insistir até obter um pedido de desculpas. Entre os membros da família, porém, talvez seja virtualmente impossível conseguir dessa criança um pedido sincero de desculpas.

Mas existem maneiras de perceber que ela mudou de ideia e está pronta para voltar ao convívio dos outros. O jeito dela é ir chegando devagar, tentando se integrar novamente. Pode ser que diga ou faça algo proveitoso. Esse é seu modo de se desculpar ou de mostrar que está pronta. Sugiro que você aceite esse comportamento, sem insistir em grandes atos.

Crianças que mordem

Não queira saber por que as crianças mordem. Eu nunca consegui encontrar uma explicação aceitável. Já ouvi muitas, mas me parecem mais desculpas do que explicações:

- Os dentes estão nascendo.
- É sinal de contrariedade.
- Levou uma mordida há dois anos, quando estava no jardim de infância, e, de lá para cá, passou a morder.

Em casa, minha solução preferida (que, infelizmente, nunca surtiu nenhum efeito) para o problema era entregar ao meu filho, então por volta dos 2 anos de idade, uma cebola, dizendo:

– Pegue. Se você está com vontade de morder, morda aqui.

Sempre disposto a enfrentar um desafio, o pequeno agarrava a cebola, cravava os dentes nela, mastigava ruidosamente e anunciava:

– Hummm... Gostei!

Tivemos que traçar um plano: toda vez que ele mordia, rangia os dentes ou ameaçava morder, era tirado rapidamente de cena. Em casa, ia para o quarto. Na creche, as professoras foram instruídas a agir da mesma maneira. Bastava um ranger de dentes e elas o levavam para um local onde não houvesse crianças, dizendo:

– Vamos voltar para junto dos colegas assim que você tiver desistido de morder.

A professora, então, ficava por perto, mas sem se envolver. Em outras palavras: assumia a responsabilidade, mas não apoiava. Tempo para pensar. As mordidas cessaram.

Uma resposta pronta e efetiva

Sempre que o tema da conversa são as mordidas, alguém conta uma história semelhante: a criança mordeu, a mãe mordeu de volta e o comportamento nunca mais se repetiu.

Acredito que a resposta da mãe tenha sido tão rápida – tão definitiva e segura – que a criança entendeu imediatamente a mensagem de que seu comportamento não seria tolerado naquela família e desistiu. Mas, embora tenha funcionado para alguns pais como resposta instantânea, é uma estratégia que não recomendo como resposta planejada.

Quando os pais têm em mente, de maneira muito clara, que determinado comportamento é inteiramente inaceitável e respondem com rapidez e segurança, a criança em geral decide jamais repeti-lo.

Em nossa família, tivemos dois exemplos.

Primeiro exemplo

Eram 18h30. Começava a escurecer e parecia que ia chover. Rob tinha cerca de 8 anos e acabara de jantar.

Não me lembro do que fiz para aborrecê-lo. Só sei que ele se virou para mim e me chamou de "vagabunda".

Fiquei furiosa e ofendidíssima. Levei-o até a porta da frente e disse em alto e bom som:

– Não sei o que vou fazer com você. Nunca mais fale assim comigo. Melhor você ficar aí fora.

E entrei em casa, batendo a porta.

Cerca de quinze minutos mais tarde, eu havia me acalmado o suficiente para lembrar que era uma noite de inverno e, se meu filho pegasse uma pneumonia, seria pior para mim do que para ele. Então, joguei lá fora uma jaqueta impermeável com capuz, para que vestisse.

Passados mais quinze minutos, Vernon chegou em casa, viu Rob do lado de fora e teve a sensibilidade de pressentir o perigo. Vernon sugeriu:

– O que acha de permitirmos que ele saia do frio e fique no quarto, pelo menos?

– Se você quer... – concordei de má vontade.

Mal Vernon abriu um pouco a porta, o garoto magrelo de 8 anos passou correndo para o quarto. Naquela noite, não voltamos a ver Rob. Na manhã seguinte, retomamos a vida normal e meu filho nunca mais me xingou.

Segundo exemplo

Certa vez, quando Deborah tinha cerca de 18 meses, fomos à casa dos meus pais. Novamente, não tenho ideia do que fiz para aborrecê-la, só sei que Deborah me deu um soco. Fiquei indignada.

Peguei Deborah, levei-a para a lavanderia e a deixei lá, enquanto gritava:

– Nunca, nunca mais bata na mamãe!

Quando voltei à lavanderia, Deborah continuava no mesmo lugar, como que petrificada. Peguei-a e a levei para junto da família. Ela nunca mais me bateu.

Esses foram dois exemplos de respostas rápidas, seguras e originais que deram certo. Acredito que seu poder esteja no fato de não terem sido planejadas. Foram forjadas pela minha indignação de mãe e pela surpresa da situação.

Bater: de jeito nenhum

Uma criança não pode bater em outra. Não há razão para que isso aconteça. Consigo imaginar um monte de desculpas para uma criança ter vontade de bater em outra, mas não consigo encontrar uma só justificativa para que distribua sopapos como um meio de resolver disputas ou expressar descontentamento.

Quem tem esse princípio em mente com toda a clareza consegue agir de acordo. Os outros, porém, encontram desculpas como estas:

- Quando ele era bebê, ela vivia tomando os brinquedos dele. É justo que ele queira ir à forra.
- Garotos são garotos. O que você espera de um ambiente só de garotos? É a testosterona!
- Ela tem de aprender que não pode ter tudo.
- Não quero saber quem vai ficar com o controle remoto. Resolvam a questão entre vocês e, pelo amor de Deus, calem a boca!

Em todos esses exemplos, as responsabilidades de pai e mãe são inadvertidamente anuladas e transferidas para os filhos. Assim, permite-se que uma criança agrida a outra com a desculpa de corrigir um mau comportamento.

Quando ele era bebê, ela vivia tomando os brinquedos dele...

Não cabe ao pequeno crescer para disciplinar o maior. Cabe aos pais ensinar o filho a não tirar o brinquedo de um bebê.

Garotos são garotos...

Sim, garotos são garotos. Sim, a testosterona é um hormônio que promove características masculinas. Sim, crianças precisam de atividades que aproveitem e gastem sua energia. Sim, garotos gostam de rolar pelo chão e lutar entre si. Mas não é essencial nem aceitável, para ninguém de qualquer sexo, bater em alguém para se divertir, liberar energia ou expressar sentimentos.

Ela tem de aprender que não pode ter tudo

É verdade, mas não cabe ao irmão ensinar isso. É tarefa de pai e mãe oferecer apoio ao filho para lidar com as frustrações da vida.

Não quero saber quem vai ficar com o controle remoto...

Um controle remoto, quatro crianças. Os pais devem ensinar a criar sistemas de rodízio e de compartilhamento. O uso da força não é um sistema apropriado.

Portanto, se você tem filhos que costumam bater, não procure a razão. Concentre-se no comportamento indesejável. Deixe claro que tal comportamento não será aceito na família. Todas as vezes que ele bater em alguém, mande-o para o quarto. Convide-o a voltar quando estiver disposto a não bater mais.

As mesmas decisões e técnicas funcionam com arranhões, cuspidas, beliscões e qualquer outro comportamento que você considere inaceitável na família.

"Deixe o bebê em paz"

Com a intenção de não despertar ciúme na criança mais velha, às vezes toleramos comportamentos indelicados, quando não francamente cruéis, em relação aos bebês. No entanto, um dos fatores que, com certeza, mais contribuem para que os irmãos mais velhos desconfiem de que existe algo de ameaçador na presença do mais novo é nossa tendência a tolerar comportamentos antes considerados intoleráveis.

Se eu fizesse perguntas como:

- É aconselhável permitir que se coloque um grande caminhão de brinquedo feito de metal dentro do berço do bebê – com o bebê lá dentro?
- É aconselhável permitir que as crianças brinquem de pegador em volta do berço onde o bebê está adormecido?
- É aconselhável permitir que uma criança de 5 anos acorde o bebê só porque teve vontade de fazer isso?

- É aconselhável permitir que se balance com força o bebê acomodado em sua cadeirinha só porque ele está lá?
- É aconselhável permitir que alguém coloque o rosto bem perto do bebê e dê um susto nele?

Imagino que a sua resposta a todas essas perguntas seja: "Claro que não!" No entanto, costumamos tolerar esses comportamentos porque não queremos que a criança desenvolva "sentimentos negativos" em relação ao bebê.

A verdade é que, se um irmão for cruel com o outro, é sinal de que aí não se está desenvolvendo um bom relacionamento. Um bebê tem o direito de ficar em seu berço sem ter um monte de brinquedinhos atirados sobre ele, ainda que leves. Não vamos tomar isso por um carinho.

Considero razoável estabelecer a regra de que ninguém (da classe dos pequeninos) entre no quarto do bebê sem antes perguntar a você se pode. Se você tiver tanta clareza em relação às regras relativas ao bebê como tem em relação às outras regras da casa, estará fortalecendo na criança a certeza do seu amor por ela.

Vamos voltar à ideia da entrevista imaginária. "Você pode balançar o berço do bebê enquanto ele estiver dormindo?" Qual seria a resposta? A criança sabe ser esse um comportamento inaceitável. Ela conhece as regras. Cabe a você reforçá-las em todas as oportunidades. Qualquer tentativa de infringir as regras da casa deve ser tratada com "tempo para pensar".

"Ele sempre faz brincadeiras barulhentas quando estou amamentando o bebê"

Antes de começar a amamentar, crie uma situação em que a criança mais velha possa estar perto de você, indo e vindo, brincando calmamente. Se ela se comportar mal enquanto você estiver amamentando o bebê, deve ser mandada imediatamente ao local combinado "para pensar".

Prometa-se manter a firmeza por três mamadas, por mais transtorno que isso cause. Todas as vezes que a criança se comportar mal, reaja. Leve-a ao local combinado para pensar e volte para completar a amamentação. Sei que isso pode retardar ou mesmo interromper a mamada, mas no longo prazo será um ganho para o bem-estar de todos.

O seu bebê terá pela frente uma vida muito mais segura se tiver um irmão que saiba respeitar limites. E o mais velho também terá uma vida melhor adotando um comportamento socialmente adequado e sabendo que as regras da família servem de proteção para todos. Além disso, você vai aproveitar muito mais o momento da amamentação (sabendo que a casa não será destruída) e a companhia do filho mais velho, que por sua vez saberá se comportar de modo civilizado.

Ver, querer, ter

O seu bebê está sentado quietinho, absorto, virando para um lado e para o outro um brinquedo entre as mãos. A paz reina. O irmão mais velho passa, arranca-lhe o brinquedo das mãos e sai correndo. Você reclama, diz que isso não se faz, que ele devolva o brinquedo ao pequenino. O mais velho entrega ao menor outro brinquedo. O menor resmunga um pouco, mas você lhe faz um carinho e ele se acalma. A paz reina. Até a próxima vez.

A questão é: tem importância? Acho que sim. O pequeno tem o direito de brincar com o brinquedo que escolheu. O irmão mais velho deve ser capaz de ver algo que está com o mais novo e cobiçar, mas resistir à tentação de tomar dele. Esse é um importante comportamento a ser adquirido. Não é bom uma criança crescer pensando: "Eu vejo, eu quero, outra pessoa tem, eu tomo." Não importa se o pequeno reclama ou não.

Palavras ríspidas também machucam

Às vezes, as crianças não se agridem, mas empregam entre si palavras horríveis. Muitas vezes, logo depois de dizer tais palavras, elas emendam com um "brincadeirinha", como se a grosseria não fosse para valer.

O ambiente doméstico vai ser muito mais pacífico se lá conviverem crianças que não agridam deliberadamente umas às outras; que saibam conter igualmente a língua e os punhos. Acredito que a maldade deliberada deva ser rotulada quando acontecer – "Que maldade!" – e o agressor deva ser afastado, até estar disposto a agir com delicadeza.

Arremesso é um esporte que se pratica ao ar livre

Existe um jogo maravilhoso que toda criança sentada em uma cadeirinha alta logo aprende: "Eu deixo cair alguma coisa, mamãe reclama, mas a pega. Eu deixo cair mais coisas, ela reclama mais e as pega." À medida que a criança cresce, o jogo evolui para comida, bebida, pratos e copos. E fica ainda mais divertido se a comida estiver no prato. Depois de dominar a arte de deixar cair, a criança talentosa pode passar ao arremesso.

Seria muito confuso estabelecer regras diversas para objetos diferentes, como: bolas macias podem ser atiradas na parede, nos pontos onde não há quadros pendurados; bolas de plástico, não. Complicado demais. Adote a regra "proibido jogar bola dentro de casa". Quem infringir a regra vai para o quarto até passar a vontade.

O perigo dos animais de estimação

Fico preocupada quando pais me dizem que ficaram satisfeitos ao verem seus animais de estimação perderem a paciência com as crianças.

– Ele tanto implicou com o gato que o bicho se encheu e o arranhou. Ele chorou um bocado, mas eu não tive pena. Ele teve o que mereceu.

O que há de errado na cena? Em primeiro lugar, a mãe (ou pai) está deixando a educação do filho a cargo do gato.

Em segundo lugar, a mãe claramente permitiu que a criança atormentasse o gato por um bom tempo. Não é bom deixar que as crianças sejam cruéis com os animais – e também não é bom para o gato, suponho.

Em terceiro lugar, por mais que o animal demonstre inteligência e autocontrole, seria demais esperar que um felino ou canino soubesse decidir a intensidade apropriada da mordida ou do arranhão.

Acho que devemos ensinar as crianças a não mexer com os animais quando eles estiverem dormindo ou comendo, a não implicar com eles nem carregá-los no colo como se fossem de pelúcia e a ser sempre delicadas e bondosas.

Assim como acontece quando brincam com os irmãos menores, creio que as crianças sabem quando ultrapassam a linha que separa a bondade da maldade. Talvez falte apenas autodisciplina. E nisso podemos ajudar.

Use o tempo para pensar, deixando a criança voltar apenas quando estiver disposta a deixar o bichinho em paz ou a tratá-lo com delicadeza. Repita o procedimento tantas vezes quantas forem necessárias, seja dali a dois minutos ou dois dias.

"Palavrões: basta ignorar?"

Pelos livros que li, fui levada a acreditar que, se não fizermos um drama nem chamarmos a atenção para os xingamentos, a fase passa. Parece muito bonito na teoria, mas na minha casa não funcionou.

Segundo a minha experiência, é preciso estabelecer regras. Nada de obscenidades. E se acontecer... tempo para pensar. Claro que o obsceno de ontem pode ser apenas o adjetivo de amanhã. Certos anúncios da televisão deixam os pais em situação difícil!

Atualmente, os pais devem focar mais a intenção da palavra do que o uso.

Lembro de uma ocasião, quando Deborah recém começara a frequentar a escola. Era um jantar formal de família, ao qual comparecemos nós cinco – Rob, com 18 anos, e Tanya, com 16 – e os quatro avós.

A conversa ia bem, quando Deborah inocentemente perguntou:

– Mamãe, o que é filho da puta?

Assustada, perguntei:

– O que você disse?

Acontece que Deborah tinha ouvido aquelas palavras no playground e queria saber o que significavam. Disse que conversaríamos mais tarde e foi o que fiz. Expliquei brevemente que a expressão era rude e o que queria dizer. Sempre adotei a prática de informar aos meus filhos o significado dos palavrões antes que confiassem na interpretação dos colegas.

Quando o palavrão é semiacidental e não é direcionado, minha tendência é reclamar e aceitar um pedido de desculpas, na esperança de que haja um longo intervalo até o próximo episódio.

Quando os xingamentos são dirigidos a qualquer um, adulto ou criança, isso significa que uma regra da casa foi infringida, e a resposta adequada é o tempo para pensar, no caso de crianças menores. No caso de crianças mais velhas, prefiro as versões "isso é inaceitável, saia daqui" ou "Você sabe que não gosto que fale assim. Avise-me quando quiser pedir desculpas", seguida de distanciamento. Para seu alívio, saiba que as crianças são capazes de aprender e desaprender o emprego de palavras.

Algum receio?

"Mas ele vai passar o tempo todo pensando?"

Quando se trata de alterar comportamentos, nosso maior medo é que, se dermos atenção a todos eles, a criança não saia mais do quarto.

Quero tranquilizar você. Não há necessidade de "tratar" todos os comportamentos, um a um. O importante é que você, como mãe (ou pai), assuma a responsabilidade por estabelecer limites para os comportamentos dos filhos. Deixe claro que não vai tolerar atitudes inaceitáveis e deixe o problema com eles.

Ao se comportarem de acordo com os valores e regras da família, as crianças se habilitam a todo o apoio e a todos os benefícios oferecidos por ela. Se preferirem não preservar os valores e regras, terão de se arranjar sem o apoio e os benefícios da família. As crianças podem mudar de ideia pronta ou lentamente. Quanto mais cedo mudarem, mais cedo terão acesso a tudo o que pais amorosos representam.

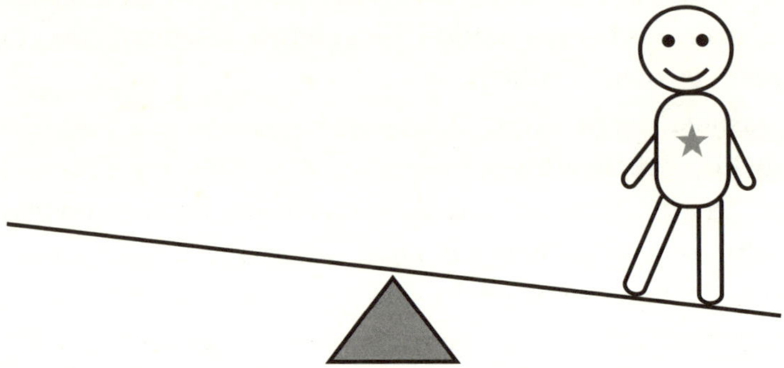

Assim que você deixar bem claro que comportamentos básicos, como atender ao que é pedido e não bater estão sendo monitorados e acompanhados, vai se surpreender ao perceber como os outros comportamentos também se tornam adequados.

Talvez você tenha brincado de gangorra quando criança. É mais ou menos a mesma coisa. O difícil é fazer subir um dos lados da gangorra. Encontrado o ponto de equilíbrio, porém, tudo fica mais fácil.

A maioria dos pais me conta que, assim que os filhos se convencem de haver um acompanhamento constante, adotam comportamentos adequados em todas as situações.

"Mas ele não vai se sentir terrivelmente infeliz?"

Eu pensava que, se fosse "malvada" com meus filhos, eles se sentiriam infelizes e que, se desse tudo o que quisessem e nada cobrasse, ficariam felizes. Mas parece não ser bem assim.

Surpreendentemente, quando pais me procuram se queixando do mau comportamento dos filhos, sua maior preocupação é com a infelicidade deles. Apesar de terem tudo, são crianças desinteressadas, insatisfeitas e tristonhas.

Como pais, precisamos entender que nossos filhos estão em melhor situação do que a maioria das crianças do mundo. Definitivamente, vivem no paraíso. Mas talvez estejam sofrendo. Crianças que vivem sem limites adequados são infelizes. Crianças que podem se comportar mal à vontade costumam ser infelizes. Crianças que não contribuem para o bem-estar da família costumam ser infelizes.

Não me canso de admirar o que os pais me contam ao voltar à consulta quinze dias depois de estabelecermos mudanças em suas atitudes. Depois de conversarmos sobre a melhora no comportamento dos filhos, eles quase sempre param e, ainda com ar surpreso, dizem mais ou menos assim:

– Não entendo, mas, desde que passamos a exigir mais do comportamento do meu filho, ele parece mais feliz. E está mais afetuoso também.

Limites claramente estabelecidos contribuem para fazer as crianças serem mais felizes.

"Mas eu não quero destruir o espírito dele"

Nem eu. A última coisa que queremos é criar um pequeno robô que obedeça automaticamente, sem questionar nem sentir. Queremos crianças curiosas e divertidas, que observem e comentem. Queremos que elas raciocinem, em vez de obedecerem por medo.

Tudo isso é verdade. Queremos crianças que analisem as questões, que discutam, que saibam distinguir o certo do errado, que façam grandes planos, que sonhem e corram atrás de seus sonhos.

Só não precisamos ver sua capacidade de argumentar exercida para discutir se devem ou não recolher as meias espalhadas pelo chão ou deixar de bater na irmãzinha.

18

AJUDANDO A CRIANÇA A ESCOLHER E PLANEJAR

Os capítulos anteriores foram dedicados a levar crianças indisciplinadas a obedecer às regras estabelecidas pela família e a aceitar a disciplina que lhes for imposta (cumprir o que lhes dizem). São etapas essenciais ao desenvolvimento a serem cumpridas durante os três primeiros anos de vida, mas que serão reaplicadas nos dezessete anos seguintes, certamente.

No entanto, não é bom que o jovem siga apenas obedecendo até o dia em que sair de casa. Se interrompermos seu desenvolvimento nesse estágio, se insistirmos em que faça o que mandamos sem questionar nossas ideias e nosso modo de agir, estaremos criando indivíduos incapazes de pensar por si. Assim, ao chegar à adolescência, tomarão um destes dois caminhos: submissão ou rebeldia. Nenhum dos dois leva ao desenvolvimento da autodisciplina. Submissão envolve seguir sem questionar as ideias alheias. Rebeldia envolve contrariar sem considerar as ideias alheias.

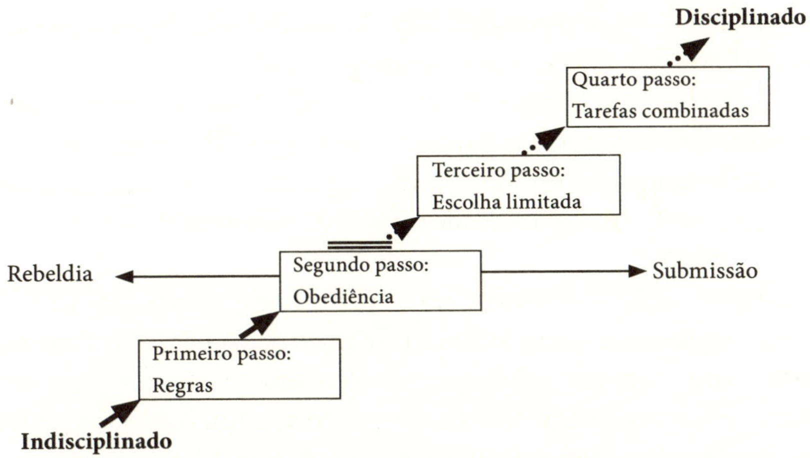

Para que nossos filhos alcancem a autodisciplina total, devem desenvolver a capacidade de fazer escolhas limitadas e de organizar o pensamento, de modo a cumprir várias tarefas na sequência correta. Para isso, temos de desenvolver sua habilidade de planejar. Somente bons planejadores conseguem tomar decisões acertadas e chegar a ser adultos realmente autodisciplinados.

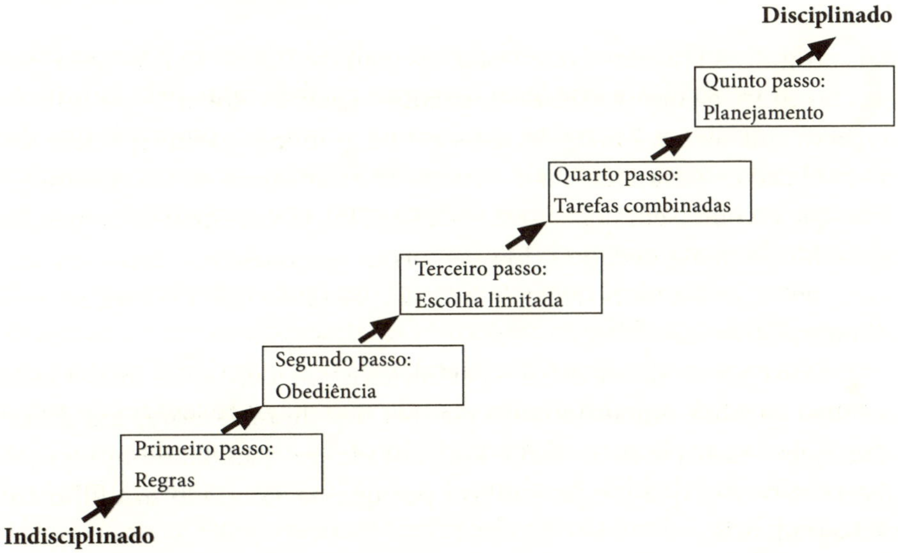

Escolha limitada: vermelho ou verde?

Muitos livros apontam a oferta de opções como um meio de fazer a criança obedecer. O sistema funciona assim: a criança não quer vestir o casaco; então, você pergunta se ela prefere o vermelho ou o verde. Confusa

– ou satisfeita – com a possibilidade de escolha, ela esquece que alguns minutos antes não queria vestir nenhum agasalho.

A estratégia costuma ser tão bem-sucedida que nos anima a adotá-la como um meio fácil de conseguir o que queremos. No entanto, se a criança for muito voluntariosa ou "do contra", talvez note o seu artifício e declare que não vai vestir o casaco ou que vai sair de camiseta, ainda que faça um frio "de rachar".

Alguns pais se envolvem em uma confusão semelhante na hora da comida. "O que você quer para o café da manhã?" A pergunta funciona no caso de crianças que gostam do que lhes oferecem e sabem o que querem. No entanto, se fizer esse oferecimento a uma criança difícil, não se surpreenda ao se ver às voltas com três ou quatro cardápios diferentes apenas para ouvir várias versões de "não era bem isso o que eu queria".

Depois que a criança compreende que deve fazer o que os pais lhe dizem, é hora de partir para o importante estágio seguinte no caminho para o desenvolvimento da autodisciplina: aprender a fazer escolhas sensatas entre duas ou mais opções. A questão não é apenas escolher, mas entender, por exemplo, que escolher o casaco vermelho significa abrir mão do verde.

Algumas crianças fazem escolhas com facilidade. Outras, não; por isso, precisam da oportunidade de praticar. Quando Rob e Tanya tinham respectivamente 6 e 7 anos, levei-os a uma grande livraria especializada em publicações para crianças e – crente de estar sendo muito generosa – disse que escolhessem dois livros cada um. Tanya era então uma menina maravilhosamente decidida. Ela percorreu as prateleiras, escolheu uns cinco livros, sentou-se no chão, folheou-os, escolheu dois e correu ao meu encontro para mostrá-los.

Rob é nosso filho sensível e perfeccionista. Eu não sabia, mas aquela era uma escolha dificílima para ele. No fim de meia hora, era difícil dizer quem estava mais irritado: Rob, atirado no chão, tendo um ataque histérico, ou eu, que me perguntava por que havia criado um filho tão mal-agradecido.

Em que ponto as coisas desandaram tão terrivelmente?

Talvez você se surpreenda com a facilidade de Tanya para administrar a tarefa que lhe dei em contraste com a dificuldade de Rob. Acontece que eram crianças diferentes, com temperamentos diferentes.

Hoje, lido bem com crianças que têm dificuldade em escolher.

Primeiro, certifique-se de estar diante de uma criança razoavelmente capaz de obedecer; ela precisa ter dominado a fase da obediência. Segundo, comece com apenas duas opções. Terceiro, prepare-se para recusar uma escolha inadequada. Quarto, seja flexível em relação a escolhas que não lhe haviam ocorrido, apesar de perfeitamente aceitáveis.

Nosso objetivo é cumprir as seguintes etapas:

Os pais oferecem duas opções: casaco vermelho ou verde.

↓

A criança escolhe: casaco vermelho ou verde.

↓

Os pais elogiam a escolha.

↓

A criança aprende: "Sei tomar boas decisões."

"Amarelo, por favor"

Temos de admitir também a possibilidade de estar diante de uma criança que, em um dia extremamente frio, responda à pergunta "você vai vestir o casaco vermelho ou o verde?" com um "vou de camiseta". A maneira mais simples de responder é:

– Sem chance. Escolha o casaco vermelho ou o verde.

Lembre-se: estamos oferecendo uma escolha limitada.

Outro obstáculo possível é a criança que diz:

– Quero o amarelo.

Aí, existem duas possibilidades. A sugestão pode ser perfeitamente razoável e, nesse caso, deve ser aceita.

– Boa ideia. Não tinha pensado nesse.

Ou, se a ideia for inaceitável, deve ser recusada. Volte, então, a oferecer o vermelho ou o verde.

Entre 2 anos e meio e 3 anos, é uma boa idade para começar a oferecer à criança escolhas simples, do tipo "isto ou aquilo". Depois que ela dominar esse estágio, vá acrescentando mais opções.

Esforce-se ao máximo para manter a calma com a criança que não conseguir escolher, que resolver repensar a escolha ou que lamentar as oportunidades perdidas. Evite acusações, críticas, explicações, distrações e minipreleções. Use empatia e se mantenha disponível.

Excesso de opções

Vivemos em uma era de maravilhosas oportunidades de escolha, daí a necessidade de aprendermos a escolher sensatamente. A escolha entre vermelho e verde feita pela criança de 3 anos evolui para a escolha feita entre atividades acadêmicas, esportivas e sociais pela criança de 10 anos. E todos queremos que os nossos jovens façam escolhas sensatas e saudáveis entre as exigências dos colegas e o próprio bem-estar no que diz respeito a sexo, álcool, drogas e condução de veículos.

Essa é uma etapa importante no desenvolvimento dos nossos filhos, no sentido de se tornarem bons planejadores.

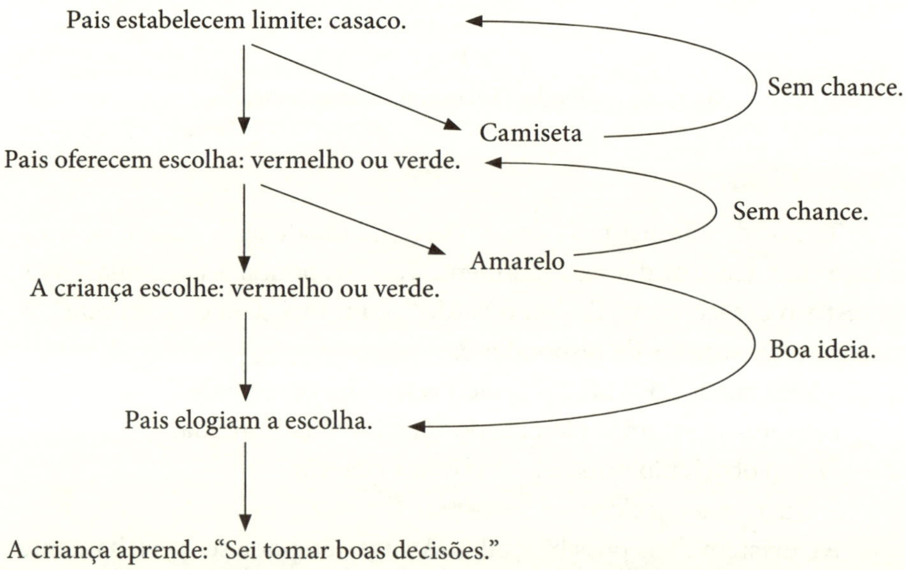

Tarefas combinadas

Depois que as crianças crescem e se tornam capazes de administrar a escolha limitada, é hora de passar à etapa seguinte no caminho da autodisciplina. Nossos filhos precisam aprender a separar o projeto em etapas, ordenar corretamente essas etapas e manter a motivação para cumprir a tarefa até o fim.

O que constitui um "projeto"? Para uma criança de 5 anos, pode ser do tipo "apronte-se". Esse projeto pode envolver três ou quatro etapas, como:

- Escovar os dentes.
- Pentear os cabelos.
- Guardar o lanche na mochila.
- Calçar as meias e os sapatos.

Para uma criança mais velha, pode ser um projeto da escola que exija alguns dias de planejamento contínuo, além de vários compromissos no fim de semana.

Em última análise, a capacidade de planejar e executar é uma das qualidades mais importantes que nossos filhos precisam para se tornarem adultos bem-sucedidos.

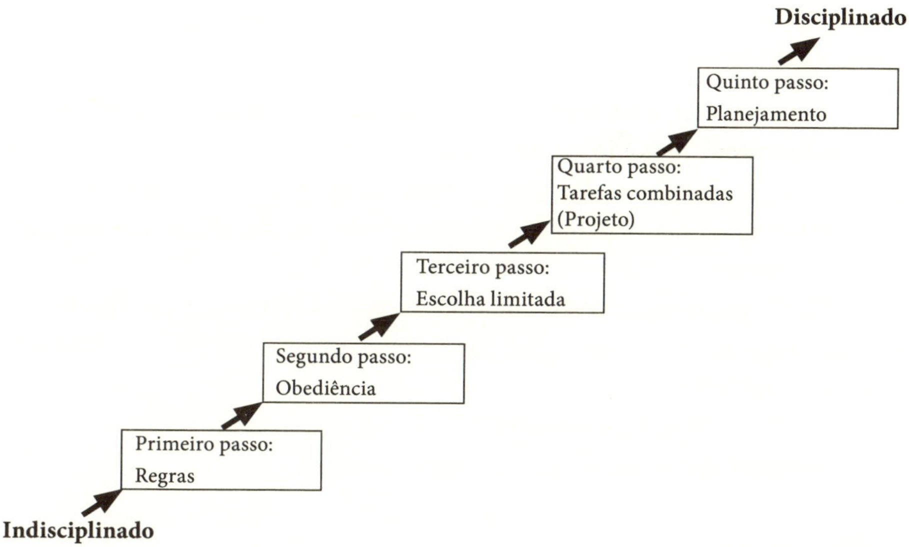

Check-lists são ótimos

Quando Deborah começou a frequentar a escola, sempre se esquecia de levar alguma coisa – uniforme de ginástica, material de natação, dever de casa, merenda, trabalho de música – tudo o que eu não tivesse lembrado e verificado.

Até que cansei de ser a memória (falha) dela. Fiz um check-list com todos os itens a serem verificados diariamente e uma segunda lista para o material de cada dia da semana e colei as duas no espelho. Assim, bastava perguntar: "Já verificou a lista de quinta-feira?"

O sistema funciona também para lembrar à criança o que é preciso para se aprontar na hora da escola. Se ela ainda não estiver alfabetizada, faça desenhos ao lado de cada item.

O sistema dá trabalho para ser instalado – em especial as listas diárias –, mas economiza gritos, repreensões e discussões.

Só não dá certo, é claro, com as crianças que estacionaram no nível de 2 anos de idade e se recusam a cumprir o que os pais dizem.

Desenvolvendo a habilidade de planejar

Diz-se que não existem ideias novas – simplesmente se reformulam as antigas. Minhas sugestões para o desenvolvimento da habilidade de planejar em crianças pequenas resultam da interseção de quatro ideias.

Ideia número 1

Vernon e eu assistimos a um seminário de Andrew Smith sobre planejamento de negócios. Com a APT (*Accelerated Planning Technique - Técnica Aceleradora de Planejamento*), ele trabalhava a ideia que, por maior que seja o projeto, sempre pode ser dividido em porções administráveis.

Porção administrável é qualquer tarefa que possa ser escrita em um pedaço pequeno de papel e que, quando entregue a alguém, produza um diálogo como este:

– Bill, você pode fazer isto?

– Posso, sim – responde Bill depois de ler.

Ideia número 2

Nossos dois filhos mais velhos tinham ultrapassado a metade da adolescência. Quando eles saíam à noite, Vernon costumava deixar um bilhete sobre o travesseiro de cada um dizendo: “Espero que tenha sido uma noite divertida. Com amor, papai.” Era um meio de comunicação carinhoso para ocasiões em que os adultos dormiam em um horário “normal”, enquanto os jovens voltavam para casa a “altas horas”.

Ideia número 3

Na mesma época, eu tinha problemas em conseguir que os meus dois filhos mais velhos cumprissem suas tarefas.

Então, pensando nos bilhetes de Vernon, comecei a deixar também os meus para os filhos. Neles, eu mandava recados do tipo: "Querido Rob, espero que a noite tenha sido boa. Quando acordar, esvazie a máquina de lavar louça e estenda a roupa lavada, por favor. Muito obrigada. Com amor, mamãe." Eu sabia bem que, ao ler o bilhete, ele faria aquela cara que eu detestava e reclamaria das tarefas. Mas, desde que eu não visse, era muito melhor. Os bilhetes davam certo com Rob, um adolescente proativo. Com Tanya, porém, uma especialista em adiamentos, aprendi a acrescentar: "Até as 10h30."

Ideia número 4

Certa vez, quando Deborah tinha pouco mais de 5 anos, marquei um cliente para as 16h30. (Eu trabalhava em casa e raramente recebia clientes fora do horário em que as crianças estivessem na escola.) Acomodei Deborah na minha cama, em frente à TV, e disse:

– Não saia daí até que eu venha buscar você.

Estava com o cliente havia cerca de meia hora, quando ouvimos um ruído vindo da porta. Ao olhar, vimos deslizarem por baixo da porta duas fatias de queijo embrulhadas em plástico e um pedacinho de papel, onde Deb havia escrito "sim" e "não", em dois quadrados cuidadosamente desenhados.

Com o cruzamento dessas quatro ideias, comecei a elaborar um modo de ajudar as crianças a planejarem as tarefas que precisam cumprir. A primeira vítima experimental foi Deborah.

Pelo amor de Deus, arrume o seu quarto

Um dia, entrei no quarto de Deborah e encontrei dúzias de livros, roupas e outros objetos espalhados.

– Deb, querida – eu disse –, este quarto precisa ser arrumado, o que me parece uma tarefa muito complicada para você. Vamos ver se conseguimos simplificar?

Então, nós nos sentamos e começamos a olhar em volta. Fiquei encarregada das anotações, e "nós" escrevemos o que tinha de ser feito, em porções administráveis:

- Juntar os sapatos em pares e arrumar na sapateira.
- Guardar as roupas nas gavetas.
- Colocar na caixa os blocos de construção.
- Jogar na lata de lixo o que não servir mais.
- Guardar as canetas hidrográficas na caixa.
- Arrumar os livros na estante.

Como Deborah era muito pequena para ler ou lembrar, fiz um desenho tosco na direção de cada linha, tendo ao lado um quadradinho, para que ela marcasse o que fosse fazendo.

A vantagem do sistema é evitar que os pais tenham de se lembrar de tudo. Além disso, incentiva a criança a se envolver na fase de planejamento, tornando-a participante do processo, em vez de simplesmente receber ordens. Assim, a responsabilidade fica com ela, cabendo aos pais uma posição que não é de autoridade, mas de facilitação.

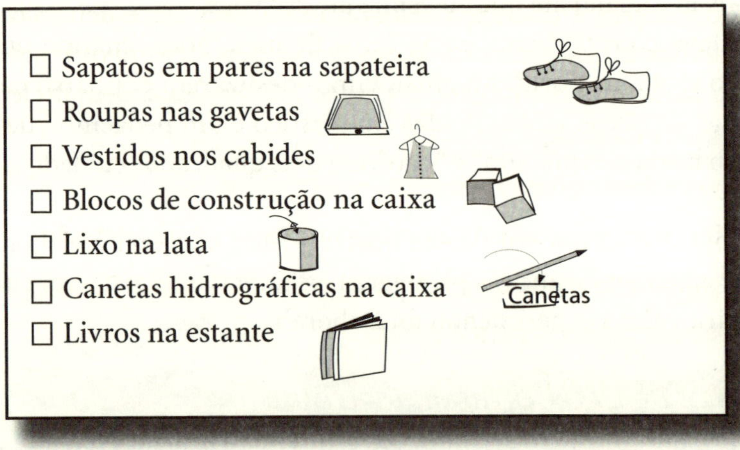

O sistema também é interessante para ensinar a criança a dividir as tarefas em vários segmentos administráveis e a assumir responsabilidades, não somente por cada etapa, mas pela conclusão do projeto.

Vamos ver um exemplo de como ajudar a criança a cumprir suas responsabilidades em uma tarde do período letivo.

Planejando uma tarde

Anote a parte "mais divertida"

Na hora do lanche da tarde, pegue papel e caneta e diga para seu filho:

– Tive algumas ideias sobre o modo de tornar mais simples as suas tarefas da tarde.

Então, elabore uma lista do que ele precisa fazer entre aquele momento e a hora do jantar. Comece pelo que for mais agradável.

- Lanche da tarde
- Intervalo de quinze minutos
- Meia hora para assistir ao programa favorito na televisão

Com opções tão atraentes, você provavelmente terá conseguido total atenção.

Ajude seu filho a assumir responsabilidades

Pergunte a ele quais são as tarefas escolares e as acrescente à lista, em segmentos de 10 a 15 minutos. Passe então para as tarefas domésticas.

Ao integrar a criança à elaboração da lista, você deixa com ela a responsabilidade pela execução. Assim, coloque quadradinhos à esquerda da folha, de modo que ela numere as tarefas conforme a ordem preferida.

- Lanche da tarde
- Intervalo de quinze minutos
- Meia hora para assistir ao programa favorito na televisão
- Estudar a tabuada de multiplicar por 4
- Estudar palavras para o ditado
- Escrever cinco frases
- Ler
- Arrumar a mesa
- Dar comida para o cachorro

Sempre nos preocupamos com a possibilidade de a criança escolher fazer primeiro a tarefa mais divertida e deixar as mais "trabalhosas" para o fim, em meio a reclamações. Acho que subestimamos a inteligência dos nossos filhos. Em alguns dias, você vai ver a criança se organizar de modo prático, alternando trabalho e prazer.

Elogie os bons resultados

Por último, coloque quadradinhos à direita de cada linha, para que a criança marque as tarefas completadas. Pergunte se ela prefere mostrar a você as marcações uma por uma ou todas no final. Deixe-a escolher.

☐ Lanche da tarde ☐
☐ Intervalo de quinze minutos ☐
☐ Meia hora para assistir ao programa favorito na televisão ☐
☐ Estudar a tabuada de multiplicar por 4 ☐
☐ Estudar palavras para o ditado ☐
☐ Escrever cinco frases ☐
☐ Ler ☐
☐ Arrumar a mesa ☐
☐ Dar comida para o cachorro ☐

O líder servidor

No mundo dos negócios, existe um conceito interessante: o do "líder servidor". Segundo esse conceito, uma das melhores maneiras de liderar pessoas é estar a serviço delas. Depois de elaborar a lista de tarefas com a criança, um ótimo meio de oferecer apoio e incentivo é perguntar:

– Qual dessas tarefas quer que eu faça para você?

No caso das tarefas escolares, o equivalente seria:

– Em qual delas você precisa da minha ajuda?

Os filhos se sentem tremendamente importantes ao nos dar ordens! Da nossa parte, cumprir uma tarefa em troca de boa vontade e do cumprimento de sete outras é um ótimo negócio.

Conclusão prematura

Esteja alerta para a criança que diz:

– Tudo pronto, mamãe. Vou brincar.

Sorria e responda:

– Que bom, meu amor, me mostre.

Você vai se surpreender. É bem provável que ela volte atrás para completar uma ou mais tarefas, dizendo:

– Ah! Espere um instantinho...

Não é mágica

Não se trata de mágica, definitivamente. A estratégia não transforma uma criança rabugenta e pouco cooperativa em outra encantadora e prestativa. É muito útil, porém, no caso de crianças moderadamente dispostas a cooperar, mas um tanto esquecidas de suas tarefas. Funciona também com crianças que têm muitas tarefas a cumprir e sentem dificuldade em ordená-las. E é definitivamente útil para a mãe cansada de tentar manter três crianças "nos eixos".

Os pais me perguntam:

– Você espera que eu faça isso todas as tardes, com todos os filhos?

Não. Uma vez tendo aprendido como se faz, as crianças vão desenvolver os próprios sistemas e organizar as listas ao seu modo. No meu caso, as crianças pediam ajuda para fazer a lista quando se sentiam sobrecarregadas e confusas. E depois que cresceram desenvolveram o hábito do planejamento por escrito, para não terem de guardar todas as informações na memória.

Arrumando a mochila para uma noite, para um fim de semana, para as férias

Um meio seguro de ensinar nossas crianças a planejar é deixar que arrumem a mochila quando forem passar a noite fora. Assim, qualquer esquecimento não representará um desastre e servirá para deixá-las mais atentas na próxima vez.

Quando nossos filhos eram menores, fazíamos a arrumação inicial, sempre deixando em cima a roupa de dormir e as peças que usariam na manhã seguinte. Em pouco tempo, eles assumiam a tarefa.

Grandes preparativos para as loucuras da adolescência

Descobri que este esquema: "organizar listas de tarefas administráveis em ordem de execução" economizou muito aborrecimento quando meus adolescentes planejavam suas saídas. Houve uma época – faz uns quinze anos – em que eles sempre queriam ir a uma casa noturna muito popular entre os jovens. Robert era um dos mais novos do grupo, e meu instinto me mandava dizer não logo de saída.

Minha amiga Valerie me deu um excelente conselho: "Não diga 'não' de cara. Resmungue qualquer coisa neutra, do tipo 'vamos ver como vai ser', e deixe que eles continuem com os preparativos. Na maior parte das vezes, ao chegar o fim de semana, eles não terão conseguido se organizar, e você nem vai precisar usar a palavra 'não'."

Listas e planejamento se mostraram úteis também quando nossos filhos estavam na metade da adolescência. Desenvolvemos um check-list previsível (desta vez oral, e não escrito), o qual usávamos toda vez que nos víamos diante de um "posso ir?"

- A que horas começa?
- A que horas termina?
- Como você vai chegar lá?
- Como vai voltar para casa?
- A pessoa que vai dirigir tem carteira de motorista?
- Quem é o adulto que está tomando conta de tudo?
- Como é o nome dessa pessoa? Qual é o número do telefone?
- A bebida é liberada?
- Em que você precisa da nossa ajuda?

Como a lista era sempre a mesma, e o consentimento dependia da coerência das informações, nossos filhos aprenderam a pesquisar primeiro, chegando a nós de posse das respostas, sem que fosse preciso fazermos qualquer pergunta.

Quando o jovem possui tal nível de responsabilidade e de capacidade de planejamento, é muito mais provável que faça planos para se divertir com segurança.

O bom planejamento leva à autodisciplina

Enquanto aperfeiçoam a capacidade de planejar, nossos filhos desenvolvem as habilidades de que vão precisar para se tornarem jovens adultos autodisciplinados. Estão aprendendo a esperar o prazer, a organizar o pensamento, a avaliar as vantagens e desvantagens de seus atos e a se concentrar em resultados a longo prazo.

Tudo isso, além das lições aprendidas com a experiência, contribui para que os jovens atravessem a salvo situações que envolvam sexo, álcool, drogas e condução de veículos. Ao planejarem atividades sociais e profissionais, conseguem administrar a pressão exercida pelos pais e pelos colegas

Quanto mais os jovens adultos praticarem o planejamento e a resolução de problemas, maiores as chances de tomarem decisões sensatas para a vida.

Armadilhas e áreas-problema

19
DESCOBRINDO QUE CAMINHO TOMAR

A dúvida é frequente: apoiar ou se distanciar. Tome por exemplo as cenas de má-criação. Antes, eu acreditava que se me afastasse a situação se resolveria. Era o que chamava de "desatenção planejada". A alternativa era dizer "pare de gritar" e, se a criança insistisse, deixá-la "pensar" até se acalmar.

Mesmo depois de substituir a ideia de elogio ou castigo pela de apoio ou distanciamento, continuei em dúvida acerca das cenas de má-criação. Estaria a criança precisando do meu apoio ou simplesmente sendo desobediente e irracional?

Hoje, entendo que existem dois tipos de cenas: aquelas de desespero, em que a criança se perturba e se descontrola por se sentir frustrada, magoada ou ofendida; e aquelas de controle, em que a criança se mostra furiosa ou revoltada por não ter conseguido o que queria.

As cenas de desespero requerem nosso apoio emocional até que a criança recupere o equilíbrio e possa tentar outra vez ou desistir. As cenas de controle exigem nosso distanciamento emocional (tempo para pensar) até que a criança perceba que, com aquela atitude, não vai conseguir o que quer.

Como saber qual é o caso?

Cenas de desespero e cenas de controle são muito parecidas. Imagine uma criança desconhecida fazendo uma cena no supermercado. Alguns pensam: "Pobre criança! Provavelmente está fora de casa há muito tempo. Deve estar exausta." Outros, no entanto, raciocinam de modo diferente: "Por que a mãe não dá um jeito naquele pestinha? É pura manha para que ela faça o que ele quer!" A verdade é que é impossível descobrir o que aconteceu antes e qual é a intenção da criança quando se observa de fora a situação.

Se o seu filho faz cenas, é difícil, desobediente, agressivo ou apresenta outro comportamento desagradável, talvez você consiga identificar se a cena é de controle ou desespero. No entanto, se você não tiver certeza, analise como você se sente. Você pensa "pobrezinho..."? Nesse caso, o pobrezinho (de que idade for) provavelmente precisa do seu apoio emocional. Ou você pensa "ah, seu..."?

Quando trabalho com os pais, deixo que completem as reticências. Para elaborar o diagrama, entre os vários "apelidos" citados em consultas, fiquei com o "peste".

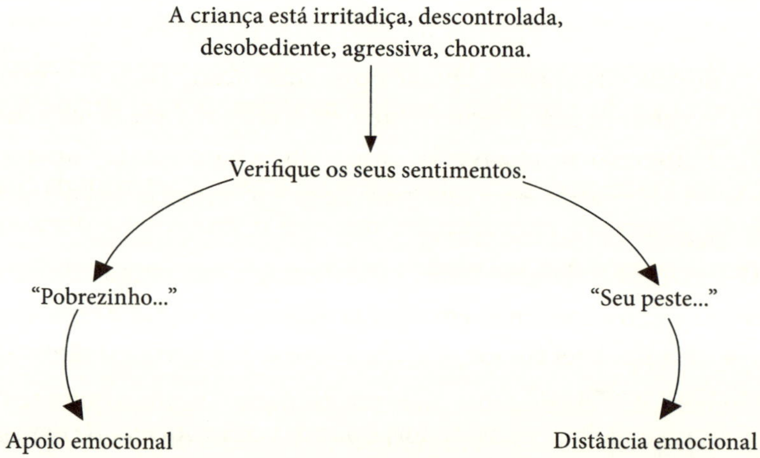

Caminho diferente, o mesmo resultado

Em qualquer dos casos, o que queremos, em última análise, é que a criança resolva seu problema e descubra uma solução socialmente positiva.

Com apoio emocional, a criança se sente confortada e compreendida.

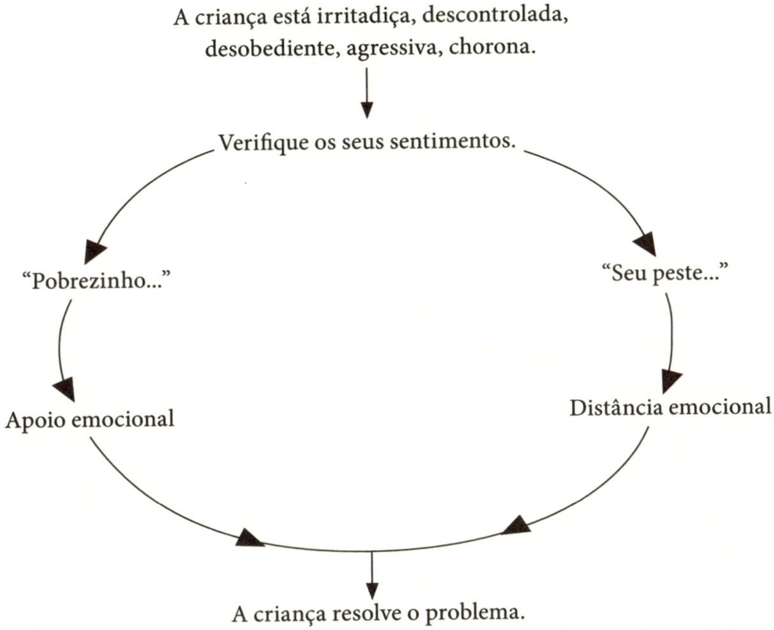

Com apoio emocional, a criança se sente confortada e compreendida. Assim, pode se acalmar e pensar na solução do problema. Ou, então, com o distanciamento emocional dos pais, a criança consegue perceber que seu comportamento não levará a lugar nenhum. Assim, decide agir de maneira diferente.

De um modo ou de outro, o problema continuou nas mãos da criança. Ela não foi defendida nem atacada, resolveu o problema e demonstrou competência adequada à sua idade.

"Meu filho faz manha."

Vamos usar o choro como mais um exemplo. Digamos que o seu filho peça um biscoito apenas cinco minutos antes da hora do jantar. Apesar das explicações, ele continua a chorar e a reclamar da "injustiça".

Pratique agora, porque, daqui a alguns anos, ele provavelmente insistirá em voltar para casa de madrugada ou reclamará por não poder dirigir sem restrições antes de receber a carteira de habilitação definitiva. A estratégia é idêntica.

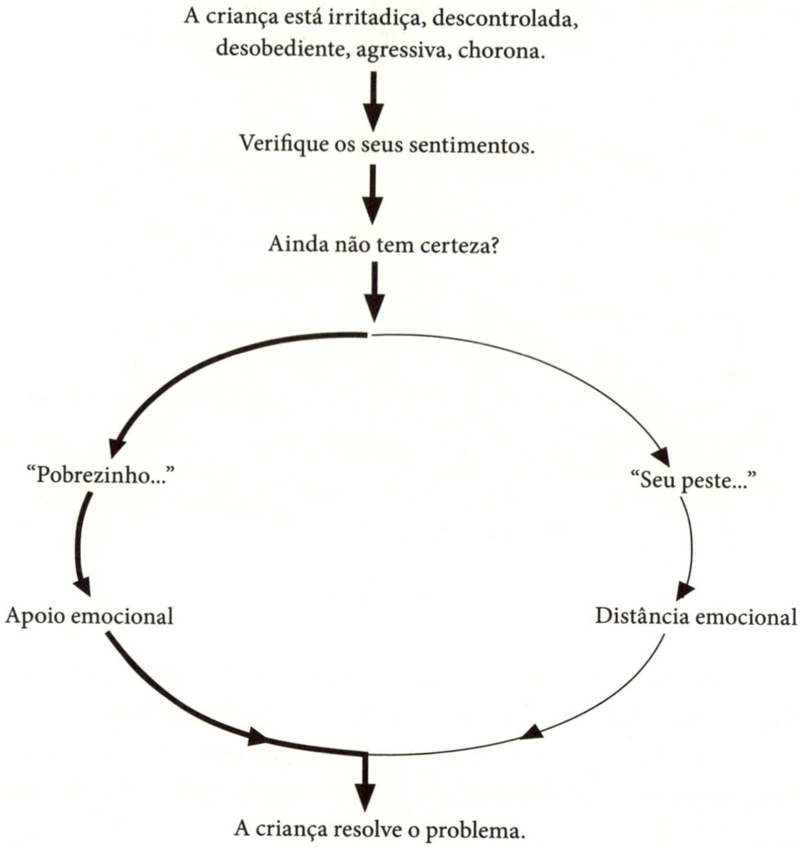

Comece sempre pelo apoio emocional. Traduza em palavras o que ele sente. "Querido, eu sei que você quer *muito*, muito, um biscoito. Mas está perto demais da hora do jantar." Ofereça conforto físico. "Quer um abraço?" Pode ser que ele esteja precisando disso.

Uma criança voluntariosa provavelmente responderia: "Não! Vá embora! Eu odeio você!"

A melhor maneira de resolver o impasse é aceitar que a criança precisa de espaço para administrar seus sentimentos e deixá-la desabafar. Você simplesmente atirou na direção errada. Desta vez, em especial, seu filho não conseguirá superar sua frustração com apoio. Ela vai precisar de espaço. Portanto, dê a ele o que ele precisa.

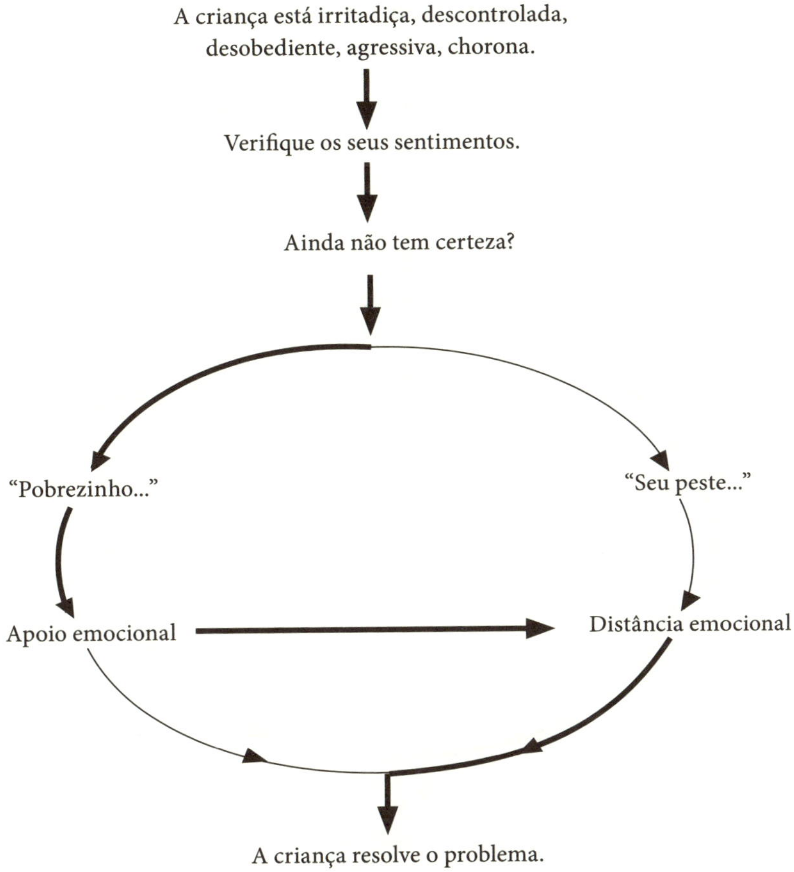

Deixe a escolha por conta da criança

Eis aí um grande desafio para os pais que pretendem controlar os sentimentos dos filhos. Sim, você deve estabelecer limites para o comportamento deles, mas você não deve lhes dizer como eles deveriam se sentir.

Se o seu filho é uma criança voluntariosa ou agressiva, uma atitude segura e respeitosa é perguntar se ele prefere receber um abraço ou ser deixado em paz. Por outro lado, ele pode querer carinho e espaço. Nesse caso, deixe que ele escolha a ordem. Caso a criança prefira o espaço, uma boa maneira de agir, se você tiver humor suficiente, é dizer:

– Tudo bem. Use o tempo que precisar. Vou manter o abraço bem quentinho para você.

Assim, na volta, será fácil dar um abraço caloroso, sem palavras, e encerrar a questão.

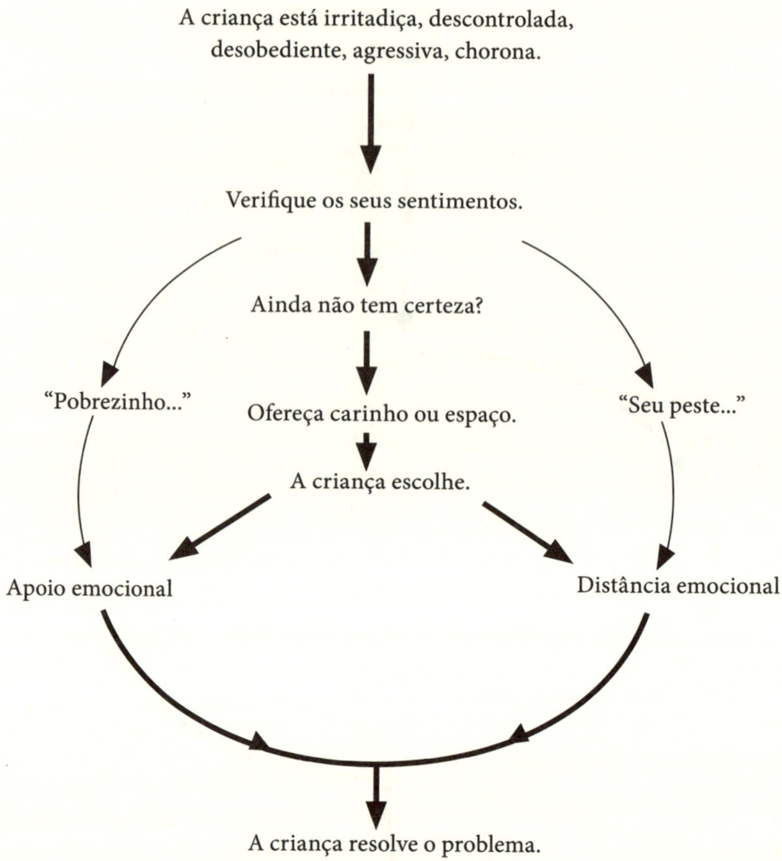

Não há nenhum problema em mudar de ideia

Ocasionalmente, você pode mudar de ideia. O seu filho se comportou mal e você mandou que ele ficasse no quarto pensando. Você percebe a tristeza dele. Provavelmente, algo saiu errado durante o dia e ele se conteve até chegar em casa. Então, na primeira chance de extravasar, acabou se comportando mal.

Não hesite. Apoio não é sinônimo de fraqueza. Vá em frente. Dê um tapinha nas costas dele. Espere que passe o aborrecimento. Se você se mostrar disponível, é provável que a história toda venha à tona. Ouça com interesse e empatia.

É praticamente certo que, ao recuperar a serenidade, ele faça espontaneamente o que lhe foi pedido.

Crianças tímidas

A ajuda que podemos oferecer aos filhos para que superem a timidez é um belo exemplo de apoio emocional como primeiro recurso e, se não for suficientemente poderoso, de distância emocional como segundo recurso.

Diante de uma criança tímida, nosso primeiro impulso é proteger. Parecem tão vulneráveis... Em um mundo de crianças barulhentas, agitadas, que se soltam e correm pelos estacionamentos, é um alívio quando uma delas fica ao nosso lado, de mãos dadas e fala baixinho.

Mas as crianças tímidas também nos preocupam. Se não conseguem ao menos cumprimentar a professora, como vão encontrar um grupo para brincar? Se não conseguem olhar nos olhos da avozinha querida e sorrir, o que dizer de adultos menos familiares? E dos colegas?

Podemos reparar que crianças tímidas despertam, em um primeiro instante, reações de carinho e paciência dos adultos. Eles se abaixam e põem em prática todas as maneiras que conhecem de quebrar o gelo. No entanto, se não conseguem, percebemos que desistem e vão buscar a companhia de outra criança que faça valer seus esforços.

Timidez ou má educação?

Finalmente, perdemos a paciência. É desagradável ouvir parentes que vêm nos visitar dizerem aos filhos: "Deixe. Daqui a pouco ele vem." É constrangedor ver nosso filho agarrar o presente que acabou de receber sem sequer dizer "obrigado". É irritante observar uma criança passar indiferente pela professora que a esperava com um sorriso de boas-vindas.

Começamos a ser dominados por um sentimento de "lá vamos nós de novo", antes de qualquer compromisso. Estaria a timidez se transformando em grosseria? De início, pensávamos: "pobrezinho..." Mas já não temos tanta certeza.

A criança está cada vez mais seletiva em seus cumprimentos, agradecimentos e despedidas. Algumas vezes, corre para cumprimentar; outras, só se aproxima quando tem vontade ou quando o presente que as visitas trazem parece interessante. Começamos a cansar de justificar:

– Não repare. Ele é tímido...

Pessoas gentis podem ser um problema

Pessoas gentis às vezes contribuem para que os tímidos continuem tímidos. Quando insistimos com a criança tímida para que cumprimente, agradeça ou diga simplesmente "prefiro aquele alaranjado, por favor", as pessoas gentis – em contraponto à nossa tentativa de manter uma atitude firme – dizem:

– Ah, não se preocupe. Eu entendo.

Será melhor se você puder prevenir as pessoas que convivem com a criança a respeito dessa situação. Peça a ajuda delas. Explique que está tentando ensinar o seu filho a agir com cortesia e que precisa de colaboração. Nesse caso, quando cumprimentarem a criança, seria interessante esperarem a resposta e não desculparem a desatenção. Assim, os adultos formam uma equipe disposta a ensinar ao tímido um comportamento adequado.

Mas o que pode ser considerado aceitável então? Uma certa reserva natural é até atraente. Existe, porém, um ponto em que a timidez escorrega para a falta de educação. Retribuir cumprimentos, responder a perguntas razoáveis, agradecer um presente, um favor ou um convite são gestos de simples cortesia.

A menos que a criança seja naturalmente incapaz de falar, é justo esperar que ela diga em voz normal, no momento adequado, com um grau razoável de entusiasmo e sinceridade, frases do tipo "obrigado pela carona" e "a festa estava boa". Mas, se a criança interagir civilizadamente apenas quando lhe convier, a conclusão acaba sendo que, em matéria de cortesia, ela passou do "não posso" para o "não quero".

Ofereça apoio duas vezes

A primeira providência será sempre oferecer ao seu filho apoio e tempo para que diga o que precisa ser dito. Antes de chegar à casa da vovó, lembre o quanto ela vai ficar feliz em receber a saudação do neto. Ao chegar, passe o braço em volta dele ou segure a mão dele, incentivando-o a cumprimentar a avó.

– Querido, cumprimente a vovó. Diga como está contente em vê-la.

Espere. Mantenha o braço em volta dele, mas não se apresse em socorrê-lo. Ele tem uma certa dose de tensão a superar. Ele precisa decidir entre o "não quero fazer isso porque acho difícil" e o "preciso dizer algumas palavras gentis". Aguarde com paciência. Deixe que o seu filho resolva o problema.

Se, apesar de as suas expectativas acerca do caso serem bem claras e o seu apoio ser suficientemente generoso, o menino chorar copiosamente ou iniciar uma cena, há grandes possibilidades de que você esteja diante de uma criança desafiadora, sensível e voluntariosa. É hora de entrar no modo "coisinha desagradável".

Fale assim:

– É preciso que você diga "olá, vovó", porque só vamos entrar depois que você fizer isso.

Responder à saudação da professora do jardim de infância é uma habilidade social importante a ser dominada pela criança. Se ela for capaz, mas se negar repetidamente a cumprimentar, é hora de adotar uma posição firme. Diga ao seu filho que ele só voltará à escola depois que se decidir a cumprimentar delicadamente a professora. Saiba que pode ser preciso voltar para o carro e esperar.

É importante ter sempre em mente o motivo de uma disputa entre pais e filhos. Pode parecer difícil, mas lembre que cortesia é um comportamento e um hábito que podem ser aprendidos. Indivíduos razoavelmente sociáveis e genuinamente polidos costumam interagir com muito mais tranquilidade e prazer – e são mais estimados. As pessoas respondem bem a comportamentos razoáveis e tendem a se afastar diante de atitudes grosseiras.

Por isso, proteja a reserva natural do seu filho, apoie-o na superação da timidez e insista nas atitudes de cortesia.

"Meu filho não aceita não como resposta"

Algumas crianças são encantadoras, desde que tudo caminhe de acordo com seus desejos. Elas conseguem ser relativamente receptivas a solicitações, mas, no momento em que têm suas vontades contrariadas, ficam emburradas ou irritadas – ou os dois.

Comece pelo apoio emocional. Diga a seu filho que você sabe o que ele quer, mas infelizmente não pode atender. Prepare uma explicação sucinta.

Se a criança insistir, use o distanciamento emocional de baixa intensidade: pareça distraída e preocupada com outros assuntos. Comece outra atividade ou vá para outro espaço.

Caso nada disso dê certo, é sinal de que a criança não aceitará nenhuma explicação. Não se obrigue a procurar novas justificativas na esperança de que a criança aceite uma. Provavelmente, ela só ficará satisfeita se você fizer o que ela quer. Portanto, poupe seu esforço.

Ficar questionando o porquê de ter ouvido um não, mesmo quando a criança sabe muito bem a resposta, é um comportamento que não pode ser aceito. E é um problema só dela. Por isso, o melhor é que a criança vá resolver seus questionamentos dentro do quarto dela.

"Meu filho não suporta broncas"

Não estou bem certa de que ele precise suportar. Claro que, quando nossos filhos fazem algo errado, sentimos necessidade de repreendê-los. No entanto, crianças voluntariosas não aceitam isso pacificamente. Elas reagem. Se você gritar, gritam mais alto. Se você se alterar, elas se alteram ainda mais.

Broncas em excesso não é um modo eficaz de ensinar comportamentos. Os resultados são muito melhores quando você diz o que espera dela, relembra uma vez se necessário, insiste no comportamento adequado e se afasta.

Aprendendo a ter espírito esportivo

Algumas crianças sabem esperar a vez, ganhar e perder com graça. Outras não conseguem administrar a frustração dos altos e baixos das brincadeiras.

Se você estiver brincando com um grupo de crianças e alguma delas tiver dificuldade com a própria falta de competência, experimente primeiro oferecer apoio emocional. Caso não funcione e ela ainda se mostre aborrecida ou frustrada, faça um intervalo de dez minutos para uma atividade não competitiva – um lanche, talvez. Se ainda não houver um resultado positivo, é hora do distanciamento emocional. Peça à criança que se afaste e só volte quando estiver melhor.

Evite ao máximo perder a calma e anunciar que a brincadeira acabou "porque um dos participantes estragou tudo". Isso seria uma cena de rebeldia adulta. Além disso, negaria à criança em questão a oportunidade de se recuperar, voltar e tentar novamente – a melhor experiência de aprendizagem.

Resumo

Quando em dúvida sobre a melhor abordagem para a situação – apoio ou distanciamento – pense primeiro em apoiar. Se a dúvida persistir, pergunte à criança:

– Você quer um pouco de carinho ou precisa de espaço?

Caso tome a decisão errada e ouça a criança soluçando no quarto, saiba que nunca é tarde demais. Altere a direção. Ofereça apoio. Afinal, o resultado que você deseja é ajudar o seu filho a tolerar a frustração e resolver o problema.

20

Confusões entre irmãos

"Rivalidade entre irmãos" é um termo terrivelmente inadequado

Não gosto nem um pouco do termo "rivalidade entre irmãos", empregado para descrever a implicância, a agressividade e as verdadeiras batalhas travadas pelos irmãos. O termo *rivalidade* subentende disputa pela atenção dos pais, que, por sua vez, implica desatenção dos pais em relação aos filhos. Se fosse assim, significaria que a criança em questão deveria estar recebendo mais atenção dos pais. Na maior parte dos casos, porém, não é bem o que acontece; atenção é a última coisa de que nossos filhos necessitam.

Além disso, significa que, de algum modo, precisamos "quantificar" a atenção dispensada a cada filho para que haja uma distribuição justa. No entanto, ainda que a quantidade seja a mesma, sempre haverá alguém para questionar a qualidade. E nenhum desses fatores leva em consideração o fato de que, conforme o temperamento, algumas crianças sentem falta de atenção, enquanto outras preferem ser deixadas em paz.

Confusões entre irmãos ou "coisa de irmão"

Prefiro mil vezes o termo "confusão" para descrever as brigas que explodem entre crianças. Em primeiro lugar, "confusão" sugere todo tipo de correria, barulheira, turbulência – as coisas meio fora de controle que acontecem quando irmãos se desentendem.

Em segundo lugar, "confusão" possui um toque de humor e, embora eu acredite que seja tarefa nossa impedir que as crianças briguem, é um meio de nos lembrar de não levar tais brigas muito a sério. No momento em que nos envolvemos e tratamos seriamente as confusões entre irmãos, passamos a fazer parte do triângulo de Karpman, tratado anteriormente, e logo assumimos o papel de salvador, perseguidor ou vítima.

Deixando por conta deles

Tenho várias razões para não gostar da abordagem "deixar por conta deles". Primeiro, porque o excesso de brigas entre irmãos acaba criando um ambiente doméstico muito desagradável.

Em segundo lugar, a maioria das brigas envolve uma pessoa de maior poder e outra de menor poder, uma que atormenta e outra que é atormentada, uma que quer brincar em paz e outra que quer tumultuar. Em tais situações, é responsabilidade do adulto interromper o comportamento desagradável.

Por último, faço questão de não permitir que as disputas entre crianças se tornem problema nosso. Gostaria de sugerir algumas estratégias para que o problema permaneça com as crianças e elas consigam resolver as próprias diferenças.

Mãos à obra

Nós temos a experiência. Ouvimos as brigas e discussões das crianças. Vamos ver o que há de errado. A primeira criança conta sua versão. A segunda dá outra. A primeira discorda. Começam os gritos e acusações. Logo nos vemos nos papéis de assistente de acusação, assistente de defesa, juiz e júri. Cada criança espera que sejamos também o executor da sentença – para a outra, é claro.

Essa é uma situação em que ninguém sai ganhando. Se deixarmos por conta delas, talvez não haja solução. Se tentarmos resolver, também pode não dar certo. Existe outro caminho?

Deixe o problema com elas

Existe um meio de deixar o problema com as crianças, de modo que adquiram a capacidade de conciliação e o autocontrole necessários aos seus relacionamentos. As posições em que podemos estar situados são três:

- Vemos a confusão acontecer diante de nós.
- Uma ou mais crianças vêm queixosas ao nosso encontro.
- Percebemos que a situação está piorando.

É preciso encontrar um meio de responder a cada uma dessas situações mantendo o problema nas mãos das crianças.

Você vê o que acontece

Quando o comportamento inadequado acontecer diante de você, interfira e interrompa.

Mande os brigões para o quarto até que estejam prontos para agir de maneira mais cooperativa. Com isso, você deixará claro que "quem começou" é irrelevante e que tal tipo de comportamento não é permitido na sua casa.

Alguém vai até você

Ofereça muito apoio emocional. Não tome a iniciativa de resolver o problema. Não interrogue a outra criança. Apenas ouvindo com atenção, obtêm-se informações surpreendentes.

Caso se convença, com base no que ouvir, de que a outra criança foi injusta, não comece a esbravejar nem se apresse em castigar. Na próxima vez em que elas estiverem brincando juntas, fique por perto observando e interfira caso perceba algum comportamento incorreto.

O outro motivo pelo qual acredito que repreender não é uma boa estratégia é que, ao receber o seu apoio emocional, a criança aprende uma lição valiosa. Existem ocasiões em que a solução mais prática, quando as coisas tomam um rumo desagradável, é se afastar. Então, restabelecido o equilíbrio, é possível decidir se vale a pena voltar ao assunto ou não.

Você percebe a temperatura subindo

Quando você vê os seus filhos se engalfinhando, a tendência é se enterrar ainda mais no que estiver fazendo para ver se a turbulência acaba por si. É o que se chama "triunfo da esperança sobre a experiência". Mas, em geral, a briga não se resolve sozinha e, mais cedo ou mais tarde, haverá muito barulho, gritos e em alguns casos até sangue.

Minha sugestão é: interfira logo. Às vezes, basta uma mudança de rumo ou de cenário para resolver o problema. "O lanche está na mesa!" é uma solução elegante para um sem-número de potenciais problemas.

A solução mais fácil, que exige pouquíssimo esforço da sua parte, é lançar mão da famosa frase de Diane, sem qualquer conotação acusatória: "Isso não está dando certo." E tenha a certeza de que, pelo menos para você, não está mesmo! Em seguida, separe as crianças.

Elas podem decidir voltar a brincar juntas ou preferir continuar cada uma em seu canto. De um modo ou de outro, a paz terá voltado a reinar.

Os seus filhos podem aprender uma lição surpreendente

Se você agir assim todas as vezes que os seus filhos brigarem, eles aprenderão uma destas duas lições:

- Não brigar ou
- Brigar sossegadamente.

As duas me parecem perfeitamente aceitáveis.

Mais duas táticas

1. Você percebe um comportamento inadequado. → "Vá para o seu quarto." (Distanciamento emocional)

2. Alguém vai até você. → "Oh, oh, oh" (Apoio emocional)

3. Você percebe a temperatura subindo.

↓

(Frase sem conotação acusatória)
"Isso não está dando certo."

↙ "Vá para o seu quarto." ↘ "Vá para o seu quarto."

↓

"Vou ligar o timer para marcar o tempo."

↓ 10 minutos

O tempo acabou.

A culpa é do brinquedo

Se a causa da disputa for o brinquedo, ponha a culpa nele.

– Pelo que estou vendo, este caminhão (ou controle remoto da televisão) está causando muitos problemas. Vou guardar ele. Assim, não vai mais aborrecer vocês.

Tire o brinquedo e ajuste o timer. Ao fim de dez minutos, sem chamar atenção para o fato, devolva discretamente o pomo da discórdia ao local onde estava antes. Pode ter certeza de que a atitude de seus filhos será diferente.

Abordagem das passadas barulhentas

Depois de viverem algumas vezes a experiência de terem a brincadeira interrompida por você, assim que o volume ou a intensidade da briga chega a determinado nível, os seus filhos vão conspirar para continuar brincando. Então, quando perceber a tensão aumentando, aproxime-se pisando forte. Quando chegar ao cenário da confusão, encontrará as crianças trazendo no rosto um sorriso angelical. A relação cordial foi a maneira que encontraram de se unir contra você. Acho que podemos aguentar isso.

Irritando deliberadamente

Às vezes, trata-se de uma guerra não declarada. Uma criança está concentrada, desenhando; a outra passa e puxa o papel. Não é o fim do mundo, mas é irritante, inútil, cruel e desnecessário.

Recomendo incluir na sua lista de banidos a "irritação deliberada". Toda vez que acontecer, afaste o "irritante". Os seus filhos vão aprender um bocado sobre autocontrole, o que é muito bom para desenvolver a autodisciplina e a capacidade de tolerar frustrações – requisito indispensável à sua evolução de emocionalmente dependentes para emocionalmente independentes.

21

INTIMIDAÇÃO: TOLERÂNCIA ZERO

Eis aqui outra área do universo infantil em que apoio emocional e um braço passado em volta dos ombros às vezes não bastam.

Quase todas as crianças passam por situações em que se sentem intimidadas por outras, geralmente maiores, seja na escola ou outros grupos onde convivem.

Quando acontece na escola, uma possibilidade seria fazer queixa à professora. Mas isso envolveria o risco de ser chamado de "dedo-duro" pelos colegas.

Outra opção seria aguentar calado. Muitas vezes, essa atitude é vista como típica de "uma pessoa legal" e costuma ser a mais aprovada pelo grupo. Outras vezes, no entanto, resulta em exclusão, provocações e ainda mais intimidação.

"Não seja dedo-duro"

É bastante comum que a criança que procura os pais ou professores para se queixar de estar sendo importunada por outra seja reprimida com um simples "deixe de ser dedo-duro".

Isso não é bom. A criança é forçada a se calar antes de fornecer as informações necessárias para que se possa distinguir entre alguém que precisa de apoio para resolver os próprios problemas de alguém que precisa da intervenção de um adulto, pois enfrenta um problema que é incapaz de solucionar por si.

"Você precisa aprender a aguentar provocações"

Suportar com graça as provocações leves faz parte do aprendizado da tolerância às frustrações comuns. Algumas crianças possuem humor e compreensão tais que jamais permitem a elevação da temperatura. Assim como fazem "gozações", elas as aceitam, até com prazer.

Outras crianças são mais sensíveis e levam a mal mesmo as brincadeiras mais leves: ficam vermelhas de raiva e chegam facilmente às lágrimas. Precisam de apoio e conforto, mas não de salvação. Se vierem queixosas ao nosso encontro, devemos procurar saber o que aconteceu, dar um abraço, sugerir delicadamente que "foi só uma brincadeira" e, quando estiverem recuperadas, deixar que decidam se querem retornar ao grupo ou buscar outra atividade.

Em casa, quer esteja apenas com os seus filhos ou também com alguns coleguinhas, você deve manter um olho e um ouvido atentos ao que se passa entre eles. Se perceber qualquer das crianças começando a sofrer – ainda que as outras não pareçam ter a intenção de incomodar –, é hora de interferir:

– Isso está ficando ruim para a Chris. Vocês estão exagerando. Vão com calma.

Na maior parte dos casos, as crianças só estão atrás de diversão e não têm a menor intenção de ser desagradáveis. Mas você precisa deixar claro que não há graça nenhuma em se divertir à custa dos outros.

Comportamentos que ultrapassam os limites

Existe uma linha tênue que separa a implicância da agressividade. Pais e professores precisam estar atentos para que as brincadeiras infantis não ultrapassem essa linha. E o pior é que existem inúmeras justificativas padronizadas para comportamentos cruéis e inaceitáveis.

- "Eles estão só brincando. Não queriam machucar você." Pode se dizer que todo comportamento que magoe ou aborreça já ultrapassou a linha que separa a brincadeira da agressividade.

- "Ela é minha amiga, não sua. Você não pode brincar conosco." Há muito o que fazer em casa para ensinar os nossos filhos sobre inclusão e delicadeza.

Nesse caso, não existe solução mágica. O importante é dar o exemplo e ensinar nossos filhos a ter consideração pelos sentimentos alheios, flexibilidade e aceitação na formação de grupos e imaginação para descobrirem meios de acomodar e incluir todos.

Ainda me lembro do primeiro fim de semana de treinamento em aconselhamento de que participei. Fiquei emocionada com o respeito e a capacidade de inclusão demonstrados pelos participantes. Eles faziam questão de que ninguém se sentasse sozinho à mesa e, sempre que um saía para um passeio, convidava todos:

– Vamos dar uma volta. Alguém quer vir junto?

Desconfio que as lágrimas de emoção em meus olhos foram uma lembrança dos tempos de estudante, em que muitas vezes ouvi dizer:

– Vá embora. Você não pode brincar conosco.

Tolerância zero em casa

O que nós, pais e mães comuns, podemos fazer para evitar a intimidação?

A primeira providência é encarar o que acontece diante de nós. Não tolere a crueldade, seja física ou verbal. Interrompa e diga o porquê.

- "Isso é uma coisa muito indelicada de se dizer. Pare!"
- "Aqui é uma zona de paz. Vá para o seu quarto e só volte quando conseguir brincar sem confusão."
- "Não aceito que você fale com o seu irmão desse jeito. Saia daqui!"
- "Realmente, aquele brinquedo está provocando brigas. Vou guardar para que vocês não se aborreçam por causa dele."

Essa política é boa para todos, porque o pequeno malfeitor aprende a não ser mais um pequeno malfeitor.

Ouça e aprenda

Pergunte ao seu filho como foi o dia e ouça a resposta. Se quiser obter respostas recheadas de informação, não o pressione. Caso ele reclame da implicância de algum colega:

- Não acuse. ("O que você fez a ele?")
- Não critique. ("Por que você não ri e deixa pra lá?")
- Não contradiga. ("Mas ele parece um garoto legal.")
- Não dê lição de moral. ("Você tem de se dar bem com todo tipo de gente.")
- Não explique. ("Ele deve estar com ciúme de você.")
- Não resolva o problema. ("Da próxima vez, procure alguém melhor para brincar.")

Ouça com empatia. Quando o seu filho lhe contar algo que o incomoda, reflita sobre os sentimentos dele e responda com a mesma intensidade:

- "Que desagradável!"
- "Que coisa horrível de se fazer!"
- "Foi terrível isso acontecer com você!"
- "Que maldade!"

Como pais, pensamos ser nossa obrigação agir sempre com justiça e considerar o outro lado da questão. Nesse momento, porém, você está apenas colhendo informações. Fique do lado do seu filho. (Se você não ficar do lado dele, quem vai ficar?)

Intimidação praticada por menino ou menina?

Os meninos tendem a praticar a intimidação – *bullying* –, chamando atenção para as diferenças, provocando com palavras, empurrando ou agredindo abertamente. As meninas intimidam de maneira mais sutil, mas ainda mais prejudicial. Elas são mestras da terrível arte de estalar a língua, revirar os olhos, olhar de cima a baixo, imitar e excluir.

Ajudando os seus filhos a se ajudarem

Evite interferir para tentar resolver o problema logo de início. É bem provável que, depois de receber apoio emocional, seu filho volte ao grupo ou vá brincar em outro lugar, numa boa.

No caso dos meus filhos, muitas vezes bastou a empatia direcionada para resolver o problema: disse a eles que compreendia o quanto estavam aborrecidos, levava suas queixas a sério e gostava de ajudar.

– Tenho um plano. Toda tarde, quando você chegar da escola, vou perguntar sobre o seu dia e anotar a sua resposta, pois o que você diz é muito importante para mim.

Depois de uma semana, mais ou menos, eles não tinham mais o que relatar – o "inimigo" voltara a ser o melhor amigo. Mas o fato de poder contar com um ouvinte atento ajuda a criança a resolver o problema sozinha. As anotações são a prova de que você realmente se importa e é confiável. E, se for preciso ir à escola para discutir o problema, terá um bom documento sobre os incidentes.

Por sorte, o método ainda apresenta outra vantagem: enquanto estiver ouvindo e tomando notas, não lhe sobrará tempo para acusar, criticar, fazer preleções ou tomar para si a resolução do problema!

Favoreça a aquisição de habilidades

De posse de informações suficientes para entender o problema, devemos tentar ajudar nossos filhos a adquirir habilidades necessárias para administrar situações sociais desconfortáveis. O importante é que ele deixe de ser a vítima.

Encenar a intimidação com a criança é um bom meio de mostrar a ela que existem respostas melhores a uma provocação do que à vermelhidão no rosto acompanhada de lágrimas. Digamos que o valentão caçoe de seu filho:

– Que lancheira ridícula!

Seu filho está magoado pelas palavras que ouviu. Precisa de uma resposta que o encoraje. Por isso, apresente exemplos de modos como, juntos, vocês podem inventar respostas que desarmem o valentão..

Primeiro, descubra qual foi a reação do seu filho ao ouvir o comentário pejorativo. Ele abaixou a cabeça, examinando a tal lancheira? Ou saiu de mansinho, desejando que os companheiros do intimidador não se juntassem à brincadeira? Depois, inverta os papéis. Agindo como o intimidador, ele poderá perceber como se sente poderoso quando recebe uma resposta tímida e acanhada.

Descubra quantas respostas alternativas inteligentes podem ser usadas em lugar da timidez. Enfatize que todas funcionam, desde que ditas com confiança. (Humor também ajuda.) Eis algumas das minhas preferidas:

- "Tem razão. Esta lancheira é horrível mesmo."
- "Problema seu, se pensa assim. Eu gosto."

- "É verdade. Você poderia escrever um bilhete para a minha mãe dizendo que não devo mais trazer esta lancheira para a escola?"
- "É mesmo? [falsamente surpreso] Eu não tinha reparado. Obrigado por me avisar."
- "Sei que parece esquisita. Mas eu escolhi esta porque se transforma em chocolate depois de dez dias de uso."

A resposta escolhida não faz muita diferença. O que importa é a criança poder contar com outras opções de reação, que não demonstrem o quanto ficou chateada. Se ela conseguir aprender a se manter confiante e não se deixar abalar pelas provocações, será capaz de mostrar ao intimidador que tem a situação sob controle.

E se isso não for o suficiente?

Se a empatia, a tolerância zero em casa e os exemplos não resolverem o problema – por algum tempo, pelo menos –, é sinal de que a situação é complicada demais para a criança e existe necessidade da intervenção de um adulto.

Lembre-se de que a intimidação faz mal tanto para a vítima quanto para o intimidador. É mais que justificável a procura de ajuda. Vá até a escola e alerte os responsáveis sobre o problema.

Na escola

Marque um encontro com a professora da turma e diga essencialmente:

– Isso é o que está acontecendo. Já fizemos isso e isso. Meu filho está aflito. Preciso da sua ajuda.

Em geral, os detalhes fornecidos pelos pais servem de indicação para a professora sobre o que observar e em que momento. Quanto mais específicas as informações, menos provável que as suas preocupações sejam negligenciadas.

Respeite o fato de que os professores são pessoas ocupadas, que não podem ver tudo o que se passa no pátio da escola e pergunte o que seria possível fazer para que a criança se sinta segura.

Caso receba um tratamento do tipo "não temos como ficar de olho neles o tempo todo", reforce calmamente o que já disse:

– Meu filho está terrivelmente triste e assustado. O que sugere que eu faça?

A escola é obrigada a se responsabilizar pela segurança dos alunos, e esse é o papel do professor. Portanto, se nenhuma providência for tomada, marque uma reunião com a diretoria da escola para discutir o assunto.

Acompanhamento

Se a estratégia adotada pela professora (qualquer que seja ela) estiver dando certo, ela precisa saber disso. Marque um encontro para discutir o que funcionou e o que pode ser repetido, se necessário, e demonstre o seu agradecimento.

Se a estratégia não surtir efeito, a professora também precisa saber. Não espere até tudo desandar de vez. Converse sobre a possibilidade de pedirem a ajuda de alguém em posição mais elevada na hierarquia administrativa. Talvez vocês possam se unir para isso.

Caso aconteça de novo

Pode ser que não aconteça uma vez só. Pode ser que a paz reine durante algumas semanas, para depois começar tudo de novo.

Quando voltar à escola, procure a pessoa que mais colaborou para a solução do problema na vez anterior. Comece assim:

– Da outra vez, você conseguiu maravilhas. Preciso da sua ajuda novamente.

Lembre que de nada adianta acusar as pessoas de não fazerem bem seu trabalho. Atenha-se aos fatos importantes.

- Meu filho está infeliz.
- Alguém está sendo cruel com ele.
- Preciso da sua ajuda.

Quando quem intimida é um professor

Isso não acontece com frequência mas, quando acontece, as consequências são terríveis para a criança.

Os professores, em sua maioria, são pessoas maravilhosas, confiáveis e cuidadosas, que tratam nossos filhos como se fossem seus.

Mas existem as exceções ocasionais. Quase todo mundo teve um professor que lhe tornou a vida – ou a de um de seus colegas – terrível.

Diante de um professor que intimida, a criança fica impotente. A tristeza que se abate então sobre ela pode torná-la chorosa, assustada, provocar dificuldades de aprendizagem e perda de interesse pela escola. O alto nível de ansiedade às vezes chega até a se manifestar em náuseas, dores de estômago e de cabeça nos dias de aula.

O aluno tanto pode ser o alvo direto como indireto. No primeiro caso, o professor escolhe uma vítima: faz pouco de seus trabalhos ou ideias diante dos colegas, aplica punições injustas ou faz comentários sarcásticos e humilhantes.

Os alvos indiretos geralmente são aqueles alunos aplicadíssimos, que não se afastam um só passo do que consideram certo por medo de despertar a ira do professor. Essas crianças, em geral, não têm consciência do problema, mas os sintomas de sua ansiedade também aparecem.

Se desconfiar que isso possa estar acontecendo com o seu filho:

- Ouça o que ele diz.
- Converse com outros pais e alunos.
- Tome notas.
- Procure o professor.
- Se as coisas não melhorarem, procure um superior.
- Acompanhe as providências.
- Disponha-se a voltar à escola sempre que necessário.

Se as suas queixas não forem acolhidas

Todas as vezes que conversei com diretores de escola acerca de professores que praticavam a intimidação, ouvi a mesma explicação: "É um professor severo, mas justo. Na verdade, um dos meus melhores profissionais."

Mesmo assim, não desista. Atenha-se aos fatos importantes.

- Meu filho está infeliz.
- O professor está sendo cruel.
- Preciso da sua ajuda.

Nós podemos fazer a diferença

A intimidação – *bullying* – é um problema sério, e nossas crianças têm de ser protegidas desse tipo de abuso. Em certos casos, a situação é óbvia, mas em outros é sutil e difícil de provar.

Intimidação e crueldade são atitudes desagradáveis que fazem mal a quem pratica e a quem sofre. Como pais, temos a oportunidade de operar uma mudança positiva que se reflete em casa, na escola e na vida adulta dos nossos filhos.

Lidar com a intimidação é tarefa árdua, mas essencial na criação de filhos.

22

Superando problemas de sono

Por que eu precisaria escrever sobre o sono, uma função corporal tão básica?

Na realidade, são comuns problemas com relação a crianças que custam a dormir ou acordam durante a noite.

Aqui estão três métodos simples para fazer os seus filhos irem sozinhos para a cama e dormirem a noite inteira:

- Aumente aos poucos os intervalos entre uma visita e outra ao quarto deles.
- Deixe que reclamem à vontade.
- O método de idas e vindas de Diane.

Existem muitos livros sobre o sono. Portanto, vou apenas comentar brevemente os dois métodos mais comuns, apontando o que considero mais funcional.

Aumente aos poucos os intervalos entre uma visita e outra ao quarto deles

A ideia é que você apareça e tranquilize a criança, mostrando que está na casa e a ama. Assim que ela se acalmar, saia do quarto. Caso perceba que ela ainda está insegura, volte em cinco minutos e repita o processo. Faça isso quantas vezes forem necessárias, aumentando o intervalo em cinco minutos a cada vez, até que ela adormeça.

Se o método funcionar, você verá uma melhora considerável ao fim de três noites, e seus problemas terminarão em uma semana.

Todas as vezes em que, diante de uma sala cheia de pais, pergunto quem já usou este método – chamado por alguns de "choro controlado" – quase todos levantam a mão. Quando pergunto se o método deu certo, cerca de um terço da plateia se manifesta. Sendo um método perfeitamente razoável, por que não dá certo para os outros dois terços?

Acredito que a terça parte bem-sucedida (de crianças) interprete as atitudes dos pais exatamente como foi descrito. Os outros dois terços, porém, interpretam de maneira diferente: "Se eu continuar chorando, eles vão voltar, mais cedo ou mais tarde." Assim, inadvertidamente ensinamos essas crianças a chorar mais.

Deixe que reclamem à vontade

Este método é comprovado por muitas evidências documentadas: funciona e não faz mal. Na hora de levar a criança para a cama, diga a ela que só voltará lá pela manhã e que ela deve dormir. Talvez, ela chore durante algum tempo, mas vai acabar adormecendo.

Utilizamos esse método com Robert quando ele tinha cerca de 10 meses. Para mim, deve ter sido tão terrível que me provocou um bloqueio e me fez esquecer. O processo durou mais ou menos uma semana e, depois disso, nunca mais tivemos problemas com Robert na hora de dormir.

Quando tivemos a Deborah, porém, precisamos aplicar o método várias vezes. Com ela, aprendi que, quando a criança tende a dormir mal, é preciso se preparar para praticar, praticar e praticar. Não espere que os resultados de um programa de sono aplicado uma vez durem pelo resto da vida.

O método de idas e vindas de Diane

Quando eu era a jovem mãe de duas crianças pequenas, seguia uma rotina rígida quanto a horas de sono. Se almoçássemos fora, carregava comigo um colchonete, de modo que as crianças tirassem a soneca da tarde onde quer que estivéssemos. Quando Deborah nasceu, porém, eu já não era tão jovem e estava cansada de carregar tanta tralha. Ela, no entanto, ficava muito irritada no decorrer do dia.

Era preciso encontrar um meio de fazê-la dormir à tarde, mas como? Como demonstrar a uma criança que estamos satisfeitos com seu comportamento se ela está adormecida? Não teria sentido acordá-la para dizer isso. E, mais tarde, quando ela despertasse, a ocasião já teria passado.

Foi então que decidi reconhecer e valorizar seu comportamento por permanecer na cama, e não por pegar no sono.

Você vai dormir na cama de Jan

Certa vez, íamos visitar Jan, e eu disse a Deborah (então com 14 meses, mais ou menos) que ela receberia um tratamento especial: ia dormir na cama grande de Jan. Então, eu a acomodei entre as cobertas e disse que voltaria logo para ver se ela estava bem.

Voltei dali a trinta segundos - cronometrados - dei-lhe um beijo e lhe disse o quanto ela era maravilhosa. Repeti o processo depois de um minuto, dois minutos, três minutos, quatro minutos. No sexto minuto, eu a encontrei adormecida, com um meio sorriso nos lábios.

É preciso muita disciplina da parte dos pais para aplicar esse método. O objetivo é impedir que a criança se frustre com a ausência da mãe (ou do pai). Dá trabalho, mas é um método agradável, porque você não precisa interagir com uma criança aos prantos.

E quanto à criança ansiosa?

É um alívio para muitos pais saber que existe um meio de ensinar os filhos a dormir sozinhos sem que seja preciso deixá-los chorar até adormecer. Alguns, porém, contam que os filhos se agarram a eles para que não saiam do quarto.

Se for esse o caso, aplique o mesmo método, com uma ligeira diferença no início. Comece com "vou ao banheiro e já volto". Gosto dessa desculpa porque é uma necessidade que a criança não tem como discutir! Invente desculpas razoáveis, indo e voltando por pouco tempo, em intervalos cada vez mais longos.

Se a criança não aguentar o afastamento, existem duas possibilidades: ou ela está excepcionalmente carente, ou está usando a situação para manipular você.

A criança que não fica no quarto

Primeiro, você tem de decidir a que horas se encerram seus serviços de mãe (ou de pai). Depois disso, você não atenderá mais os filhos – ou seja: nada de reclamações, gritos, lições de moral nem alimentação.

No entanto, nada impede que você deixe a porta do quarto aberta e apareça lá de vez em quando, elogiando a criança que ficou quietinha. As crianças, em sua maioria, se sentem satisfeitas e ligadas à família pelo simples fato de verem a porta do quarto aberta.

Se a criança sair do quarto ou fizer muito barulho, explique a ela que está perturbando a família. Ofereça duas opções: ficar quieta no quarto com a porta aberta ou ter a porta fechada por cinco minutos. Sem dizer qualquer palavra, acomode-a novamente na cama e, somente então, diga:

– Volto em cinco minutos para ver se você está quietinha e se posso abrir a porta.

Decorridos cinco minutos, volte e abra a porta. Se ela estiver sossegada, diga que vai deixar a porta aberta e retornar de vez em quando para ver se está tudo bem. Se ela continuar reclamando ou chorando, é sinal de que recusou a sua generosa oferta. Diga que vai dar uma nova chance para ela dentro de cinco minutos e torne a fechar a porta.

Você facilmente descobrirá se a criança quer a porta aberta ou fechada. Depois que souber, respeite a escolha dela.

A vida fica muito mais simples

A sua noite será muito mais agradável com a criança satisfeita no quarto, de porta aberta. E você se sentirá à vontade para entrar lá, seja para lhe dar um abraço e um beijo, seja para guardar um par de meias na gaveta.

Uma última palavra sobre as idas e vindas

Depois de anos, e até agora, tendo passado da metade da adolescência, Deborah ainda nos diz boa-noite do mesmo jeito. Nas raras vezes em que se deita antes de nós e entramos em seu quarto para um último beijinho, ela costuma se despedir assim:

– Boa-noite, mamãe. Boa-noite, papai. Apareçam.

É difícil eliminar hábitos adquiridos na infância

Dependendo da idade, as crianças atravessam vários ciclos de sono de uma hora, mais ou menos, durante a noite, passando pelos sonos superficial, leve e profundo. E, no fim de cada ciclo, podem precisar que se repitam as mesmas circunstâncias do momento em que adormeceram, no início da noite.

Assim, se estiverem habituadas a ir para a cama tendo um adulto ao lado, vão sentir falta daquela presença entre um e outro ciclo de sono. Se estiverem acostumadas a adormecer tendo na boca uma chupeta ou mamadeira, vão precisar do mesmo recurso no meio da noite.

Para a criança que dorme bem, nada disso tem importância. Mas, se seu filho acorda durante a noite, você terá que ensiná-lo a dormir sozinho, para que ele possa fazer o mesmo a cada ciclo de sono.

Comece pela hora de ir para a cama

Se quiser que seu filho adormeça sem a ajuda de recursos, inicie o processo pela hora de ir para a cama.

Caso costume se deitar ao lado da criança, comece por colocar uma poltrona ao lado da cama. Com o passar dos dias, vá afastando a poltrona em direção à porta. No fim de uma semana, adote a estratégia de sair do quarto e voltar várias vezes.

Se a criança gostar de mamar antes de dormir, deixe que tome uma mamadeira ainda na sala. Em seguida, cuide para que escove os dentes e vá para a cama. Então, comece as idas e vindas.

Seu filho dorme com chupeta? Você precisa se levantar várias vezes durante a noite para recolocar a chupeta que caiu, fazendo a criança chorar? Se quiser continuar assim, tudo bem.

Senão, é hora de ensinar à criança a dormir sem chupeta. Não conheço outro meio de fazer isso, a não ser passando algumas terríveis noites de choro até que ela se acostume. É o que eu deveria ter feito.

Segurança em primeiro lugar

Caso você esteja preocupada com o choro do seu filho durante a noite, nada mais natural do que interromper o método de indução ao sono que estiver usando e entrar no quarto dele para checar se está tudo bem. Mas, se no momento em que você entrar no quarto a criança parar de chorar, se agarrar em seu pescoço e falar um "oi, mamãe..." meloso, pode saber que está tudo certo. Faça um carinho nela, diga que está tudo bem, saia do quarto e não se deixe vencer pelos choramingos.

Será que ela nunca vai parar de chorar?

Nosso maior medo, quando decidimos deixar a criança chorar até dormir, é que ela não pare nunca.

Preste atenção ao choro. Em geral, a criança chora a plenos pulmões durante uns dez minutos, para um pouco, toma fôlego e recomeça. A cada vez, porém, a pausa é um pouco mais longa, como se ela procurasse descobrir se alguém está prestando atenção. Como ninguém aparece, volta a chorar.

Se perceber na criança esse padrão de choro que vai e vem, tenha a certeza de que ela sabe parar. Está dentro da capacidade dela. Basta esperar que tome a decisão.

Perfeita visão noturna

Houve uma época em que Deborah começou a andar à noite pela casa. Certa noite, acordei e a vi de pé, ao lado da minha cama. Cheia de preguiça, mantive apenas um olho aberto e disse, com o tom de voz mais sinistro que consegui fazer:

– Você sabe que, se eu tiver de levantar daqui, vou ficar muito, muito zangada.

Ela se afastou correndo, e eu voltei a dormir, satisfeita com minha atitude assertiva.

Na manhã seguinte, Rob (então com 15 anos) apareceu com um aspecto horrível. Deborah tinha descido dois lances de escada e, chegando ao quarto do irmão, pediu para se deitar na cama dele. Sentindo-se confortável, ela dormiu por horas. Rob teve uma noite terrível, tentando, o tempo todo, se ajeitar no pequeno canto de cama que sobrou para ele.

Com isso, aprendi que as crianças possuem excelente visão noturna e são capazes de se orientar no escuro. Não há motivo para preocupação, portanto.

Um último comentário

Quando os pais me telefonam para relatar problemas de sono dos filhos, costumam se surpreender com as minhas perguntas acerca do comportamento das crianças durante o dia.

No caso de crianças relativamente obedientes durante o dia, por exemplo, a ideia de ter a mãe alternando idas e vindas durante a noite é tão agradável que pode fazer com que fiquem dependentes disso para dormir.

Com a criança que desobedece durante o dia, o que acontece é que, à noite, elas tendem a repetir o mesmo comportamento desobediente. Um dos meios mais eficazes para que essas crianças durmam bem, portanto, é melhorar sua obediência de uma forma geral.

23
A BATALHA DAS REFEIÇÕES

Quando os filhos comem bem e são robustos, a mãe se sente bem-sucedida.

Mas e se a criança for naturalmente miúda? Se não tiver interesse por comida? E se, além do mais, não tiver uma saúde das melhores? Sob tais circunstâncias, a pressão sobre a mãe é enorme. É como se todo mundo se sentisse no direito de oferecer conselhos, em geral não solicitados.

- Eu daria a ela um fortificante.
- Ela não tem carência de ferro?
- Não deixe ela comer em frente à televisão.
- Talvez ela comesse melhor se fizesse as refeições em frente à televisão.

Algumas crianças não ligam muito para comida

Dos nossos filhos, Deborah foi a primeira a não ligar para comida. Robert e Tanya eram gulosos, interessavam-se pela comida, aproveitavam as refeições. Deborah foi uma exceção. Algumas vezes, quando sentia fome, comia vorazmente e pedia mais. Outras vezes, bastavam algumas colheradas; não colocava na boca nenhum bocado de comida a mais. Não adiantava pedir "só mais uma colheradinha para a mamãe". Ela parecia não compreender minha necessidade emocional de alimentá-la, mas prestava atenção aos sinais do próprio corpo. Que criança estranha!

Lembre-se do gafanhoto

Quase todos nós nos sentimos responsáveis pela quantidade e qualidade de alimento que nossos filhos consomem.

Ficamos preocupados com a possibilidade de o alimento ingerido não ser suficiente para sustentá-los até a refeição seguinte, de que sintam fome de madrugada e de fiquem carentes de minerais. Acreditamos que, se não conseguirmos convencer os filhos adolescentes a tomar um café da manhã saudável, seremos responsáveis por sua incapacidade de aprender. Ficamos preocupados com a possibilidade de a nossa preocupação – ou a falta dela – tornar nossos filhos anoréxicos ou obesos.

Fato é que até o gafanhoto possui a inteligência de comer o alimento certo na quantidade adequada. Então, se o gafanhoto consegue isso, por que duvidamos dos nossos filhos, que com certeza possuem uma capacidade mental consideravelmente melhor?

Vantagens de se recusar a comer

Todos começamos a vida seguindo um projeto genérico cuja finalidade é ter nossas necessidades nutricionais satisfeitas. Se você já teve problemas de alimentação com um filho, certamente ouviu alguém dizer:

– Não se preocupe. Ninguém morre de fome cercado de comida.

Embora, em linhas gerais, eu concorde, gostaria de acrescentar: "nenhuma criança morre de fome cercada de comida... a não ser que não coma nada nutritivo."

Se nossos filhos conseguirem atenção ao rejeitar a comida; se tal rejeição alterar o clima da casa; se as crianças ouvirem os adultos se referirem à alimentação como uma atividade pouco natural; se a recusa da alimentação deixar a mamãe preocupada, a aceitação agradar ao vovô e se os pais prepararem pratos especiais só porque os filhos não gostam de certas coisas perfeitamente saudáveis, estaremos abrindo caminho para a batalha das refeições. É muito possível que, para tal criança, o conflito traga mais vantagens do que a satisfação natural que resulta do ato de comer.

Como não fazer a criança comer

Deborah tinha cerca de 2 anos quando descobri a inutilidade das batalhas em torno das refeições. Era a hora do café da manhã, e eu acabara de colocar diante dela um prato com tangerina em pedaços, torradas e queijo em cubos – alimentos que Deborah adorava.

Ela comeu a tangerina, um ou outro pedaço de torrada e queijo e pediu para descer da cadeirinha alta. Não sei o que me deu naquele dia, mas resolvi que ela não receberia outro alimento até comer tudo o que havia no prato. Deborah só bebeu água. Robert, então com 15 anos, e Tany, então com 13, me procuraram reservadamente e perguntaram:

– Tem certeza do que está fazendo?

Eu me escondi no quarto para chorar. Mas era uma questão de princípios. Deborah tinha de aprender a comer o que eu dissesse e quando eu lhe desse.

Ela resistiu por trinta e seis horas, bebendo somente água. Então, resolveu comer. Eu tinha vencido... mas foi uma vitória sem graça. E a que custo!

Naquele dia, aprendi uma lição. Nunca mais participaria de uma batalha por causa de uma refeição.

Mensagens transmitidas pela sociedade em que vivemos

Muitos de nós trazemos uma bagagem de "refeições em família", que aconteciam aproximadamente sob as mesmas condições. As regras eram mais ou menos estas:

- A família toda comia ao mesmo tempo, em horas certas.
- Havia lugares marcados para todos.
- A mãe servia a comida.
- Todos comiam o que era servido.
- Os talheres eram usados corretamente.
- Somente quem comia tudo tinha direito à sobremesa.
- Só se podia deixar a mesa depois de esvaziar o prato.

- As crianças não falavam enquanto comiam.

Para as crianças que tinham fome no horário preestabelecido, gostavam da comida oferecida e percebiam uma atmosfera de harmonia em torno da mesa e, para aquelas cujo gosto e apetite combinavam com o cardápio, era um excelente sistema.

No entanto, pode ser que você possua lembranças nada agradáveis das refeições em família. Talvez não gostasse da comida. Talvez ainda se lembre de ficar remexendo a comida no prato, na esperança de que ela, de algum modo, desaparecesse. Talvez se lembre de ter de continuar à mesa mesmo depois de todos terem se retirado, olhando para uma pilha de rodelas de beterraba fria.

Talvez, as suas lembranças das refeições em família sejam maravilhosas. Talvez você se lembre das conversas, dos risos, da comida gostosa e de uma sensação de amor e segurança. As lembranças afetam o modo como você cria os seus filhos e suas atitudes em relação aos alimentos e à hora das refeições.

Hoje, as refeições são muito diferentes

Atualmente, fazemos as refeições de várias maneiras, inclusive conforme o dia da semana:

- A família inteira em torno de uma mesa arrumada, usando talheres.
- Em um restaurante.
- Em uma lanchonete, sem usar talheres.
- Diante da televisão.
- As crianças em uma mesa menor, especial, sendo servidas antes dos adultos.
- À mesa, comendo petiscos sem usar talheres.
- No carro.

Cada uma dessas situações tem suas regras de conduta, e nossos filhos são perfeitamente capazes de aprendê-las, desde que sejam claras.

Minha mãe adorava contar um fato acontecido na década de 30. Ela era recém-casada e tinha como vizinha, no apartamento ao lado, uma jovem com um filho de 4 anos, Frederick. O menino comia mal, e cada refeição era uma batalha. Então, a mãe de Frederick e minha mãe arquitetaram um plano. Minha mãe convidaria o menino para jantar com ela, prometendo um verdadeiro banquete. Sem que ele soubesse, porém, a mãe dele preparou a comida de sempre.

Frederick chegou pontualmente na hora marcada, sentindo-se um verdadeiro adulto. E não apenas comeu tudo, como reclamou com a mãe por ela não preparar uma comida tão gostosa quanto à da sra. Hift.

Para que servem as refeições

Em nossa sociedade, as refeições possuem objetivos múltiplos, atendendo ao mesmo tempo a várias necessidades:

- Nutrição
- Sociabilidade
- União da família
- Celebração
- Congraçamento de gerações
- Reunião de amigos
- Reforço de regras familiares de comportamento

Quando for decidir o que fazer acerca dos hábitos alimentares dos seus filhos, tenha em mente o(s) objetivo(s) daquela refeição em especial. É o objetivo que determina as regras a serem seguidas em cada refeição.

Quais são as expectativas razoáveis?

Desejo que os meus filhos se comportem bem em várias situações. Espero que saibam comer petiscos arrumados sobre uma toalha e usar louças e talheres em uma refeição formal. Espero que crianças pequenas não se afastem da mesa até acabarem de comer. E, caso percam o interesse pela comida, quero que se sintam à vontade para ir embora ou continuarem à mesa, aproveitando a companhia dos outros.

As mesmas regras de cortesia e de um comportamento razoavelmente adequado, socialmente aceitável, se aplicam tanto às refeições quanto a outras ocasiões.

Nada me dá mais prazer do que estar à mesa com três gerações reunidas, aproveitando boa comida e companhias agradáveis, vendo as crianças contribuírem com suas ideias para a conversa. No entanto, esse convívio não acontece num passe de mágica. Para isso, é preciso que as crianças comam razoavelmente sossegadas, apresentem razoavelmente boas maneiras e um nível razoável de disciplina.

Estabelecendo o próprio programa

O que fazer no caso de a hora das refeições dos seus filhos já ter se tornado um pesadelo? Se cada refeição é um tormento para todos; se você fica angustiado com a pergunta "O que posso oferecer ao meu filho no almoço?"; se você teme ter de recorrer a uma cirurgia caso o médico decida pesar a criança –, definitivamente é hora de mudar alguma coisa.

De nada adianta dizer aos pais:

- Deixe a comida na frente dele e saia de perto.
- Espere até que ele peça comida.
- Por que não tenta fazer pratos mais atraentes?
- Não dê sobremesa para o seu filho até que ele coma pelo menos uma colherada de cada tipo de comida.
- Se for para a cama com fome, ele vai agir de outra forma da próxima vez.

Eu prefiro outra maneira de pensar e agir em relação à comida que:

- respeite a necessidade alimentar da criança,
- permita à criança acesso regular à comida,
- respeite os limites do corpo do seu filho,
- faça com que você pare de tentar fazer a criança comer,
- dê a você um certo descanso,
- reduza o atrito por causa de comida,
- ofereça à criança oportunidades de consumir alimentos saudáveis sem sofrer pressões.

Algumas ideias úteis antes de começar

Comece com quantidades bem pequenas. Caso a criança peça mais, descubra como agir.

- A sua responsabilidade é, cinco vezes ao dia, oferecer à criança acesso a quantidades razoáveis de comida saudável que ela aceite. O que ela faz com essa oportunidade é problema dela.
- Evite que os alimentos se misturem. Em especial, evite que uma comida de que a criança goste muito fique encostada em outra da qual ela não goste. Pelo que se pode observar, há uma espécie de contaminação, tornando toda a refeição pouco atraente. Se a criança for realmente difícil, acho boa ideia comprar um daqueles pratos divididos em compartimentos.
- Sucos e leite são alimentos líquidos. Se nossos filhos obtiverem nos alimentos líquidos uma proporção substancial de calorias, não é de admirar que tenham pouco apetite para alimentos sólidos. A água sacia a sede.
- Você não administra um restaurante de *self-service.*
- Não aceite comportamentos inadequados somente para que a criança coma. Não permita que ela fique "jogada" na cadeira, desarrume a mesa e misture os alimentos, fazendo com eles uma sopa que não vai comer; não permita que ela ande pela casa com o prato na mão nem que ela olhe fixamente para a TV, abrindo a boca de tempo em tempo distraidamente, para que você despeje a comida lá dentro.

O plano

Comece pela hora do café da manhã. Ofereça uma quantidade de alimentos de que a criança goste – ou, pelo menos, que não deteste. Convide-a a se sentar à mesa. Como está sem comer desde a hora em que foi dormir, é provável que esteja com fome.

Quando a criança se disser satisfeita, não importa o quanto tenha comido – ainda que seja nada! –, deixe que saia da mesa, se ela quiser. Ou, se ela preferir ficar, ainda que sem comer, apenas para conversar, tudo bem!

Dê a um comportamento inadequado o mesmo tratamento que dispensaria a quaisquer outras questões: apoio emocional ou distância emocional.

Respostas prováveis

- Criança: "É tudo horrível. Não gosto de nada disso." (chorando) Você (com um braço em volta dela): "Não é terrível isso? Mas não se aborreça. Talvez mais tarde a comida seja do seu agrado."
- Criança: "É tudo horrível. Não gosto de nada disso." (com raiva) Você: "Não gosto quando fala assim comigo. Pode sair da mesa e ir para outro lugar."
- Criança: "Já comi a tangerina, mas não quero a torrada. Você pode me dar mais um pouco de tangerina?"

  "Desculpe, querido, mas era o que tínhamos para o café da manhã. De outra vez, vou lembrar que você gosta muito de tangerina."
- Criança: "Não quero mais."

  Você: "Tudo bem, querido. Pode ir. Vou guardar o que sobrou para o caso de você sentir fome mais tarde."
- Criança: "É tudo horrível. Não gosto de nada disso." (atirando a comida no chão)

  Você: "Você sabe que não deve jogar a comida no chão. Agora vá pensar até que eu limpe tudo." (E você limpa tudo bem devagar)

Alguns livros sobre educação infantil aconselham a deixar a limpeza para a criança, para ela que sinta as consequências de seus atos. Outro argumento a favor de deixar que a criança limpe a sujeira é preservar a autoestima dela. No entanto, a autoestima que está em jogo é a da mãe. Depois de ter atirado no chão o alimento que preparei com tanto cuidado, meu filho corre o risco de ter uma mãe com a autoestima destruída por haver gritado com ele e contido a duras penas o desejo de lhe apertar o pescoço. (Muito melhor deixá-lo pensando em seu canto até que eu esteja pronta para tê-lo ao meu lado novamente.)

O lanchinho da manhã

Na hora do lanchinho da manhã, jogue fora o que tiver sobrado do café sem fazer qualquer comentário. Sirva uma pequena porção de alimento.

Se o seu filho não quiser o alimento que lhe foi oferecido, ele pode deixar a mesa, sabendo que você vai guardar as sobras até a hora do almoço.

Repita a estratégia em todas as refeições. A cozinha deve ter as atividades encerradas uma ou duas horas depois do jantar.

O que esperar

Não se surpreenda com as reclamações durante os dois primeiros dias. Não se admire se ouvir uma vozinha patética gemendo "estou com fome" diante de uma bela maçã, mas desejando biscoitos de chocolate.

Também não se surpreenda com grandes cenas. Talvez, a criança venha usando a comida para chantagear você e, de repente, veja sua força desaparecer. É como se diz: nenhum ditador quer abrir mão do poder.

Pense no alívio que sentirá por não ter de passar as vinte e quatro horas do dia pensando se o seu filho vai comer ou não.

24
TREINAMENTO PARA USO DO BANHEIRO

Nossos filhos podem ser considerados completamente treinados para o uso do banheiro quando: percebem o corpo sinalizar a necessidade de eliminação e conseguem interromper uma atividade (inclusive o sono) para irem sozinhos ao banheiro fazer o que for preciso, sem qualquer intervenção dos adultos, seja antes, durante ou depois.

Uma progressão natural

Reconhecer os sinais do corpo e agir de acordo são habilidades que seguem uma progressão natural, embora algumas crianças pareçam aprender da noite para o dia.

Vamos ver as etapas.

Inocência total

Os bebês parecem ter pouca consciência do que é eliminado pelo corpo. Ficam bem bonitinhos espremendo-se, vermelhos pela força que fazem. E ficam ainda mais engraçados ao parecerem surpresos com os sons que produzem. No entanto, ainda não sabem o que se passa.

Alguns bebês detestam ficar sujos ou molhados e choram até que alguém os troque. Outros parecem não se importar.

"Já fiz"

Mais cedo ou mais tarde, as crianças pequenas começam a avisar quando "já fizeram". Elas percebem quando o corpo acaba de eliminar o que havia para ser eliminado e querem ser trocadas.

Esse é um sinal de progresso e deve ser incentivado. Embora às vezes não nos demos conta disso, saber que "já fez" é um estágio importante do desenvolvimento.

Precisamos entender que, nesse estágio, a criança só sabe "depois". Ela ainda não possui a experiência de reconhecer antecipadamente os sinais. É prematuro insistir para que ela avise antes.

Uma resposta bem melhor, para reforçar a maravilhosa conquista da criança, é:

– Que menina legal! Falou para a mamãe! Vamos trocar a fralda.

"Estou fazendo"

Pelo aspecto social, não é lá muito conveniente a nossa criança gritar, em pleno supermercado, por exemplo:

– Mãe! Estou fazendo xixi!

No entanto, é uma etapa a ser valorizada. A criança progrediu, a ponto de ter consciência do que se passa em seu corpo no momento em que acontece.

É por volta dessa idade – em especial no verão – que as crianças têm a oportunidade de experimentar a distância que são capazes de atingir ao fazer xixi. Os meninos são bem equipados para isso, mas você vai se surpreender ao ver a performance das meninas com a bexiga cheia e um leve movimento de quadril.

Crianças também podem se sentir fascinadas pelo cocô que produzem. Quem nunca encontrou o filho no banheiro usando os produtos de seu corpo como massa de modelar? Como é adorável a arte de criar filhos!

"Preciso ir ao banheiro – em cinco segundos"

Na etapa seguinte, o sistema de alarme precoce da criança não funciona. Ela só sabe da eliminação quando está a ponto de acontecer. Essa etapa dura pouco tempo, felizmente. Na vigência dela, você terá alteradas as suas prioridades em matéria de localização: somente irá a lugares que possuam um banheiro a cinco segundos de distância.

Diga à criança que ela fez muito bem em avisar e corra para o banheiro mais próximo. Não haverá atraso no progresso dela caso você prefira, nesse estágio, chamá-la de vez em quando para ir ao banheiro. Além do mais, é uma opção muito boa para a sua pressão arterial e paz de espírito.

"Preciso ir ao banheiro"

Chegamos a um ótimo estágio na vida de pais: é possível sair com a criança sem se preocupar com fraldas, pois ela já é capaz de avisar em tempo hábil que precisa usar o banheiro.

Essa é uma época em que as crianças apreciam a pesquisa. Elas gostam de inspecionar as casas que não conhecem e costumam começar pelos banheiros. Você está quase chegando lá.

"Eu vou sozinho"

Afinal, chegamos ao estágio maravilhoso, em que a criança vai ao banheiro, maneja a própria roupa, dá a descarga, lava as mãos e volta a brincar sem solicitar ajuda da mãe ou de qualquer adulto.

"Não preciso mais de fralda para dormir"

A criança se controla por períodos cada vez mais longos, até conseguir se manter seca durante a noite toda.

Existem duas razões para que uma criança acorde seca regularmente. A primeira é que ela se tornou realmente boa em "segurar": vai para a cama à noite e "segura" até de manhã. Isso é absolutamente maravilhoso, mas não significa que esteja de todo treinada.

Você pode afirmar que a criança está perfeitamente treinada para o uso do banheiro quando confia em que ela reconheça – no meio da noite e durante o sono – a necessidade de se levantar e ir até lá, voltando depois para a cama. Claro que, no início, vai chamar você, mas aos poucos irá se tornar capaz de administrar por si todo o processo.

Para avançar, dê um passo para trás

Se o uso do banheiro continua provocando verdadeiras batalhas, talvez isso seja um sinal de que você queimou etapas muito rapidamente. A melhor solução é identificar a etapa pouco explorada e voltar a ela. Os pais temem estar regredindo caso voltem a recorrer às fraldas. O mais importante, porém, é deixar a criança confortável com seus processos físicos. O corpo é dela, o tapete é seu. O conforto é dela, a pressão arterial é sua. Volte às fraldas. Deixe que ela faça xixi e cocô quando o corpo mandar. Logo, logo, ela estará pronta para passar à etapa seguinte.

Problemas frequentes

Em meu trabalho como terapeuta de família, recebo muitas consultas relacionadas a ida ao banheiro. Vamos ver, então, os problemas mais frequentes e derrubar alguns mitos e lendas.

"Ela gosta de usar fraldas"

Muitas crianças, apesar de perfeitamente treinadas para fazer xixi, gostam de fazer cocô na fralda. Primeiro, elas pedem para colocar uma fralda. Depois, vão para trás do sofá, ficam de cócoras e resistem a qualquer indagação sobre o que estão fazendo. Ao terminar, tanto podem pedir que lhe troquem a fralda, como podem voltar tranquilamente a brincar.

A primeira coisa que incentivo as mães a fazer é darem parabéns a si mesmas. Seu filho alcançou controle total do intestino. Ele reconhece quando precisa fazer cocô, consegue esperar até que a fralda seja colocada, vai para o lugar de sua escolha e sabe quando acabou. Está treinado.

O único ponto em questão é o local. Recomendo um processo em três etapas.

Primeiro, mude o local. Todos na casa fazem cocô no cômodo onde fica o vaso sanitário. Portanto, a criança também pode fazer. Quando ela pedir que lhe coloquem a fralda, atenda, mas leve-a para o banheiro. Pergunte se ela quer ficar lá. Diga que ela pode sair quando terminar. Reforce como foi maravilhoso vê-la fazer cocô no mesmo local onde os adultos fazem.

Se esse estágio for muito difícil, é sinal de que se trata, na verdade, de uma questão de obediência. Pense nos outros aspectos do comportamento da criança. É preciso insistir muito para que ela obedeça?

Uma vez superada essa etapa, deixe claro que ela pode fazer cocô no vaso sanitário mesmo estando de fralda. Depois que a criança for capaz de pedir a fralda, sentar-se no vaso sanitário e fazer o que for preciso, o resto virá em poucos dias. Um dia, ela vai arrancar a fralda e gritar:

– Ei, venha ver!

Nesse dia, você se juntará a todos os pais no mundo que já deram cambalhotas de alegria pela casa porque os filhos aprenderam a usar o banheiro.

Quando pergunto, a resposta é sempre "não"

Se você perguntar a seu filho se ele precisa ir ao banheiro, a resposta provavelmente será "não". Existe uma boa razão para isso: se ele achasse que precisava ir, já teria ido. Ou ele não consegue reconhecer a necessidade, ou não precisa mesmo. De qualquer modo, trata-se de uma pergunta inútil.

Caso a criança seja capaz de reconhecer a necessidade de usar o banheiro, mas não queira ir, de que adianta iniciar uma batalha verbal? Respeite o fato de que ela conhece o próprio corpo, mas às vezes pode cometer enganos.

Fale assim:

– Fiquei pensando que pode ter um xixi escondido aí. Vamos ver se tem?

Então, acomode a criança no vaso sanitário e conte devagar até vinte. Mesmo as que mais "seguram" dificilmente conseguem passar de dezessete quando estão com a bexiga cheia.

Se esse for o caso, ela vai urinar. Diga então:

– Ora, como o xixi estava bem escondido!

Se ela não urinar, porém, a conversa é outra:

– É, me enganei. Então me avise quando o xixi quiser sair.

Se a criança começar a dar pulinhos com as pernas cruzadas, nem pergunte. Diga apenas:

– Tem um cocô (ou xixi) querendo sair. Vamos agora.

E leve-a imediatamente para o banheiro.

Esse tipo de linguagem coloca você e os seus filhos lado a lado, de modo que possam lidar com os caprichos do corpo.

"Ela está muito ocupada"

Muito se fala sobre as consequências do descontentamento dos pais quando os filhos molham ou sujam a roupa ou o chão. Não existe justificativa para repreensões nem humilhações impostas a uma criança que não controla completamente suas funções físicas.

No entanto, existe um momento em que você percebe que a criança fez uma poça no chão ou carrega um bolo dentro das calças, apesar de perfeitamente capaz de reconhecer as necessidades do corpo e de ir ao banheiro sozinha. A questão é que ela simplesmente não quis interromper o que estava fazendo e preferiu continuar a brincar.

Os pais, em geral, justificam: "é preguiça" ou "ela estava muito ocupada".

A realidade é que se trata de um caso leve de desobediência. Ela sabe o que se espera dela, é capaz de cumprir, mas prefere não dar atenção aos sinais emitidos pelo corpo.

Ao verificar manchas de xixi na roupa ou odores desagradáveis, não faça perguntas do tipo "quer ir ao banheiro?", "o que você fez?" ou "você se molhou?" Todas soariam falsas, pois você já sabe a resposta.

Diga apenas que ela precisa trocar de roupa. E troque. Em seguida, leve-a para o quarto e explique:

– Tenho de arrumar a casa agora. Espere aqui até eu terminar.

Não tenha pressa. Leve o tempo que for necessário para se acalmar e, então, diga a ela que já pode sair do quarto. Não dê lições de moral nem explicações. Você causou um leve dissabor à criança. Ponto final. Ela vai tirar suas conclusões.

Quero deixar bem claro que isso só se adapta a uma criança bem treinada para o uso do banheiro. Castigos não se aplicam a crianças que ainda estejam aprendendo a reconhecer os sinais do corpo.

Xixi durante a noite: mantenha a fralda

Não consigo entender por que alguém permite que uma criança molhe a cama noite após noite. Acidentes acontecem, claro, mas o que ocorre toda noite não é mais acidente. Se a cama sempre amanhece molhada, é sinal de que a criança não consegue atender aos sinais do corpo durante a noite, levantar-se, ir ao banheiro e voltar para a cama. Ela precisa de fralda ou de calças impermeáveis até conseguir. É questão de tempo, somente.

Os pais se preocupam com a possibilidade de a criança se sentir humilhada por vestir calças impermeáveis. Concordo que não é lá muito agradável, mas é muito menos humilhante do que ter diariamente toda a roupa de cama trocada e o colchão posto para secar do lado de fora da casa. Sentindo-se tranquila, um dia ela vai superar essa dificuldade.

Levantar ou não levantar?

De nada adianta a criança ser carregada, absolutamente inerte, da cama até o banheiro, colocada no vaso sanitário para fazer xixi e levada ainda inerte de volta para a cama. Isso evita que a cama se molhe – e muitas vezes, é o que se quer –, mas, se você estiver interessada no treinamento, precisa fazer com que a criança participe do processo.

Tente despertar a criança. Se ela estiver profundamente adormecida, volte em quinze minutos, quando provavelmente estará em um sono mais superficial. Leve-a andando ou no colo até o banheiro e a acomode no vaso sanitário.

É então que ela precisa estar consciente do processo.

Quando a criança terminar, leve-a de volta para a cama, tomando-a pela mão, para que se mantenha suficientemente alerta e consciente do processo. Caminhar atrás dela, segurando-a pelos ombros, também dá certo. Elogie-a por ter ido ao banheiro, dê um beijo de boa-noite e saia do quarto.

O que você fez foi repetir para a criança todas as etapas necessárias para que ela se mantenha seca durante a noite.

Se ela conseguir, na maior parte das vezes, acordar seca pela manhã, tendo sido levada ao banheiro apenas uma vez, você pode deixá-la sem fralda na primeira parte da noite. Depois que ela for ao banheiro, decida se vai deixá-la sem ou com fralda, por via das dúvidas...

Quando levantar

Depois de comermos, nossos vários processos digestivos entram em atividade, e um dos subprodutos dessa atividade é a bexiga cheia. Se a criança tiver comido e bebido relativamente cedo, no início da noite, provavelmente já terá esvaziado a bexiga quando chegar a hora de dormir. No entanto, se fizer uma refeição farta imediatamente antes de ir para a cama, é certo que dali a uma hora, uma hora e meia, estará com a bexiga cheia.

A primeira providência é descobrir *quando* a criança tem a bexiga cheia. Quase todos pensamos que, se fizermos a criança levantar para ir ao banheiro o mais tarde possível – na hora em que nós formos deitar –, aumentarão as chances de que ela acorde seca de manhã. Bela teoria, mas não funciona se a criança já estiver molhada!

Descubra a que horas a criança faz xixi pela primeira vez durante a noite. A hora certa de fazê-la levantar é exatamente antes disso. Ainda que ela tenha adormecido há apenas uma hora, esse é o momento.

A cada dia, faça isso um pouquinho mais tarde, até coincidir com a hora em que você vai para a cama.

E se uma vez só não for suficiente?

Certas crianças conseguem se manter secas até mais tarde, mas fazem xixi mais uma vez antes do amanhecer.

Uma sugestão seria fazer a criança levantar pela segunda vez. É difícil para os pais, mas funciona. Ao se deitar, programe o despertador para duas ou três horas depois. Espante o sono, vá até o quarto da criança e leve-a ao banheiro novamente. Depois, resmungue algumas palavras e volte a dormir – se puder.

A cada vez que encontrar a criança seca, aumente em quinze minutos o intervalo entre as chamadas. É provável que, a partir do momento em que a segunda chamada chegar ao horário de 3h30, ela consiga se manter seca até o amanhecer.

Ela continua a molhar a cama

Se a criança chegar à idade de 7 anos sem demonstrar capacidade de acordar no meio da noite para ir ao banheiro; se você, a essa altura, continuar às voltas com fraldas e lençóis molhados, converse com o médico da família. Caso ele não encontre explicação, veja o que pode fazer para que a criança administre o próprio treinamento.

Ela tem o sono muito pesado

Crianças que têm sono pesado nem sempre fazem xixi na cama, mas crianças que fazem xixi na cama quase sempre têm sono pesado.

Na minha opinião, as crianças que não conseguem deixar de molhar a cama à noite detestam francamente essa situação. Por mais que os adultos tratem o assunto com discrição, elas sabem que seu comportamento não é adequado. Como estão convencidas de sua incapacidade de acordar à noite para ir ao banheiro, dormem profundamente e, porque dormem profundamente, fazem xixi na cama. É um círculo vicioso.

Se a criança for relativamente cooperativa nas atividades do dia e estiver disposta a colaborar, você pode ajudá-la a adquirir certas habilidades importantes para que permaneça seca durante a noite.

Duas habilidades necessárias

Para permanecer seca a noite inteira, a criança tem de dominar duas habilidades.

A primeira é ser uma excelente "seguradora": aguentar por algum tempo a bexiga cheia. A segunda é estar alerta para os sinais do corpo durante a noite. Isso não é fácil para quem tem sono pesado.

Explique à criança que você tem um plano para ajudá-la a permanecer seca a noite inteira. Para isso, ela precisa treinar o próprio corpo.

Tornando-se uma campeã entre os "seguradores"

Todo dia, ao chegar da escola, a criança deve beber dois copos grandes de água e segurar a vontade de fazer xixi pelo período de tempo mais longo possível. Organize com ela registros desses períodos. Uma quinzena é um período razoável para a criança perceber que os intervalos vão ficando cada vez mais extensos. Você e ela vão se surpreender com os progressos!

Ensinando a sua criança a se manter alerta durante o sono

A criança tem de estar atenta aos sinais emitidos pelo corpo durante a noite – o que é impossível, caso esteja profundamente adormecida. Essa habilidade pode ser adquirida, desde que a criança coopere. Se ela se recusar a aderir ao processo, é sinal de que não quer ficar seca a noite inteira. Veja se ela obedece em outras situações durante o dia.

Você vai precisar de um despertador bem barulhento. Deixe que a própria criança o programe para um horário até o qual ela acredite ser capaz de segurar o xixi. Ponha o despertador em um lugar que seja próximo o bastante para acordá-la e longe o suficiente para obrigá-la a se levantar da cama para desligar.

Na hora de dormir, diga a ela para "conversar com o cérebro", mandando que escute o despertador e acorde. Quando o alarme disparar, ela deve se levantar e desligar. Aproveitando que está de pé, deve ir ao banheiro.

Algumas vezes, pode acontecer de você ouvir o som do despertador ecoando pela casa, enquanto a criança dorme profundamente. Vá até lá e a acorde, pelo menos o suficiente para ficar de pé. Se a criança conseguir acordar com o despertador e ir ao banheiro sozinha, isso significa um progresso tremendo. Demonstre o quanto isso impressiona você.

Essa maneira de agir coloca você e a criança "do mesmo lado", contra o problema. Isso estimula nela a responsabilidade e a certeza de ser capaz de desenvolver habilidades que lhe permitirão fazer como os coleguinhas, que acordam quando o corpo sinaliza. Caso esse método não seja poderoso o bastante para solucionar o problema de xixi na cama durante a noite, é hora de consultar o médico novamente.

25
ESTRATÉGIAS PARA ADOLESCENTES

A educação de adolescentes não passa de uma extensão de tudo o que você fez nos doze anos anteriores. O apoio emocional, tão necessário quanto a determinação de limites para que o adolescente se sinta seguro de si e a salvo de perigos, torna-se cada vez mais importante à medida que ele cresce em independência e competência.

No entanto, a verdadeira revolução hormonal que acontece no corpo do adolescente, o apoio e a pressão dos colegas e a perseguição implacável a ele exercida pela mídia e pelo setor de marketing nos obrigam a recorrer a tudo o que aprendemos como pais – e ao que mais houver!

A Lei da Fazenda

Stephen Covey, em seu maravilhoso livro *Primeiro o mais importante*, fala da Lei da Fazenda. Ele lembra que, se quisermos obter uma colheita abundante, precisamos planejar, preparar o solo, arar, semear na época correta, eliminar ervas daninhas e pragas, adubar e podar. Então, se fizermos tudo direitinho, conseguiremos uma ótima safra.

Vivemos em uma era "instantânea", em que se espera que as pessoas façam tudo mais depressa, com mais dedicação e mais inteligência –

e paguem depois. Covey nos lembra que a vida real não é assim. E eu gostaria de acrescentar que a criação de filhos definitivamente também não é assim.

Faz poucos anos, tive o privilégio de assistir às cerimônias de formatura dos meus filhos mais velhos. Toda vez que corria os olhos pelo grande auditório, cuja parte central era tomada pelas vestes negras dos formandos, eu chorava.

Cada família ali presente era testemunha do trabalho árduo dos anos anteriores, já que aqueles jovens haviam superado horas aparentemente intermináveis de aulas, estudo e testes. O que me emocionava, porém, não era a realização dos jovens, mas os esforços dos pais e de todos aqueles que fizeram parte do processo de educação, com a autodisciplina, a perseverança e a tenacidade necessárias.

Os pais não são os únicos educadores

Com a distribuição das famílias ocidentais pelas regiões urbanas em todo o mundo, os jovens não se sentem mais rodeados, guardados e protegidos por muitos adultos. E nós, como pais, não nos sentimos apoiados por uma família grande, pela Igreja ou pelo estado. Nossa sensação é de isolamento. Cabe a nós a tarefa de formar a melhor população possível, de modo a criar uma rede de segurança em torno dos nossos filhos.

A rede

Procure conhecer quem cuida dos amigos dos seus filhos.

Enquanto cursam o ensino fundamental, e até mesmo o ensino médio, é absolutamente compreensível e aceito que, ao levar os seus filhos à casa de um colega pela primeira vez, você entre para conhecer os pais do(a) jovem. Não se apresente apenas; deixe um cartão com o seu nome, endereço e telefone e procure obter as mesmas informações dos donos da casa.

Essa é uma das melhores redes de segurança: a troca de telefonemas entre os pais, para checar as combinações dos jovens e descobrir se é verdade que "todo mundo" pode fazer algum programa mais arriscado.

Seja o centro da margarida

O conceito do centro da margarida é a ideia de que os filhos fazem incursões cada vez mais extensas pelo mundo, mas voltam periodicamente aos pais, em busca de estímulo e conforto. À medida que as crianças crescem, tornam-se mais e mais independentes e parecem não precisar de nós. No entanto, descobri que, por mais que ajam com independência, os filhos querem ter o apoio e o conforto dos pais disponíveis no momento em que precisarem – exatamente como as crianças de 2 anos.

Eles se sentem melhor quando sabem com precisão onde se encontra o centro da margarida. Se dependesse da vontade dos adolescentes, os pais permaneceriam em casa, disponíveis, "guardados para qualquer necessidade". Embora nem sempre estejamos dispostos ou preparados para isso, precisamos ter em mente que nossos filhos adolescentes precisam de nós no início e no fim do dia e a qualquer momento em que tiverem um problema a discutir.

Uma das atribuições de ser o centro da margarida consiste em não calar o adolescente quando este decidir falar. Existe uma linha muito tênue que separa algumas atitudes, como ouvir com empatia, perguntar com interesse e estar presente por inteiro, de outras, como crítica e interrogatório. Não tenho a fórmula mágica para definir essa linha; a experiência nos ensina. Um dia, em meio a uma conversa franca com o nosso adolescente, lançamos um olhar diferente ou uma palavra mal colocada, e pronto. Ele se fecha e sai, dizendo:

– Você está sempre me criticando!

De nada adianta se zangar. Aproveite a solidão para pensar no que aconteceu e tentar descobrir o que afastou o jovem. Conforme se aproxima o fim da adolescência, eles vão ficando menos propensos a reações assim.

Os pais dão o exemplo

Na aldeia, as mesmas regras se aplicam praticamente a todos. Na intimidade de uma tribo, não se pode usar o lema "faça o que eu digo, mas não o que eu faço". Os adolescentes possuem uma sensibilidade extremamente aguçada para a incoerência, que eles chamam de "injustiça".

Lembre que eles estão atentos e aprendem com o seu exemplo a comer, beber, fumar, ser responsáveis e confiáveis, bem como a adotar determinado comportamento sexual. Embora "adultos podem fazer isso" seja uma justificativa, não devemos esquecer que somos constantemente vigiados.

Imagine a cena: o pote de biscoitos

Mãe (depois de ouvir o som da porta do armário da cozinha abrindo e o pote de biscoitos sendo destampado):

– O que é isso no seu rosto?

Criança (na esperança de se safar de qualquer problema):

– Nada.

Mãe (arrastando a criança até o espelho):

– Olhe.

Criança (tentando evitar problemas):

– Deve ser tinta.

Mãe (lambendo o dedo, passando no rosto e depois na boca da criança):

– Prove.

Criança (esforçando-se ainda mais para evitar problemas):

– Uau! É chocolate!

Mãe (ainda mais zangada):

– Ótimo! E como apareceu aí?

Criança (em uma última e heroica tentativa de evitar problemas):

– Uma bruxa deve ter entrado voando pela janela e feito isso.

Esses acontecimentos têm tudo para serem considerados desagradáveis por ambas as partes. A mãe se pergunta o que fez para merecer um filho que rouba e mente. Pode então começar a gritar, ameaçar, dar uma lição de moral ou arrastar o filho à força – ou, quem sabe, todas as opções anteriores. E a criança estará protestando, chorando ou "pensando" no quarto – ou, quem sabe, todas as opções anteriores.

Como se chega a uma situação complicada como essa? Que importância tem isso para a educação de um adolescente?

Quem disse a primeira mentira?

Bem, na verdade, foi a mãe. Ela, apesar de saber muito bem o que havia causado a mancha no rosto da criança, perguntou o que era aquilo, então se desenrolou todo o resto.

De maneira semelhante, perdemos muito da nossa credibilidade com os adolescentes quando fazemos perguntas para obter "respostas" que já conhecemos.

Se você sabe onde o adolescente esteve, o que fez e considera a atitude dele fora da estrutura de práticas aceitas pela família, fale com toda a calma possível:

– Você me disse que iria ao cinema, mas foi visto no bar.

Não se apresse em punir

Conceda a ele o benefício da dúvida.

– Presumo que você tenha uma explicação razoável. Qual é?

Espere por algum tempo a resposta. O importante é manter o problema nas mãos do adolescente, sem reclamações, lamúrias, súplicas ou castigos.

O mais comum é que o adolescente não tenha comunicado a você a mudança de planos porque sabia que a resposta seria "não". Então, fez o que queria, esperando fervorosamente que você não ficasse sabendo. Falta de sorte: você descobriu.

A tentação é proibir que ele saia com os amigos por algum tempo. Mas lembre que esse castigo apresenta os mesmos inconvenientes de todos os outros. Primeiro, você assume o problema. Você determina um castigo, acreditando que, ao ficar sem sair durante uma semana, um mês ou qualquer que seja o prazo estabelecido, o jovem vai se sentir tão infeliz que pensará bem antes de infringir as regras novamente.

Para alguns adolescentes, isso até funciona. Outros, porém, ficam revoltados com o castigo e o aproveitam como desculpa para responsabilizar você por tudo o que acontecer de errado em suas vidas dali por diante. Ficam de cara fechada, mal-humorados, tornam-se grosseiros e nada cooperativos. Restam-lhe duas opções: aceitar, acreditando que, de algum modo, é direito deles; ou determinar um novo castigo, este pelo comportamento desagradável. É um círculo vicioso.

Além do mais, decorridos uns dez dias do episódio, a sua raiva provavelmente já terá passado. Provavelmente a essa altura aparecerão inúmeros bons programas que você gostaria que o jovem aproveitasse, mas talvez ele ainda tenha algumas semanas de castigo pela frente.

A alternativa ao corte das saídas

A situação não é muito diferente daquela em que a criança de 4 anos mexeu no pote de biscoitos. Para demonstrar descontentamento, a mãe poderia mandar o pequeno pensar. Ele seria liberado assim que estivesse pronto para conviver com um pote de biscoito na mesma casa, sem mexer nele.

Você quer que o adolescente resista ao se encontrar diante de uma tentação. Se ele não for capaz disso, suas incursões pelo mundo serão complicadas. Portanto, passe o problema para ele:

– Eu me preocupo com a próxima vez em que você me pedir para sair. Como vou saber se você estará realmente no lugar onde disse que estaria?

Deixe o problema com ele. Peça que a procure quando tiver uma solução segura e eficaz.

É provável que você se questione:

– Mas o que ele pode fazer para conquistar a minha confiança? Como posso esperar que ele encontre uma resposta que eu não sei qual é?

Você chegou ao ponto principal da questão. Uma vez rompida a confiança, é difícil recuperar. Por isso, dê ao jovem tempo e espaço para pensar. Assim, ele cumprirá as etapas para a recuperação da confiança. A primeira delas é assumir o problema. Não queime essa etapa.

Regra infringida
↓
Tempo para pensar
↓
Criança pronta para deixar o local onde esteve pensando
↓
Relacionamento restabelecido

"Eu me preocupo com..."

Às vezes, nossos filhos adolescentes pretendem fazer alguma coisa cujo resultado temos certeza de que será desagradável ou perigoso. Nesse caso, precisamos encontrar um modo elegante de alertá-los para as consequências de seu plano (ou de sua falta de planejamento). Previsões sinistras feitas em tom didático têm pouco efeito sobre o adolescente típico, que se considera invencível ou está mais interessado na opinião dos colegas do que nas preocupações dos pais.

Temos de encontrar um meio de transmitir essas informações de modo que não provoquem uma reação de contrariedade ou indiferença no adolescente. Como sempre, os resultados serão melhores se assumirmos inteiramente nossas opiniões.

Descobri que uma abordagem cuidadosa, começando por "eu me preocupo com...", em geral nos permite expor nossas preocupações e alertar o filho adolescente para aspectos em que ele pode não ter pensado.

Se tivermos muita sorte, ele vai responder "eu não tinha pensado nisso" e reavaliará a ideia. Com um pouco menos de sorte, ouviremos algo do tipo "problema seu".

O mais provável é que o adolescente finja descaso com a sua advertência. Nesse caso, existem dois resultados possíveis. Um é tudo sair bem e ele dizer:

– Viu, mãe? Não havia motivo para preocupação.

O outro resultado possível é as coisas não saírem tão bem e o jovem levar um susto – nada muito drástico, esperemos. Deixe de lado o "eu avisei". Lamente o que deu errado. A sua credibilidade estará em alta na próxima vez em que disser "eu me preocupo com..."

"Você não pode me impedir"

Muitos dos nossos adolescentes passam por "surtos de descontrole". Talvez os pais tenham dito "não, você não pode ir" ou adotado o método "deixe o problema com o jovem". De um jeito ou de outro, o adorável adolescente anuncia:

– Eu vou, e você não pode me impedir.

Ele tem uma posição. Claro que você poderia impedi-lo, algemando-o à cama ou ameaçando deserdá-lo. Tais métodos, porém, envolvem intimidação e castigo, colocam o problema nas suas mãos, mantêm o jovem irresponsável e incompetente e nada acrescentam ao relacionamento entre pais e filhos.

Qual é a alternativa, então? Na realidade, você não pode decidir o que o seu filho adolescente vai fazer, mas pode decidir o que você vai fazer. Responda calmamente:

– É verdade. Não posso mesmo. Mas vamos deixar bem claro que você vai sem a minha permissão.

Por incrível que pareça, o adolescente se sente muito desconfortável ao ouvir isso. Às vezes, nos esquecemos do quanto somos importantes para os filhos. O que estamos fazendo aqui é criar uma situação de distanciamento emocional.

Ele pode ficar furioso e sair de perto. Não grite nem vá atrás dele. Prepare-se, pois não vai ser fácil esperar que ele volte. Mas ele vai voltar – talvez no mesmo dia, talvez no dia seguinte. Sei que é difícil, mas deixe que ele pense. Quando ele voltar, aja com relativa frieza e indiferença. Dê espaço ao jovem.

Mais cedo ou mais tarde, seu filho vai se aproximar emocionalmente. E logo vocês estarão do mesmo lado outra vez. Deixe que ele se reintegre ao círculo familiar. Acabou, e não há necessidade de punições. Ele não precisa pedir desculpas por precisar de espaço. Ele tem de saber que está em casa. Ele tem de viver a experiência de perceber que seus atos podem ferir os outros e que as pessoas talvez precisem de um tempo para voltar a demonstrar afeto.

Essa é uma lição de vida valiosa. E quem melhor do que pai ou mãe para ensiná-la?

E você terá feito tudo isso sem dizer uma só palavra.

Não favoreça a tentação...

Voltando à analogia do pote de biscoitos, a mãe também poderia reconhecer que ser deixada sozinha, com um pote de biscoitos à mostra, foi tentação demais para aquela criança: que a mãe deixasse o pote em local menos visível ou permanecesse mais vigilante.

Se queremos manter nossos filhos adolescentes livres das tentações, precisamos saber o que pretendem fazer. Como um pai ou uma mãe podem conseguir essa informação? Em geral, perguntar diretamente não é a melhor opção.

Informação sem interrogatório

Segundo as nossas leis, ninguém é obrigado a fornecer provas que incriminem a si mesmo. No entanto, ficamos muito aborrecidos quando nossos filhos não "confessam".

Se aos 4 anos as crianças possuem tal capacidade de resistir a interrogatórios, como no caso dos biscoitos, imagine o traquejo que terão alcançado aos 15! Se quisermos estar bem-informados acerca das atividades dos nossos filhos adolescentes, temos de encontrar maneiras mais inteligentes de obter informações. Assim, estaremos aumentando as chances de mantê-los em segurança.

Uma das melhores maneiras de obter informações é colocar dois ou três jovens no banco de trás do carro para levá-los a algum lugar. O truque é se envolver de tal modo com os próprios pensamentos – ao menos aparentemente – que eles pensem que você faz parte da estrutura mecânica do carro. Desse modo, você pode colher informações surpreendentes, pois não estará bisbilhotando; será apenas uma parte necessária do sistema de transporte. Cuidado, porém. Se você se deixar levar e entrar na conversa, a fonte vai secar instantaneamente.

Sempre que possível, responsabilize-se por pegar os jovens na saída das festas. Sei que a tarefa não é das mais agradáveis e nos custa muito permanecer acordados até tarde. No entanto, você precisa saber o que se passa. É incrível o que se pode descobrir observando quem está sentado na beira da calçada, quem fica para lá e para cá na entrada de carros e quem vai vomitar atrás da moita.

Não deixe a escada do lado de fora

Se não quer que o seu filho pequeno mexa no pote de biscoitos, não deixe a escada perto do armário. E, se não quer que seus filhos jovens corram perigo, não lhes ofereça inadvertidamente a oportunidade ou o exemplo.

Não leve os seus filhos a festas que considere perigosas. Não deixe que saiam sem procurar saber quem vai ficar na supervisão e quais as medidas de segurança adotadas.

Não financie bebidas e drogas. Estabeleça um sistema de contabilidade do dinheiro que você dá ao seu filho ele e da quantia gasta. Jovens que aprendem a limitar os gastos, economizando para investir em artigos que realmente desejam, são menos propensos a comprar por impulso. Oportunidades ilimitadas e recursos ilimitados compõem um coquetel perigoso para o adolescente. Não seja a pessoa a preparar essa receita.

Não espere que o seu filho adolescente se oponha à turminha dele se você não se opõe à sua. Se você pertence a um grupo que pratica atos ilegais ou antissociais, pisará em terreno instável quando disser ao jovem que não faça isso. Lembre-se: ele está observando tudo, pronto para seguir os seus exemplos.

E o biscoito roubado?

E se você desconfiar de uso de álcool, nicotina, maconha ou alguma outra substância pouco saudável não identificada?

Humilhar o adolescente na frente dos colegas é uma atitude que em nada contribui para que ele tenha mais juízo. Esbravejar e prometer castigo para o resto da vida em nada melhora o relacionamento de vocês.

É muito mais produtivo, e mais honesto, escolher um momento, no dia seguinte, e dizer calmamente:

– Você bebeu/fumou/usou substâncias ilegais. Não faça isso.

É esse o momento de se unir ao adolescente para resolver o problema de como conviver com os colegas mantendo a integridade. Experimente falar assim:

– Precisamos encontrar um jeito de você se divertir sem que eu duvide da sua segurança. Tem alguma ideia?

Assim como no caso do pote de biscoitos, temos de estar vigilantes e reconhecer que pode ser demais exigir que o adolescente olhe a tentação nos olhos e resista.

Lembre o conceito de população e faça da sua "aldeia" um lugar de aprendizagem, alegria, prazer e entusiasmo. Faça dela um local onde o adolescente encontre um ouvido atento, oportunidades de testar sua coragem, de aumentar sua competência, de descobrir quem é e o que representa.

Educação sexual

A tomada de decisões sensatas acerca do comportamento sexual é um dos muitos desafios enfrentados pelo adolescente. Como pais, somos levados a acreditar que existe um estágio na vida dos filhos em que devemos falar a eles sobre sexo, de modo que se sintam bem em relação ao corpo, cuidem da própria segurança e evoluam para uma vida sexual plena. Somos levados a crer que, se não "oferecermos uma boa educação sexual", seremos responsáveis por qualquer desvio na vida dos nossos filhos.

Na minha opinião, ensinar comportamento sexual responsável aos filhos não é muito diferente de ensinar outras questões e comportamentos complexos, preparando-os para a adolescência e a vida adulta. Nisso estão incluídas as decisões que deverão tomar sobre sexo, álcool, direção segura, opção de carreira, drogas ou escolha de amigos razoavelmente adequados ao seu modo. Nada disso depende da conversa certa, do livro certo ou da aula certa. A formação de jovens adultos capazes de tomar decisões equilibradas e de estabelecerem comportamentos morais e eticamente apropriados nada mais é que o ponto final do processo de vinte anos de educação.

Sabendo-se que é difícil imaginar um livro que fale da criação de filhos sem alguns comentários específicos sobre educação sexual, incluí algumas experiências vividas em casa e algumas observações.

A educação sexual pode ser dividida em duas seções bem resumidas: o que eles sabem e o que eles fazem com o que sabem.

O que eles sabem

Quando Tanya tinha 6 ou 7 anos, aproximou-se de mim um dia e perguntou:

– Você e o papai fizeram mesmo aquilo para que eu nascesse?

– Fizemos – respondi naquele tom de voz cuidadosamente neutro que os pais guardam para tais ocasiões.

– Ugh! Argh! – fez ela, afastando-se o mais rápido possível da portadora de tão más notícias.

A interpretação que faço da reação de Tanya é que, aos 3, 4 e 5 anos, ela absorveu informações sobre reprodução humana considerando tudo aquilo muito distante de seu corpo – pouco tendo a ver com ele. De repente, porém, identificou o comportamento em relação ao próprio corpo e, aos 7 anos, muito apropriadamente, pensou: "Ugh! Argh!"

Presumo que, quando ela entrou na adolescência, passou a ver as coisas de maneira muito diferente.

Quando eles devem saber

As crianças precisam receber informações básicas acerca de como os bebês nascem e são feitos enquanto forem bem pequenas para que, quando começarem a estabelecer ligação entre as ações e o próprio corpo, não sejam surpreendidas, mas saibam que sempre souberam.

À medida que as crianças se aproximam da puberdade, precisam de informações mais específicas sobre as mudanças que estão para acontecer em seu corpo e sobre suas prováveis respostas emocionais. Como a sociedade estimula os jovens a serem sexualmente ativos cada vez mais cedo, eles necessitam de informação que lhes permita fazer escolhas sensatas. Precisam ainda do nosso exemplo e proteção, de modo que consigam resistir às mentiras atraentes e informações equivocadas a que fatalmente estarão expostos.

É bom se pudermos responder a todas as perguntas que os filhos nos fazem; a questão é que eles, em sua maioria, não nos fazem muitas perguntas.

Eles colhem informações sobre sexo usando os mesmos recursos que adotam para aprender outros assuntos – livros, colegas, escola, revistas, programas de televisão, filmes e, às vezes, os pais.

O que eles fazem com o que sabem

Pelo que sei, o ponto principal, quando nossas crianças se tornam adolescentes, não é "educação sexual". As questões giram em torno de emoções, relacionamentos, segurança, álcool, drogas, pressões da turma de amigos, rebeldia, obediência, carros, exemplos, valores, ética, moral e limites.

O respeito que os jovens dedicam ao corpo, à mente e às emoções e o modo como encaram a sexualidade são, em grande parte, um produto da educação que receberam. Quando chegar a hora de decidirem como expressar sua sexualidade, é melhor que já tenham vivido situações em que adiaram o prazer, cometeram erros seguros, limitaram as opções, planejaram e tomaram decisões sensatas.

A qualidade da tomada de decisões do adolescente depende também, em grande parte, de suas amizades – e aí existe sempre um fator sorte.

Consolo-me com a ideia de que, quando nossos filhos se saem bem, é resultado da excelente educação que tiveram. No entanto, quando algo dá errado, é por causa das influências do ambiente, que não podemos de modo algum controlar!

CONSIDERAÇÕES FINAIS

Um motivo frequente de preocupação dos pais é o que fazer: quando a criança de 3 anos, em um acesso de raiva, atira longe o prato de comida; quando a menina de 10 anos briga com a irmã menor; quando o garoto de 15 anos chega em casa com o nariz quebrado. Nesses momentos, os pais gostariam de ter uma resposta instantânea.

Nas sessões de aconselhamento, o que mais ouço é: "Como você consegue ter tantas ideias e estratégias quando só o que eu faço é gritar e me exaltar?"

Este é o primeiro aspecto que sempre aponto: é muito fácil manter a calma quando se trata do filho dos outros. O segundo aspecto é: já tive meu tempo de retorcer as mãos, gritar e fazer ameaças vãs. Em todas essas ocasiões, porém, o pensamento que me veio depois foi: "Diane, esse não é um modo muito conveniente de agir."

O terceiro aspecto que convido os pais a pensar a respeito é o conceito da "barraca do general".

Nos antigos filmes de guerra, fica evidente a diferença entre as vidas daqueles que ficam na linha de fogo e as dos que tomam as decisões. O soldado raso é treinado para seguir ordens. Quando alguém grita "marche!", ele marcha. Quando alguém grita "fogo!", ele atira. Não se espera dele que pense. Nem que planeje. Nem que discuta.

Quando sob fogo cruzado, com toda aquela barulheira assustadora, é razoável supor que o soldado raso não consiga pensar direito. Ele apenas segue ordens. Quem desenvolve as estratégias, porém, precisa de um local sossegado para pensar.

A barraca do general fica muito longe do campo de batalha. Ele não corre perigo pessoal. Tem quem lhe sirva comida, bebida e cigarros. Alguém cuida de suas roupas e supre todas as suas necessidades. Quando se sente cansado, dorme. Tudo para que ele tome decisões sensatas e elabore estratégias eficazes.

E se o general fosse o soldado raso e atendesse pelo nome de "mamãe"? Essa é a situação em que a maioria das mães se encontra. Nossa função, como a do general, é tomar todas as decisões estratégicas.

Em dez minutos, tomamos decisões cujo impacto se faz sentir no dia seguinte, na semana seguinte e no ano seguinte. Precisamos ter sempre em mente que a educação de um filho é um projeto com aproximadamente vinte anos de duração que exige aproximadamente vinte anos de planejamento.

Ao mesmo tempo, as mães são soldados rasos que têm de cuidar de todos os detalhes do dia a dia – limpar delicadamente partes sujas da anatomia dos filhos, ouvir queixas e reclamações, impedir que as crianças lambuzem de tinta as orelhas do cachorro enquanto preparam o lanche da tarde, pegar as mensagens na secretária eletrônica, escutar as novidades que os filhos trazem da escola, planejar o jantar, procurar as roupas de banho para o treino de natação, acompanhar a aula de música, acomodar todo mundo no carro para não perder a partida de tênis e lembrar quem tem livro atrasado para devolver à biblioteca e quem vai precisar de um presente para a festa de aniversário no sábado seguinte.

Quem consegue tomar decisões estratégicas acertadas enquanto dirige em meio ao tráfego do final da tarde porque é o seu dia de transporte solidário? O cérebro simplesmente não consegue proceder a uma supervisão eficiente sob estresse intenso. Com uma tremenda bagunça dentro do carro, é praticamente impossível encontrar uma abordagem calma, racional. A frente de batalha não é lugar para tomada de decisões e formulação de estratégias racionais.

O máximo que podemos fazer é "tomar algumas notas" na mente.

Então, quando tiver acomodado as crianças na cama – ou, no caso de filhos adolescentes, depois que eles colocarem você para dormir –, pegue papel e caneta e trace a sua estratégia. O que vai fazer quando a situação parecer fugir ao controle? Existe algum meio de evitar a crise praticando o apoio emocional? Existe algum comportamento que deva ser impedido sempre? Como você pode se manter fora do triângulo, não assumindo o papel de salvador nem de perseguidor? Como deixar o problema nas mãos da criança, de modo que ela cresça em competência?

Essas são decisões importantes. Precisam ser tomadas em meio à calma e segurança da barraca do general, de modo que, ao assumirmos o papel do soldado raso, no calor da batalha, saibamos exatamente o que fazer.

Evitando as flechas

A Terra dos Pais é um local perigoso. Lá, crianças de todas as alturas, prontas para nos atirar flechas, nos espreitam.

A primeira habilidade necessária à sobrevivência na Terra dos Pais é reconhecer uma flecha verbal – uma frase dita com o propósito de "espetar" ou desarmar pai ou mãe. Pode ser algo assim:

- Você não é meu amigo.
- Não gosto de você.
- Eu odeio você.
- Você sabe que eu não vou.
- É uma ideia idiota.
- Você não manda em mim.
- *Todo mundo* vai viajar no fim de semana.
- Você é muito antiquada.

As flechas possuem um enorme potencial de destruição. Mas existem algumas coisas que você pode fazer com as flechas que lhe atirarem.

Receber a flechada no peito

Uma abordagem que não recomendo é aparar a flecha no peito – levar o comentário para o lado pessoal. Não repreenda a criança nem lhe diga que fez uma coisa feia. Não comece o discurso com frases como "depois de tudo o que fiz por você..." Não mencione o quanto se sacrificou e o quanto sofre. Não demonstre uma dor intensa, não chore nem exija desculpas. O problema de aparar a flecha no peito é que esguicha sangue no tapete: o seu sangue.

Devolver a flechada

Outra abordagem que não recomendo é disparar a flecha de volta para o local de onde veio. Não diga que a criança está de castigo ou que jamais fará algo de bom por ela novamente. Não diga que não conte mais com a sua amizade. Não a irrite ainda mais, dizendo que a ama, nem que vai telefonar a todos os pais dos coleguinhas, para confirmar a história do fim de semana. Não se pergunte se ela vai contar para a professora nem se preocupe com a reação da professora quando souber das suas dúvidas. O problema de atirar a flecha de volta é que esguicha sangue no tapete: o sangue da criança.

Identifique a flecha e deixe que ela passe zunindo

Reconheça que o comentário foi apenas uma resposta – não precisa da sua intervenção. A não ser que você adore uma briguinha, o melhor a fazer é pensar "é uma flecha" e afastar um pouco a cabeça, deixando que ela passe zunindo pelo seu ouvido. As respostas verbais a essas situações devem ser apenas murmuradas. Eis aqui alguns exemplos:

- Uh-huh. (uma espécie de grunhido)
- Que interessante...
- É mesmo? (com ar de surpresa)
- Vou ter que pensar nisso.

Quatro palavras para pais exaustos

As ideias deste livro podem ser resumidas em quatro expressões essenciais, que ofereço aos pais exaustos:

- UAU! – para todas as coisas maravilhosas que nossos filhos fizeram e que mereçam ser reconhecidas.
- OH-OH-OH – para as ocasiões em que nossos filhos estiverem tristes ou aborrecidos, precisando do nosso apoio emocional.
- VÁ! – para quando nossos filhos precisarem de espaço para organizar as ideias.

- UH-HUH – espécie de grunhido neutro, para quando os filhos dispararem flechas que vamos deixar passar zunindo pelo nosso ouvido.

Pais exaustos podem ir longe com essas quatro expressões.

Finalmente: curta os seus filhos; curta você

É dever nosso em relação aos filhos torná-los pessoas cuja companhia seja agradável para a família e para os amigos. Para isso, eles precisam ser razoavelmente capazes de administrar frustrações do dia a dia, razoavelmente disciplinados, ricos em capacidades e virtudes.

Hal Urban, no último capítulo de seu livro *20 Things I Want My Kids To Know* (não publicado em português), afirma que a bondade é um ingrediente essencial da saúde emocional e espiritual. Como seres humanos, precisamos ser bons.

Se conseguirmos capacitar nossos filhos a serem bons, estaremos entregando a eles a chave da felicidade.

A mais importante e significativa tarefa que venho cumprindo na vida é educar meus três filhos. Acredito firmemente que devemos formar indivíduos com os quais seja um prazer conviver.

Os anos de formação dos nossos filhos voam, embora alguns dias pareçam intermináveis.

Aproveite. Curta os seus filhos. Curta você.

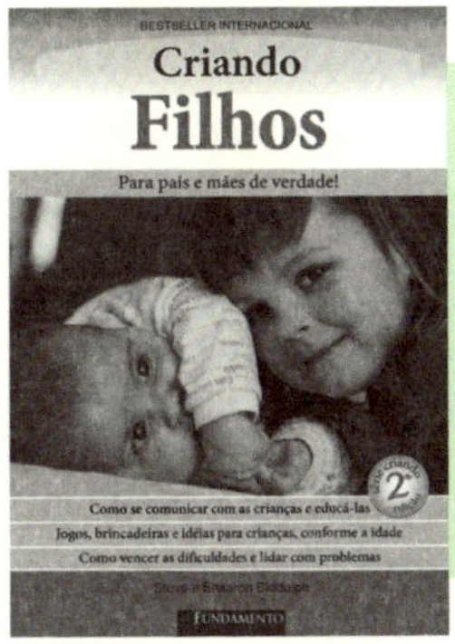

CRIANDO FILHOS

Steve e Shaaron Biddulph

Experientes e inspiradores, os autores oferecem exemplos práticos e bem-humorados de como aproveitar ao máximo os primeiros anos de desenvolvimento de seus filhos.

CRIANDO ADOLESCENTES

Michel Carr-Gregg e Erin Shale

A sociedade gostaria que os adolescentes logo alcançassem o amadurecimento emocional, mas isso não é simples...
A adolescência mudou! Criando adolescentes revela os conhecimentos de que os pais precisam durante essa fase.

DOMANDO SUA FERINHA

Dr. Christopher Green

Domando sua ferinha fará você redescobrir o prazer de educar filhos. Objetivo, sincero e prático, o autor faz enorme sucesso com suas orientações sobre o dia a dia das crianças.

DOMANDO SUA FERINHA 2

Dr. Christopher Green

Como educar seu filho que está na fase dos 5 aos 12 anos? Como passar conceitos de moral e comportamento em fases tão distintas como a pré-escola e a pré-adolescência? Com delicadeza e criatividade, Christopher Green mostra o caminho para resolver esses e outros dilemas que povoam a cabeça dos pais. Um livro indispensável para formar adultos responsáveis, bem-sucedidos e felizes.

EDITORA FUNDAMENTO

www.editorafundamento.com.br
Atendimento: (41) 3015 9700